SUR MATTHIEU

Hilaire étudiant l'Écriture (miniature).
Pontifical de Luçon, xve s.
(Photographie de la Bibliothèque Nationale.)

SOURCES CHRÉTIENNES

Fondateurs : H. de Lubac, s. j. et † J. Daniélou, s. j.
Directeur : C. Mondésert, s. j.
Nᵒ 254

HILAIRE DE POITIERS

SUR MATTHIEU

TOME I

INTRODUCTION, TEXTE CRITIQUE, TRADUCTION
ET NOTES

PAR

Jean DOIGNON
PROFESSEUR A L'UNIVERSITÉ DE FRANCHE-COMTÉ

Ouvrage publié avec le concours
du Centre National des Lettres

LES ÉDITIONS DU CERF, 29, BD DE LATOUR-MAUBOURG, PARIS
1978

*Cette publication a été préparée avec le concours
de l'Institut des Sources Chrétiennes
(ERA 645 du Centre National de la Recherche Scientifique)*

AVANT-PROPOS

Nous croyons utile de préciser en tête de cet ouvrage de quelle manière nous en avons conçu les différentes parties.

1. L'introduction étudie d'abord comment il convient de se représenter « l'élaboration du commentaire », puis s'efforce d'en donner une analyse d'ensemble du point de vue littéraire et doctrinal. L'historique de l'élaboration du commentaire ne s'accompagnera pas d'une biographie d'Hilaire, puisque celle-ci — ou du moins ce qu'on peut en savoir — a été retracée par l'introduction de l'édition du *Traité des mystères*, publiée dans la collection « Sources Chrétiennes ». En revanche, nous avons essayé de préciser le cadre dans lequel ce commentaire a été conçu et les traces que l'on peut retrouver de sa survie. Cet exposé, ainsi que le suivant, intitulé « La technique du commentaire », tient compte des résultats auxquels nous sommes parvenu dans notre *Hilaire de Poitiers avant l'exil* (1971), du point de vue de la genèse de l'*In Matthaeum* comme de son contenu. Cependant, à propos de la méthode d'exégèse, nous essayons de restituer, mieux que nous n'avions pu le faire, la structure littéraire d'une page de commentaire. D'autre part, dressant dans « le soubassement culturel du commentaire » le bilan des lectures d'Hilaire, nous tentons — ce que nous n'avions fait que partiellement dans la partie de conclusion de notre ouvrage — d'apprécier l'impact respectif de ces dernières : l'Écriture, les « maîtres africains » (Tertullien et Cyprien), Cicéron, et enfin la littérature technique.

La seconde partie de l'introduction est consacrée à l'« analyse doctrinale » du commentaire. Évitant d'entrer dans le détail des explications spirituelles sur lesquelles nous nous sommes longuement étendu dans notre thèse, nous dégagerons ici les grandes lignes d'un enseignement centré sur l'idée de salut, dont Hilaire fait la clé de voûte de la « doctrine » de l'Évangile.

L'introduction s'achève par une étude des « problèmes critiques, linguistiques et stylistiques ». Pour les premiers, l'accent est mis sur le classement des manuscrits, travail qui n'avait jamais été fait et que nous résumons par un *stemma codicum*. Dans l'étude des « problèmes linguistiques », rompant avec la méthode suivie dans les *Dissertations* de la Catholic University of America, où sur des faits de langue chez Hilaire toutes les occurrences sont enregistrées, qu'elles soient banales ou non, nous avons concentré notre attention sur des phénomènes de lexique, de morphologie et de syntaxe caractéristiques du latin tardif et, de ce point de vue, surprenants pour un lecteur non averti. C'est dans la même optique que nous étudions certaines formes « stylistiques » propres au « discours » exégétique.

2. Grâce aux documents photographiques et aux notices que la Section latine de l'Institut de Recherche et d'Histoire des Textes a mis à notre disposition avec une libéralité que nous ne saurions trop louer, le texte de l'*In Matthaeum* est établi ici pour la première fois d'après un examen critique de l'ensemble des manuscrits les plus anciens et les plus représentatifs qui soient connus, joints à l'ensemble des éditions depuis l'*editio princeps*. Les manuscrits non retenus pour l'édition ont été inventoriés partiellement ; ils n'apportent rien d'intéressant en vue de l'établissement du texte. On mesurera, nous l'espérons, la nouveauté de notre édition en considérant le nombre d'unités critiques où, à propos d'une leçon qui était restée inédite ou qui avait été rejetée, nous nous séparons des éditions antérieures, en particulier de celle que reproduit — non sans coquilles — le tome 9 de la *Patrologie latine*. Nous n'avons pas cédé au malin désir de bouleverser une tradition qui remontait au XVIIe siècle, mais trop souvent celle-ci s'est établie sur la base de conclusions fragiles résultant ou d'un jugement de l'éditeur qui corrigeait à son gré, ou d'une information insuffisante concernant les témoins manuscrits, ou d'une approbation donnée sans contrôle aux derniers témoins trouvés. Néanmoins, pour permettre une lecture commode et un repérage rapide des références, nous n'avons pas touché à

la division du texte en chapitres et en alinéas, telle qu'on la trouve dans les éditions antérieures. D'ailleurs, si le découpage en alinéas numérotés ne remonte pas au-delà de l'édition des Mauristes, la division en chapitres est beaucoup plus ancienne et attestée du moins partiellement dans quelques *codices antiquiores*.

En établissant le texte, nous avons donné partout la priorité au témoignage des manuscrits, quand il était en concurrence avec les conjectures des éditeurs. Nous ne mentionnons pas ces dernières quand elles sont isolées, ne faisant d'exception que pour les corrections de P. Coustant qui, reprises dans la *Patrologie*, ont connu une diffusion importante.

La confection de l'apparat critique a obéi aux normes suivantes. L'apparat est négatif. Nous répétons cependant le lemme, dès que la clarté l'exige. Nous négligeons, en principe, les variantes qui ne sont attestées que chez un seul témoin, à moins qu'elles n'intéressent l'histoire du texte. Nous n'avons fait appel au témoignage des manuscrits secondaires, retenus comme caractéristiques et collationnés à ce titre, que dans le cas où le *codex locupletior* dont ils dérivent présentait une lacune. Cette éventualité se produit souvent pour le manuscrit *A*, que les témoins *O Q X W Z* peuvent suppléer aux endroits où il est utile de confirmer une variante de *S* par celle de descendants de *A*, pour faire apparaître une faute commune à un groupe très fermement dessiné dans la tradition du texte, le groupe *A S*.

L'apparat est également négatif pour les variantes des éditions ; autrement dit, les sigles des éditeurs n'apparaissent que s'ils sont en désaccord avec la leçon adoptée et en accord avec une variante rejetée de certains témoins manuscrits. Le sigle *Cou.*, s'il n'est suivi d'aucun autre sigle, implique que les éditions postérieures à celle de P. Coustant s'alignent sur elle. Dans le cas contraire, elles sont mentionnées par leur sigle.

3. Dans la traduction, nous avons essayé de ne pas trahir le génie de la phrase d'Hilaire, génie si différent de celui de la phrase latine classique en dépit des apparences, à cause de ses alliances de mots insolites, du cours sinueux que lui

donne l'usage fréquent de la parenthèse, ou seulement à cause de la disposition de ses éléments, qui défie plus d'une fois les structures analytiques de notre expression.

4. Les notes qui accompagnent le texte et sa traduction ne constituent pas un commentaire. Parcellaires et en général succinctes, elles sont destinées à servir de moyen d'investigation. A cet effet, nous leur avons assigné trois objectifs : tout d'abord l'éclaircissement des références et des allusions que fait Hilaire soit à des *realia*, soit à des faits d'histoire, soit à des textes. En second lieu, dans ces notes, nous entendons rapprocher des opinions, des formules ou des définitions d'Hilaire de celles de textes antérieurs, tant classiques que chrétiens, dont l'exégète de Poitiers a pu s'inspirer. La méthode employée n'est pas la *Quellenforschung* proprement dite, mais elle consiste à recréer l'environnement culturel dont l'information d'Hilaire a bénéficié. Enfin certaines notes visent à faire le point des discussions soulevées chez les spécialistes par tel ou tel passage de l'*In Matthaeum*. Par contre, nous avons exclu de l'annotation à peu près toute discussion relative au choix des variantes et à l'établissement du texte. Sur ces sujets, nous nous expliquons dans des revues spécialisées.

5. Les index ont été conçus pour être un outil d'analyse. Ils sont au nombre de quatre :

1) Un index bibliographique limité aux titres qui concernent strictement l'*In Matthaeum*. Une bibliographie complète sur Hilaire ferait en effet double emploi avec celle qu'a établie Ch. Kannengiesser dans le *Dictionnaire de Spiritualité*.

2) Un index des références scripturaires à l'exclusion des citations de *Matthieu*.

3) Un index analytique des principaux sujets traités dans le commentaire d'Hilaire.

4) Un index sélectif des mots latins les plus typiques du commentaire et caractéristiques de domaines spécialisés : droit, rhétorique et exégèse, poésie, théologie.

7 décembre 1977.

AVERTISSEMENT
sur la présentation des notes

I. Références

A) *Auteurs classiques :*

Les références sont empruntées pour la plupart aux volumes parus dans les grandes collections : *Collection des Universités de France, Bibliotheca Teubneriana.* Dans ce cas, nous ne mentionnons pas le nom de l'éditeur. Celui-ci n'apparaît que lorsque nous renvoyons à une édition qui n'appartient pas aux dites collections.

B) *Auteurs chrétiens :*

Ils sont cités d'après l'édition signalée en première ligne dans la *Clauis Patrum latinorum* et appartenant soit à la *PL (Patrologia latina)* et à son Supplément *(PLS)*, soit au *CSEL (Corpus scriptorum ecclesiasticorum latinorum)*, soit au *CC (Corpus christianorum)*, soit aux *SC (Sources chrétiennes)*, soit à la *BA (Bibliothèque augustinienne)*. Pour les références d'auteurs grecs, nous signalons l'édition utilisée.

C) *Bible :*

D'une façon générale, nous citons la Vulgate d'après *Biblia Sacra iuxta Vulgatam editionem...*, 2 vol., Stuttgart, 1959. Les citations de la*Vetus latina* sont signalées par le sigle *VL* et sont empruntées soit à *Vetus latina, Die Reste der lateinischen Bibel...*, Fribourg 1949 s. ; soit à *Itala, Das Neue Testament in altlateinischer Überlieferung...* hgg. v. A. Jülicher, 4 vol., Berlin 1938-1963.

II. Abréviations

Les noms des auteurs latins et de leurs œuvres ont été abrégés selon les normes de l'*Index librorum scriptorum inscriptionum ex quibus exempla adferuntur* (avec Supplément) du *Thesaurus linguae latinae*, Leipzig 1904 et 1958.

Les titres des publications périodiques ont été abrégés d'après les normes de la collection de l'*Année Philologique.* Pour les périodiques non recensés par l'*Année Philologique*, nous avons adopté les sigles de la *Bibliographia patristica* éditée par W. Schneemelcher.

III. Renvois au texte de l' « In Matthaeum »

Les renvois comportent un, deux ou trois chiffres : chapitre, paragraphe, ligne. Les notes sont indiquées par leur numéro dans le chapitre (ainsi « Cf. 4 n. 20 » = Cf. chapitre 4, note 20).

INDEX BIBLIOGRAPHIQUE

Aigrain, R., « Où en est l'étude des œuvres de saint Hilaire ? » dans *BSAO*, 3ᵉ sér., t. 11, 1938, p. 691-710.

Bardy, G., « Un humaniste chrétien : saint Hilaire de Poitiers », dans *RHEF*, t. 27, 1941, p. 5-25.

Beck, Anton, « Die Lehre des hl. Hilarius von Poitiers über die Leidensfähigkeit Christi », dans *ZKTh*, t. 30, 1906, p. 110-122 ; 305-310.

Blaise, A., *Saint Hilaire de Poitiers, De Trinitate et ouvrages exégétiques, Textes choisis, traduits et présentés*, Namur 1964.

Blasich, G., « La risurrezione dei corpi nell'opera esegetica di S. Ilario di Poitiers », dans *Divus Thomas*, t. 69, 1966, p. 72-90.

Bonnassieux, F.-J., *Les Évangiles synoptiques de saint Hilaire de Poitiers, Étude et texte*, Lyon-Paris 1906.

Borchardt, C. F. A., *Hilary of Poitiers' Role in the Arian Struggle* (*Kerkhistorische Studien*, deel 13), S-Gravenhage, 1966.

Brisson, J.-P., Introduction à son éd. d'*Hilaire de Poitiers, Traité des mystères* (*SC* 19 bis), 2ᵉ éd., Paris 1967, p. 7-70.

Brown, M. V., *The Syntax of the Prepositions in the Works of Saint Hilary* (*The Catholic University of America, Patristic Studies*, t. 41), Washington 1934.

Buttell, M. F., *The Rhetoric of Saint Hilary of Poitiers* (*The Catholic University of America, Patristic Studies*, t. 38), Washington 1933.

Casamassa, A., « Note sul'Commentarius in Matthaeum di S. Ilario di Poitiers », dans *Scritti patristici*, t. 1 (*Lateranum*, t. 21), Città del Vaticano 1955, p. 208-214.

Charlier, A., « L'Église corps du Christ chez saint Hilaire de Poitiers », dans *EThL*, t. 41, 1965, p. 451-477.

Courcelle, P., « Tradition néo-platonicienne et tradition chrétienne du vol de l'âme », dans *Annuaire du Collège de France*, t. 63, 1963, p. 386-391.

COUSTANT, P., « Admonitio de commentario in evangelium sancti Matthaei », dans *PL* 9, 910-916.

CROUZEL, H., *L'Église primitive face au divorce (Théologie historique*, t. 13), Paris 1971.

— « Le texte patristique de Matthieu V, 32 et XIX, 9 », dans *NT Studies*, t. 19, 1972-1973, p. 98-119.

— « Le remariage après séparation pour adultère selon les Pères latins », dans *BLE*, t. 75, 1974, p. 189-204.

DANIÉLOU, J., « Hilaire et ses sources juives » (*Hilaire et son temps, Actes du Colloque de Poitiers 29 sept. - 3 oct. 1968*), Paris 1969, p. 143-147.

DOIGNON, J., « *Adsumo* et *adsumptio* comme expressions du mystère de l'Incarnation, chez Hilaire de Poitiers », dans *ALMA*, t. 23, 1953, p. 123-135.

— « Hilaire écrivain » (*Hilaire et son temps, Actes du Colloque de Poitiers 29 sept. - 3 oct. 1968*), Paris 1969, p. 267-286.

— *Hilaire de Poitiers avant l'exil, Recherches sur la naissance, l'enseignement et l'épreuve d'une foi épiscopale en Gaule au milieu du IVe siècle*, Paris 1971.

— « Les langages de la foi chez Hilaire de Poitiers », dans *IL*, t. 24, 1972, p. 116-118.

— « La scène évangélique du Baptême de Jésus commentée par Lactance (*Diuinae institutiones* 4, 15) et Hilaire de Poitiers (*In Matthaeum* 2, 5-6) », dans *Epektasis* (*Mélanges patristiques offerts au Cardinal Jean Daniélou*), Paris 1972, p. 63-73.

— « Citations singulières et leçons rares du texte latin de l'Évangile de Matthieu dans l'*In Matthaeum* d'Hilaire de Poitiers », dans *BLE*, t. 76, 1975, p. 187-196.

— « L'*argumentatio* d'Hilaire de Poitiers dans l'*exemplum* de la Tentation de Jésus (*In Matthaeum* 3, 1-5) », dans *VChr*, t. 29, 1975, p. 296-308.

— « Ordre du monde, connaissance de Dieu et ignorance de soi chez Hilaire de Poitiers », dans *RSPTh* 60, 1976, p. 565-578.

— « Une addition éphémère au texte de l'Oraison dominicale chez plusieurs Pères latins. Recherches sur son origine et son histoire », dans *BLE* 78, 1977, p. 161-180.

— « Rhétorique et exégèse patristique : la *defensio* de l'apôtre Pierre chez Hilaire de Poitiers », dans *La Rhétorique* (*Actes du Colloque de l'E. N. S.* 1977), Paris 1979, p. 141-152.

— « Observations critiques sur le texte de l'*In Matthaeum* d'Hilaire de Poitiers », à paraître dans les *Annales littéraires de l'Université de Besançon*.

— « Les variations des citations de l'Épître aux Romains dans l'œuvre d'Hilaire de Poitiers », dans *RBen* 78, 1978, p. 189-204.

DUVAL, Y.-M., « Les sources grecques de l'exégèse de Jonas chez Zénon de Vérone », dans *VChr*, t. 20, 1966, p. 98-115.

— *Le Livre de Jonas dans la littérature chrétienne grecque et latine. Sources et influence du Commentaire sur Jonas de saint Jérôme*, Paris 1973.

EMMENEGGER, J. E., *The Functions of Faith and Reason in the Theology of Saint Hilary of Poitiers* (*The Catholic University of America, Studies in Christian Antiquity*, t. 10), Washington 1947.

FAVRE, R., « La communication des idiomes dans les œuvres de saint Hilaire de Poitiers », dans *Gregorianum*, t. 17, 1936, p. 481-514 ; t. 18, 1937, p. 318-336.

— « Credo in Filium Dei mortuum et sepultum », dans *RHE*, t. 33, 1937, p. 687-724.

FEDER, A. L., «Kulturgeschichtliches in den Werken des hl. Hilarius von Poitiers », dans *Stimmen aus Maria Laach*, t. 81, 1911, p. 30-45.

— « Varia über die Fassung der Bibelstellen bei Hilarius » (*Studien zu Hilarius von Poitiers* III), dans *SAWW*, t. 169, 5, 1912, p. 110-141.

— «Epilegomena zu Hilarius Pictaviensis, V : Bibelzitate », dans *WS*, t. 41, p. 172-178.

FIERRO, A., *Sobre la gloria en San Hilario. Una sintesis doctrinal sobre la nocion biblica de « Doxa »* (*Analecta Gregoriana*, t. 144), Rome 1964.

FONTAINE, J., « La nascità del umanesimo cristiano nella Gallia romana : sant'Ilario di Poitiers », dans *RSLR*, t. 6, 1970, p. 18-39.

GALTIER, P., *Saint Hilaire de Poitiers, le premier docteur de l'Église latine,* Paris 1960.

GASTALDI, N. J., *Hilario de Poitiers exegeta del Salterio (Institut catholique de Paris, Thèses et travaux de la Faculté de Théologie, série patristique* 1), Paris 1969.

GILLIS, J. H., *The Coordinating Particles in Saints Hilary, Jerome, Ambrose and Augustine. A Study in Latin Syntax and Style (The Catholic University of America, Patristic Studies,* t. 56), Washington 1938.

GIMBORN, D. T., *The Syntax of the Simple Cases in Saint Hilary of Poitiers (The Catholic University of America, Patristic Studies,* t. 54), Washington 1939.

GRIFFE, É., *La Gaule chrétienne à l'époque romaine,* t. 1 : *Des origines chrétiennes à la fin du IVe siècle,* 2e éd., Paris 1965.

JEANNOTTE, H., « Les *Capitula* du *Commentarius in Matthaeum* de saint Hilaire de Poitiers », dans *HZ,* t. 10, 1912, p. 36-45.

KANNENGIESSER, Ch., « Hilaire de Poitiers (saint) », dans *DSp,* t. 7, 1969, p. 466-499.

— « L'héritage d'Hilaire de Poitiers, I : Dans l'ancienne Église d'Occident et dans les bibliothèques médiévales », dans *RecSR,* t. 56, 1968, p. 435-456.

— « L'exégèse d'Hilaire » (*Hilaire et son temps, Actes du Colloque de Poitiers 29 sept. - 3 oct. 1968*), Paris 1969, p. 127-142.

KINNAVEY, R. J., *The Vocabulary of Saint Hilary of Poitiers as contained in « Commentarius in Matthaeum », « Liber I ad Constantium » and « De Trinitate » (The Catholic University of America, Patristic Studies,* t. 47), Washington 1935.

LADARIA, L. F., *El espiritu santo en San Hilario de Poitiers (Publicaciones de la Universidad pontificia Comillas,* ser. 1, 8), Madrid 1977.

LE BACHELET, X., «Hilaire (saint) », dans *Dict. Théol. Cath.,* t. 6, 1920, c. 2388-2462.

LEBON, J., « Une ancienne opinion sur la condition du corps du Christ dans la mort. L'opinion de saint Hilaire de Poitiers », dans *RHE,* t. 23, 1927, p. 209-241.

LIMONGI, P., « Esistenza e universalità del peccato originale nella mente di S. Ilario di Poitiers », dans *ScCatt*, t. 69, 1941, p. 127-147.

LOOFS, F., « Hilarius von Poitiers », dans *Realenzyklopädie für protestantische Theologie*, t. 8, 1900, c. 57-67.

MC DER MOTT, J. M., « Hilary of Poitiers : the Infinite Nature of God », dans *VChr*, t. 27, 1973, p. 172-202.

MC MAHON, J., *De Christi mediatore. Doctrina S. Hilarii Pictaviensis* (*Pontificia Facultas theologica seminarii sanctae Mariae ad Lacum*, Dissertationes ad lauream, t. 14), Mundelein 1947.

MALUNOWICZ, L., *De uoce sacramenti apud S. Hilarium Pictaviensem* (*Rozprawy wydzialu historyczno-filologicznego*, Sekeja ogolna, t. 18), Lublin 1956.

MANN, M. E., *The Clausulae of Saint Hilary of Poitiers* (*The Catholic University of America. Patristic Studies*, t. 48), Washington 1936.

MILHAU, M., « L'origine des citations grecques du Psautier dans les *Tractatus super Psalmos* d'Hilaire de Poitiers », sous presse.

MORESCHINI, C., « Il linguaggio teologico di Ilario di Poitiers », dans *ScCatt*, t. 103, 1975, p. 339-375.

MURPHY, F. X., « An Approach to the Moral Theology of Saint Hilary of Poitiers » (*Studia patristica*, t. 8 = *Texte und Untersuchungen*, t. 93), Berlin 1966, p. 436-441.

NAUTIN, P., « Divorce et remariage dans la tradition latine », dans *RecSR*, t. 62, 1974, p. 7-54.

OTT, A., *Die Auslegung der neutestamentlichen Texte über die Ehescheidung, historisch kritisch dargestellt* (*Neutestamentliche Abhandlungen*, t. 3), Münster 1911.

PELLEGRINO, M., *S. Ilario di Poitiers e Salviano di Marsiglia*, dans *ScCatt*, t. 68, 1940, p. 302-318.

PEÑAMARIA DE LLANO, A., *La salvacion por la fe en Hilario de Poitiers*, I-II (*Pontificia Universitas Gregoriana, Facultas theologica*), Palencia 1973.

PETTORELLI, J.-P., « Le thème de Sion, expression de la théologie de la rédemption dans l'œuvre de saint Hilaire de Poitiers » (*Hilaire et son temps, Actes du Colloque de Poitiers 29 sept. - 3 oct. 1968*), Paris 1969, p. 213-233.

PROTIN, S., « L'exégèse de saint Hilaire », dans *Revue augustinienne*, t. 3, 1903, p. 385-400.

RAUSCHEN, G., « Die Lehre des hl. Hilarius von Poitiers über die Leidensfähigkeit Christi », dans *ThQ*, t. 87, 1905, p. 424-439 ; et dans *ZKTh*, t. 30, 1906, p. 295-305.

REINKENS, J. H., *Hilarius von Poitiers. Eine Monographie*, Schaffhausen 1884.

RONDEAU, M.-J., « L'anthropologie de saint Hilaire » (*Studia patristica*, t. 6 = *Texte und Untersuchungen*, t. 81), Berlin 1962, p. 197-210.

SHERLOCK, R. B., *The Syntax of the Nominal Forms of the Verb exclusive of the Participle in Saint Hilary* (*The Catholic University of America, Patristic Studies*, t. 76), Washington 1947.

SIMONETTI, M., « Note sul commento a Matteo di Ilario di Poitiers », dans *Vet Chr*, t. 1, 1964, p. 35-64.

— « Alle origini di una cultura cristiana in Gallia » (*Accad. naz. dei Lincei, Problemi attuali di scienza e di cultura, Atti del colloquio sul tema La Gallia romana, Roma 10-11 maggio 1971*, t. 370, Quaderno 158), Roma 1973, p. 117-129.

— *La crise ariana nel IVe secolo* (*Studia Ephemeridis* « *Augustinianum* » t. 11), Roma 1975.

SMULDERS, P., *La doctrine trinitaire de saint Hilaire de Poitiers* (*Analecta Gregoriana*, t. 32, series theologica B n. 14), Roma 1944.

WATSON, E. W., « The Life and Writings of Saint Hilary of Poitiers », introduction de *Saint Hilary of Poitiers, Selected Works* (*A Select Library of Nicene and post-Nicene Fathers, of the Christian Church*, sec. ser., t. 9), Oxford 1899.

WILD, Ph., *The Divinization of Man according to Saint Hilary* (*Pontificia Facultas Theologica seminarii sanctae Mariae ad Lacum, Dissertationes ad lauream*, t. 21), Mundelein 1950.

WILLE, W., *Studien zum Matthäuskommentar des Hilarius von Poitiers*, Diss. Hamburg 1969.

WILMART, A., « Le *De mysteriis* de saint Hilaire au Mont-Cassin », dans *RB*, t. 27, 1910, p. 12-21.

INTRODUCTION

CHAPITRE I

ÉLABORATION DU COMMENTAIRE

A. Historique de l'« In Matthaevm ».

Genèse   L'*In Matthaeum* d'Hilaire de Poitiers est le premier commentaire en latin de l'Évangile selon Matthieu qui nous soit parvenu au complet. Sans doute n'est-il pas le prototype d'une série d'*opuscula* exégétiques sur le Premier Évangile, écrits par des Latins au IVᵉ siècle, puisque, avant Hilaire, Jérôme mentionne ceux de Victorin de Poetovio et de Fortunatien d'Aquilée [1]. Mais de ces derniers nous n'avons plus que des lambeaux d'explications sur saint Matthieu. Et à leur sujet peut-on encore parler de commentaires ? Le mot de scolies conviendrait mieux pour les *Commentarii in Matthaeum* de Victorin, si l'on en juge du moins par le fragment *De decem uirginibus* qui nous est conservé et qui devait en faire partie [2]. Quant aux extraits que nous possédons des *Commentarii* de Fortunatien [3], ils répondent assez bien à l'étiquette de « morceaux choisis » (*tituli*) que leur a donnée Jérôme [4].

La date de composition de l'*In Matthaeum* ne peut être déterminée avec précision. De l'avis général, il remonte aux premières années de l'épiscopat d'Hilaire et précède l'exil de

---

1. Cf. Hier., *in Matth.*, *praef.* (*CC* 77, p. 4-5) : « Legisse me fateor ante annos plurimos in Matthaeum... Latinorum Hilarii, Victorini, Fortunatiani opuscula. »
2. D'après la démonstration d'A. Wilmart, « Un anonyme ancien *De decem uirginibus* », dans *Bull. d'anc. littér. et d'archéol. chrétiennes*, 1, 1911, p. 35-40 ; 98-102.
3. Ils sont reproduits dans *PLS* 1, c. 217-219.
4. Cf. Hier., *uir. ill.*, 97 : « Fortunatianus, natione Afer, Aquileiensis episcopus, imperante Constantio, in euangelia, titulis ordinatis, breui sermone et rustico scripsit commentarios. »

ce dernier (356)[1]. C'est en effet peu de temps avant cet événement qu'Hilaire avoue avoir connu la foi de Nicée[2] et, dans
l'*In Matthaeum*, il paraît ignorer l'un des articles fondamentaux de ce credo, la génération éternelle du Verbe. Le *terminus
post quem* de l'*In Matthaeum* pourrait être la date du synode
d'Arles (automne 353)[3], dont la sentence inique a éveillé la
conscience épiscopale d'Hilaire[4], conscience qui précisément
se manifeste de façon assez vive dans l'*In Matthaeum*[5].

Le commentaire d'Hilaire est-il sorti d'une suite de prédi-
cations sur le Premier Évangile ? Cette hypothèse[6], plau-
sible *a priori*, n'est étayée d'aucune preuve. En effet, aucun
des indices qui trahissent le style oral et qui se rencontreront
dans les *Tractatus super psalmos* n'apparaît ici : doxologies,
apostrophes à l'auditoire, allusions à une lecture prélimi-
naire du texte biblique à commenter. Il convient plutôt,
suivant les indications d'Hilaire et de Jérôme, de se représenter l'*In Matthaeum* comme un ouvrage destiné à la lecture[7] de «frères» qui constituaient peut-être le *presbyterium*
de l'évêque et qui n'étaient pas des « simples »[8].

---

1. Pour X. Le Bachelet, art. « Hilaire », c. 2400, il est « du
début de l'épiscopat » ; pour J.-H. Reinkens, *Hilarius von Poitiers*, p. 60, il est antérieur à 356 ; pour F. Loofs, art. « Hilarius »,
c. 58, il date de 350-353 ; pour Ch. Kannengiesser, art. « Hilaire
de Poitiers », c. 469, il est des années 353-356.

2. Cf. Hil., *syn.*, 91 : « Regeneratus pridem et in episcopatu aliquan-
tisper manens fidem Nicaenam nunquam nisi exsulaturus audiui. »

3. Cf. J. Doignon, *Hilaire de Poitiers avant l'exil*, p. 166.

4. Cf. la remarque qui ouvre l'exposé des faits dans les fragments
du *Liber aduersus Valentem et Vrsacium* antérieurs à 356 : (= *Coll.
antiar.*, *ser.* B, I, 6, *CSEL* 65, p. 102) : « Incipiam igitur ab his quae
proxime gesta sunt, id est ex eo tempore quo primum in Arelatensi
oppido frater et comminister meus Paulinus, ecclesiae Treuirorum
episcopus, eorum se perditioni simulationique non miscuit. »

5. Cf. *in Matth.*, 27, 1, et notes *ad loc.*

6. Elle a été formulée par A. Feder, « Kulturgeschichtliches in
den Werken des hl. Hilarius von Poitiers », p. 38. P. Coustant
(*PL* 9, c. 912 A) et J.-H. Reinkens (*Hilarius von Poitiers*, p. 61)
sont très réservés à ce sujet.

7. C'est à un lecteur qu'Hilaire s'adresse (cf. *in Matth.*, 19, 2, 12 :
admonemus legentem) dans le cadre d'un livre (*ibid.*, 19, 11, 4 : *in
primordio libri*).

8. Cf. Hier., *epist.*, 58, 10 : « Sanctus Hilarius... a lectione simpli-

Ce caractère restreint du public auquel est destiné l'ouvrage explique qu'il soit assez peu perméable aux réalités ambiantes. Les allusions à des *realia*, qui parsèment le commentaire et qui sont d'abord destinées à étayer l'explication de certains faits concrets des péricopes évangéliques, proviennent des lectures d'Hilaire [1]. Il en va de même du contexte historique qui entoure le commentaire. Celui-ci n'évoque la situation politique de l'Empire que réfractée par des schémas hérités de Tertullien [2]. C'est aussi chez ce dernier ou chez Cyprien qu'Hilaire a puisé le sens que, dans certains passages, il donne à des usages liturgiques (ceux du baptême surtout) ou à la responsabilité des évêques [3].

Plus proches de la réalité historique sont les informations relatives aux hérésies [4]. Sans doute, la plupart des biographes d'Hilaire sont-ils d'accord pour reconnaître qu'il ne manifeste jamais dans l'*In Matthaeum* une agressivité dirigée contre l'erreur telle qu'elle dénoterait un affrontement personnel avec une faction d'hérétiques [5]. Cependant, après la bataille pour la foi qui eut lieu au synode d'Arles, Hilaire ne paraît pas avoir ignoré la teneur de certains documents ariens [6], mais la réfutation qu'il en donne à l'occasion de la péricope évangélique du calice de la Passion n'est inspirée par

---

ciorum fratrum procul est. » A Poitiers, Hilaire s'est entouré de *fratres* : cf. Svlp. Sev., *Mart.*, 5, 2. Est-ce sur le modèle de la communauté créée par Eusèbe de Verceil (cf. Ambr., *epist.*, 63, 66), très admiré d'Hilaire (cf. *Coll. antiar.*, *app.* II, 3 [8], *CSEL* 65, p. 186) ? Le problème est posé par J. Fontaine, « L'ascétisme chrétien dans la littérature gallo-romaine d'Hilaire à Cassien », dans *Atti del Colloquio sul tema La Gallia romana*, *Accad. naz. dei Lincei*, Quaderno 158, Rome 1973, p. 97-98.

1. Cf. *infra*, 4 n. 5, 6 et 13 ; 5 n. 10 et 13 ; 12 n. 2 ; 20 n. 12 ; 26 n. 3 et *passim*.
2. Cf. 23 n. 4, 6, 7, 8 et 9.
3. Cf. 7 n. 15 ; 15 n. 15.
4. Cf. 12 n. 14.
5. C'est le cas de J. H. Reinkens, *Hilarius von Poitiers*, p. 5-60, de É. Griffe, *La Gaule chrétienne à l'époque romaine*, t. 1, p. 225, de C. F. A. Borchardt, *Hilary of Poitiers' Role in the Arian Struggle*, p. 13-17.
6. Cf. *infra* 11 n. 14 et 31 n. 8, ainsi que l'ouvrage de P. Galtier, *Saint Hilaire de Poitiers*, p. 22-33.

aucun des monuments contemporains de la foi catholique :
credo de Nicée, profession de foi de Sardique, exposé
d'Athanase [1]. Ce sont les points de vue et les formules de la
polémique anti-hérétique de Tertullien qui sont repris et
plus ou moins bien adaptés par Hilaire à des formes d'erreur
pourtant nouvelles [2].

L'actualité historique de l'*In Matthaeum* apparaît donc
assez mince. L'ouvrage n'a rien d'une œuvre de circonstance
et nous n'en savons pas plus sur les conditions dans lesquelles
elle a été composée que sur la vie de son auteur ou sur la
chrétienté de Poitiers vers 355 [3].

Survie   Faire l'historique de l'*In Matthaeum*, c'est aussi
suivre sa trace dans les œuvres postérieures, et
d'abord celle d'Hilaire lui-même qui, tout en ouvrant à sa
réflexion de théologien et d'exégète des horizons plus vastes
que ceux de son premier commentaire, ne néglige pas ce qu'il
y a écrit. C'est ce qui ressort des nombreux points d'appui
qu'il prend dans le Premier Évangile, tandis qu'il commente les Psaumes [4]. Il vaudrait la peine d'étudier comment,
dans les *Tractatus super psalmos*, Hilaire s'utilise lui-même,
reprenant et modifiant à la lumière des textes de l'Ancien
Testament certaines explications de l'*In Matthaeum* [5]. Pour-
rait-on se poser la même question à propos du *De Trinitate*
et, dans une moindre mesure, à propos du *De synodis* ? A
vrai dire, les études modernes qui retracent l'évolution de

1. Cf. *infra*, 31 n. 1 et 11, et P. SMULDERS, *La doctrine trinitaire
de saint Hilaire de Poitiers*, p. 39.
2. Cf. notre *Hilaire de Poitiers...*, p. 370-376.
3. Cf. *ibid.*, p. 27-47.
4. Ainsi il garde, pour exposer sa méthode exégétique, à peu près
le même lexique dans les *Tractatus super psalmos* que dans l'*In
Matthaeum*, comme l'a montré N. J. GASTALDI, *Hilario de Poitiers
exegeta del Salterio*, p. 77-90.
5. Dans sa présentation d'ensemble de « l'exégèse d'Hilaire » dans
Hilaire et son temps, Ch. KANNENGIESSER a souligné que les « prin-
cipales règles de son herméneutique » demeuraient les mêmes dans
toute l'œuvre exégétique d'Hilaire, mais lorsqu'il fait le point sur
les *Tractatus*, il insiste surtout sur l'apport nouveau que constitue
la lecture d'Origène par Hilaire.

la pensée d'Hilaire sur les grands problèmes de la christologie insistent surtout sur l'archaïsme dans lequel baigne
encore sa pensée dans l'*In Matthaeum*, pour se concentrer
sur ce qui paraît seul digne d'intérêt, les grands débats
que l'auteur du *De Trinitate*, affronté aux objections ariennes,
ouvre pour les réfuter [1]. Mais, même si l'on prend les problèmes à ce niveau, une étude du remploi des citations matthéennes du *De Trinitate* montrerait sans doute qu'Hilaire
ne néglige pas, ou du moins ne renie pas, l'explication dont
il a accompagné les mêmes passages dans l'*In Matthaeum*.
P. Galtier se déclarait déjà convaincu de la permanence des
lignes essentielles de la christologie d'Hilaire depuis son premier commentaire [2], mais il ne l'a pas fait ressortir avec la
même précision que J. Lebon, R. Favre ou A. Fierro dans
des monographies consacrées à l'interprétation hilarienne
de la mort du Christ pour l'un, de la souffrance du Seigneur
pour le deuxième, de la glorification des corps pour le troisième [3]. Nous-même, à propos du texte évangélique narrant
le Baptême du Christ, avons constaté que les pages du *De
Trinitate* destinées à faire ressortir la densité théologique
de l'événement avaient un rapport de continuité avec celle
qui, dans l'*In Matthaeum*, commente la scène du Jourdain [4].

Sur la survie du premier commentaire hilarien dans la
seconde moitié du ive siècle, où il se trouve mêlé à d'autres
que nous n'avons plus et concurrencé peut-être par eux, on
commence seulement aujourd'hui à s'interroger. De très

---

1. Ainsi P. SMULDERS, *La doctrine trinitaire de saint Hilaire de
Poitiers*, p. 74-90 ; M. SIMONETTI, *La crise ariana nel IV secolo*,
p. 298-299. C'est en se plaçant dans cette optique que C. MORES-
CHINI, « Il linguaggio teologico di Ilario di Poitiers », p. 363, parle
avec dédain des formules christologiques de l'*In Matthaeum*.
2. P. GALTIER, *Saint Hilaire de Poitiers*, p. 26-42.
3. J. LEBON, « Une ancienne opinion... L'opinion de saint Hilaire
de Poitiers », particulièrement p. 219 ; R. FAVRE, « La communication des idiomes dans les œuvres de saint Hilaire de Poitiers »,
particulièrement, p. 491-492 ; et « Credo in Filium Dei mortuum et
sepultum », p. 698-699 ; A. FIERRO, *Sobre la gloria en San Hilario*,
p. 181-207.
4. J. DOIGNON, « La scène évangélique du baptême de Jésus
commentée par Lactance... et Hilaire de Poitiers », p. 72-73.

nombreux rapprochements entre l'*In Matthaeum* hilarien et
les *Tractatus* et *Sermons* de Chromace d'Aquilée ont été
signalés par J. Lemarié et R. Étaix dans l'édition qu'ils ont
donnée de ces œuvres [1], mais il conviendrait de creuser ces
parallèles pour savoir jusqu'où va l'imitation d'Hilaire.
J. Lemarié a ébauché ce travail [2].

Jérôme avoue avoir lu, pour écrire son propre commentaire sur Matthieu, l'*In Matthaeum* d'Hilaire [3], dont il cite
une phrase dans sa *Lettre* 20 [4], mais aucune étude n'a encore
utilisé les indications de points de contact possibles entre les
deux commentaires fournies par les index de l'édition de
D. Hurst et M. Adriaen [5]. Nous sommes encore plus dému-
nis en moyens d'investigation, si nous cherchons ce que
l'*Expositio euangelii secundum Lucam* d'Ambroise a pu
devoir à l'*In Matthaeum* hilarien, puisque les index de la
première ne mentionnent jamais le commentaire d'Hilaire
comme source possible d'Ambroise [6]. Pour ce qui est d'Augustin, il est peu probable qu'il ait eu en main le commentaire d'Hilaire. L'extrait qu'il en cite dans le *De natura et
gratia* est tiré d'un dossier de Pélage, où il devait figurer
sans l'indication de l'œuvre à laquelle il appartenait et
qu'Augustin semble ignorer [7].

---

1. *CC* 9 A, p. 534-535.
2. Cf. J. LEMARIÉ, « Symbolisme de la mer, du navire, du pêcheur
et de la pêche chez Chromace d'Aquilée », dans *Antichità altoadria-
tiche* I, Udine 1972, p. 141-152.
3. Cf. *supra*, p. 19, n. 1.
4. Cf. *infra*, p. 55, où la citation a été transcrite.
5. *CC* 77, p. 311-312.
6. *CSEL* 32, 4, p. 588-590 et *CC* 14, p. 435-440.
7. Cf. *infra*, p. 55. — Sur ce dossier pélagien et les textes d'Hilaire
qu'il renfermait, cf. G. FOLLIET, « Le fragment d'Hilaire *Quas Iob
litteras*... Son interprétation d'après Hilaire, Pélage et Augustin »,
dans *Hilaire et son temps*, Paris 1969, p. 149-158. Le commentaire
que donne AUGUSTIN de l'extrait de *in Matth.*, 4, 7 est très neutre :
« Quid dixerit (= Hilarius) contra id quod dicimus uel quid istum
(= Pelagius) adiuuet nescio, nisi quia posse esse hominem mundo
corde testatus est (= Hilarius). Quod quis negat ? » (*De natura et
gratia*, 62, 72). Manifestement, Augustin ne connaît pas le contexte
de l'extrait, contexte qui eût pu lui fournir une autre formule que
celle qu'il reprend à l'extrait lui-même : *mundo corde*.

On aurait plus de chances de trouver des échos de l'*In Matthaeum* dans les traités exégétiques de Grégoire d'Elvire et de Zénon de Vérone. Chez ce dernier, du moins, il y aurait deux réminiscences reconnues du commentaire d'Hilaire, si l'on se fie à l'index des *fontes* de Zénon dressé par B. Löfstedt [1] ; de plus, sur un thème commun aux deux auteurs (Jonas), Y.-M. Duval a entrepris une comparaison entre la version hilarienne et la version zénonienne [2], prouvant que la seconde n'était pas coupée de la première. Paulin de Nole, de son côté, n'a pu ignorer l'existence de l'*In Matthaeum*, dont l'auteur avait été le maître de celui qu'il admirait, Martin de Tours, mais rien n'a encore été tenté pour le prouver. En revanche, chez Priscillien, l'édition de Schepps signale, parmi d'abondantes réminiscences d'Hilaire, un souvenir de l'*In Matthaeum* [3].

L'influence de cette œuvre a dû demeurer vivace dans les milieux lériniens : le *Commonitorium* de Vincent de Lérins en cite un passage [4] et Salvien se serait inspiré de l'*In Matthaeum* non moins que des autres œuvres d'Hilaire, comme l'a montré M. Pellegrino [5]. Claudien Mamert atteste encore la survie du commentaire d'Hilaire, lorsqu'il attaque deux formules qu'il en a extraites, sans les citer, il est vrai, à proprement parler [6].

En bref, s'il est incontestable que nous possédons par la tradition indirecte trois formules de l'*In Matthaeum* qui

---

1. *CC* 22, p. 221.
2. Y.-M. Duval, « Les sources grecques de l'exégèse de Jonas chez Zénon de Vérone », p. 106.
3. *Tractatus* I, dans *CSEL* 18, p. 18-19.
4. Cf. *infra*, p. 55.
5. M. Pellegrino, *S. Ilario di Poitiers e Salviano di Marsiglia*, p. 302-318.
6. *De statu animae* 2, 9, *CSEL* 11, p. 134-135 : « ... Pictauum Hilarium... qui scilicet inter conplura praecelsarum disputationum suarum quiddam sequius sentiens duo haec ueris aduersa disseruit : unum quo nihil incorporeum creatum dixit, aliud quo nihil doloris Christum in passione sensisse. » Les deux passages visés de l'*In Matthaeum* sont : 5, 8, 14-15 (« Nihil est quod non in substantia sua et creatione corporeum sit ») et 31, 7, 18-20 (« *Transeat calix a me*, id est quomodo a me bibitur, ita ab his bibatur... sine sensu doloris »).

prouvent qu'il continuait d'être lu [1], nous ne connaissons encore, la plupart du temps, que d'une façon très générale l'impact qu'il a pu avoir sur la plupart des exégètes de la fin du ive au début du vi[e] siècle [2].

B. TECHNIQUE DU COMMENTAIRE

Le commentaire d'Hilaire se présente comme la « lecture continue » du texte du Premier Évangile [3]. « Lecture », parce que le cadre matériel est celui d'un « livre » et que celui-ci s'adresse à des « lecteurs » [4]. « Lecture » aussi, parce qu'il applique la technique de la *lectio* pratiquée par les commentateurs de poètes ou de prosateurs [5], c'est-à-dire la technique de l'explication des vers ou des chapitres dans l'ordre même où ils se présentent. Suivant ainsi un déroulement successif, la « lecture » de l'Évangile offre l'aspect d'une explication continue de faits et de paroles [6], dont l'intelligence repose sur un *ordo* [7], qui a son début, son centre et sa conclusion [8].

1. A noter que S. Léon, *Tractatus* 51, *CC* 138 A, p. 296-297, l. 14-24 se serait inspiré de *in Matth.*, 16, 5, 9 d'après une note de l'éditeur A. Chavasse.
2. Telle est la caractéristique du panorama que donne de la survie de l'œuvre d'Hilaire dans son ensemble Ch. Kannengiesser, « L'héritage d'Hilaire de Poitiers », p. 435-456.
3. Cf., à propos de la péricope *Matth.* 12, 43-50 : « Continens lectio est » (*in Matth.*, 12, 21, 3).
4. Cf. *supra*, p. 20, n. 7.
5. Cf. Serv., *Aen.*, 4, 9 : « Ambiguitatem lectionis haec res fecit » ; Rvfin., *Orig. in exod.*, 5, 1 : « Vidistis quantum differat ab historica lectione Pauli traditio : quod Iudaei transitum maris putant, Paulus baptismum uocat. »
6. Cf. *in Matth.*, 7, 8, 20-21 : « secundum continentem rerum ordinem » ; 14, 12, 24 : « ordo etiam causarum operumque consequitur. »
7. Sur cette notion et son application au commentaire d'Hilaire, cf. notre *Hilaire de Poitiers...*, p. 251-252.
8. Cf. *in Matth.*, 9, 5, 3-7 : « Preces principis, fides mulieris... ex superioribus dictis connexae sibi intelligentiae tenent ordinem » ; 21, 11, 2-4 : « Multa et grauia sunt quae confundere intelligentiam possint, nisi prioris et posterioris sensus ordinem tenuerimus. »

Continuité de la « lecture » La *continuatio*, qui caractérise l'explication du texte évangélique, n'est pas réglée par la division en chapitres qui a pourtant des chances d'être ancienne et qui s'est maintenue avec des remaniements chez les éditeurs [1]. Ce sont des qualités intrinsèques à la « lecture » du texte qui la rendent « continue ».

La première de ces qualités consiste dans la perception de « l'unité de la doctrine [2] », unité qui se manifeste, en vue de l'intelligibilité des *dicta* et des *gesta* du Christ, par la cohérence, à l'intérieur d'un même ensemble exégétique, des développements construits (*propositiones* et *sermones*) et, à l'intérieur de ces développements, des séquences de faits (*gestorum ueritates*). A cette unité fondamentale de l'*ordo intelligentiae* [3] s'ajoute une autre, d'un caractère plus rhétorique, celle de l'*ordo narrationis*, qui diffère selon le type de développement, c'est-à-dire selon qu'il s'agit d'une *propositio* ou d'un *sermo* [4].

Si le respect de l'*ordo* aux deux niveaux précédemment indiqués apparaît à Hilaire constituer une exigence fondamentale, au point que s'en affranchir conduit à l'hérésie [5], il reste que sa continuité au long de la « lecture » de Matthieu apparaît assez inégale. Par endroits — c'est le cas en particulier des textes où le Christ définit ou fait définir par les apôtres son être [6] —, l'exégète ne laisse de côté aucun mot du texte sans l'expliquer ; parfois, au contraire, les versets de *Matthieu* sont résumés très succinctement et le commentaire est même complètement absent [7]. Dans quelques cas, ce sont les questions posées par le texte qui prennent le

---

1. Cf. *infra*, p. 58.
2. *In Matth.*, 4, 19, 22-24 : « sed nos *ordinem* doctrinae tenentes... non putauimus intelligentiae *continuationem* oportere conuelli. »
3. *Ordo intelligentiae* se trouve dans *in Matth.* 14, 10, 12 ; *ordo narrationis* en 14, 3, 5-6.
4. Sur ces types de développement cf. *infra*, p. 28 et 85.
5. Sur cette source de l'hérésie cf. notre *Hilaire de Poitiers...*, p. 416.
6. Ainsi, *in Matth.*, 16, 4-10.
7. Ainsi, *ibid.*, 15, 1 ; 24, 1-2 ; 25, 2.

pas sur la *lectio* [1]. Les raisons de cet effacement relatif de l'exégèse de détail sont diverses : ou bien il s'agit de passages portant sur des questions trop communes, trop obscures ou incongrues [2], ou bien le commentaire a été procuré par le Seigneur lui-même, par l'Apôtre Paul ou par une « autorité » comme Cyprien [3].

Mais, dans la grande majorité des cas, la continuité de la « lecture » du texte évangélique n'offre aucune défaillance. Cependant il est rare que le caractère suivi de l'explication se traduise par un défilé de scolies, comme dans les premiers commentaires latins de l'Écriture, ceux de Victorin de Poetovio et de Fortunatien d'Aquilée [4]. Car, même lorsque la succession des événements est le seul ressort qui fait progresser la *lectio*, se découvrent, incluses dans les lemmes évangéliques, des liaisons entre les faits : elles procurent au commentateur les articulations logiques, fondement de l'explication [5].

Cette forme de composition débouche sur les *ordines narrationis*, où la succession des faits est structurée par une unité de sens indiquée dans une *propositio*, véritable exposé des motifs. C'est le cas en particulier des scènes de *miracula*, dont la plus représentative est celle de la première multiplication des pains [6]. Mais là où l'unité de sens atteint son degré le plus haut de densité, c'est dans le commentaire des *sermones*, où l'étude de la signification des paroles du Christ répond de la façon la plus adéquate au but de l'exégèse.

1. On aboutit alors à de véritables exposés systématiques de christologie : cf. *in Matth.*, 9, 7 ; 31, 2-3 ; d'anthropologie : 10, 18-20 ; 10, 22-24 ; ou d'histoire naturelle : 5, 11 ; 21, 8.
2. Questions trop communes : cf. 12, 12 ; questions trop obscures : cf. 16, 3 ; questions incongrues : cf. 23, 4 ; verset qu'Hilaire a passé sous silence pour incongruité : *Matth.* 8, 12.
3. Commentaires procurés par le Seigneur : cf. 13, 1 ; 18, 11 ; 28, 1 ; par l'Apôtre : 19, 2 ; par Cyprien : 5, 1.
4. Scolies pour présenter l'énumération des détails d'une parabole (*in Matth.*, 22, 1-2) ou des détails de la Passion (*ibid.* 31, 6 ; 33, 1-9).
5. Ainsi au chap. 7, comme il ressort des articulations de l'exposé : *sequitur...* (3, 3) ; *succedit igitur...* (4, 1) ; *miratus deinde...* (5, 1) ; *adest post haec...* (11, 1).
6. Sur cette *propositio*, cf. notre *Hilaire de Poitiers...*, p. 245-251.

Méthode d'exégèse   Car les structures littéraires qui façonnent le commentaire sont destinées à s'ajuster à une méthode d'exégèse dont Hilaire a défini les principes généraux. Nous les rappelons ici pour l'essentiel. Les faits qui sont narrés dans l'Évangile, tout en étant réalisés dans le présent, ont une raison « typique » qui en fait une image (*forma*) de l'avenir [1], ou, autrement dit, les actions de l'Évangile ont, en plus de leur portée matérielle, une signification intérieure, voire prophétique, qui leur confère un rôle exemplaire pour nous [2]. La seconde définition témoigne d'une certaine affinité avec la méthode d'explication allégorique des poètes, telle que la pratiquent ou la pratiqueront à l'époque d'Hilaire un Donat et un Servius. Le premier énoncé des principes est en revanche conforme à l'explication typologique dont la *forma futuri* de la *Première Épître aux Corinthiens* constitue comme la devise vouée à être le noyau de tout un vocabulaire spécialisé. L'application la plus complète de la lecture typologique de l'Écriture est sortie chez Tertullien de ses débats avec Marcion, qui ont offert à Hilaire une démonstration permanente de la projection des événements de la Loi dans la vie de la foi [3].

Conçue à la lumière de cette philosophie générale de l'exégèse, l'explication des lemmes évangéliques se déroule suivant un processus dont le cours le plus classique se présente de la façon suivante. En guise d'ouverture, est offert un lemme cité ou un résumé de versets enchaînés les uns aux autres [4]. Quelquefois le lemme est amené par une intro-

---

1. Cf. *in Matth.*, 19, 4, 9-11 : « Sed admonuimus ea quae sub Deo agebantur praesentium effectibus consequentium formam praetulisse. » — *Ratio typica* se trouve en, 2, 1, 10 ; 8, 4, 23 ; 12, 24, 12-13 ; 14, 10, 9 ; 17, 8, 9 ; 33, 3, 16.

2. Cf. *in Matth.*, 14, 6, 2-5 ; « His omnibus personis, effectibus, causis, numeris, modis adiacet, ut quae gesserunt praeter gerendi instinctum quem unusquisque ex natura sua sumpsit, extrinsecus omnia gesserint in exemplum » — *Prophetia* est un mot qu'Hilaire emploie volontiers pour viser le futur : cf. *in Matth.*, 12, 3, 3-4 ; 21, 2, 22 ; 30, 1, 9 ; 32, 6, 5.

3. Pour plus de détails sur cette méthodologie, cf. notre *Hilaire de Poitiers...*, p. 262-268.

4. Ainsi, *in Matth.*, 20, 1.

duction justificative [1]. De la lettre du lemme, cité ou résumé,
jaillit une question suscitée par le degré de cohérence des
détails du texte ou par le caractère insolite [2] et l'invrai-
semblance de certains d'entre eux [3] ou par la portée de
certains termes dont le sens habituel n'est plus approprié [4].
Alors intervient le transfert de la lettre du lemme à sa « raison intérieure ». Celle-ci, explicitée par un réseau de figures,
de définitions et de lieux communs, dont l'ensemble forme
le soubassement culturel d'Hilaire, projette sur le lemme
considéré une explication qui introduit entre ses éléments
une continuité cohérente, par exemple celle du passage de
la Loi à la foi [5], celle des étapes du salut dans l'histoire [6] et
dans la transformation spirituelle de l'homme [7], ou celle des
relations de l'humain et du divin dans le Christ [8]. L'explication s'achève parfois sur une *amplificatio* ou sur un trait
conclusif qui brille d'une pointe ingénieuse [9], où l'exégète
donne la preuve de sa virtuosité pour éclairer un texte difficile [10] : c'est le cas en particulier du commentaire des paraboles, qui comportent un échantillonnage de chiffres [11], une
variété de personnages et une succession de temps [12], le tout
étant émaillé de mots à énigmes [13].

C. Soubassement culturel du commentaire.

Les schémas exégétiques destinés à donner une réponse
adéquate aux difficultés soulevées par l'interprétation de

1. Ainsi, 5, 8 ; 7, 1.
2. 2, 2 ; 4,1 ; 10, 2 et 7 ; 13, 7 ; 14, 8 ; 20, 2 ; 30, 1.
3. 4, 28 ; 5, 13 ; 17, 11 ; 19, 3 et 11 ; 20, 11 ; 27, 10.
4. 7, 11 ; 25, 5 (« praeceptum istud secundum humanam intelle-
gentiam rationem dicti factique non recipit ») ; 25, 6.
5. 4, 22-28.
6. 12, 22-23.
7. 10, 23-25.
8. 16, 4-6.
9. 16, 11 (*amplificatio*) ; 17, 8, 16 (trait : « fidem non habentes
ipsam illam quam habebant amissuri erant legem »).
10. 10, 29.
11. 20, 6.
12. 12, 21-23.
13. 27, 10-11.

Matthieu laissent affleurer par endroits un soubassement culturel dont l'aire est assez vaste ; cela ressort des notes dont nous accompagnons le texte de l'*In Matthaeum* et dont nous dégageons ici un certain nombre de conclusions.

Écriture Ce soubassement culturel comprend d'abord la couche très apparente des textes scripturaires. Nous ne parlerons pas ici des Évangiles, dont nous avons montré ailleurs qu'Hilaire savait faire un usage « topique », n'hésitant pas à contaminer les leçons des *loci similes* [1] ; nous remarquerons seulement que le Prologue de *Jean* est présenté déjà dans l'*In Matthaeum* comme le support scripturaire majeur de la christologie [2].

Des Évangiles, Hilaire remonte aux prophètes, maintes fois cités par les évangélistes, c'est-à-dire à Isaïe le plus souvent, à cause de ses témoignages sur le Christ [3] ; David en revanche est rarement utilisé, alors que l'exégète pictave est appelé à consacrer à ses Psaumes un long commentaire. Le Pentateuque et les Livres historiques ne sont évoqués qu'à l'occasion de simples références concernant Adam, Caïn, Abraham, Moïse et les Hébreux, Jonas [4].

C'est la relation entre l'Évangile et l'enseignement de Paul qui apparaît comme fondamentale pour la cohérence de la doctrine de foi. Plus précisément, l'imprégnation continue du commentaire par des réminiscences pauliniennes contribue à mettre en valeur un certain nombre de thèmes doctrinaux et spirituels essentiels pour la foi. Le rejet d'Israël — hormis le « reste » — et le salut des païens apparaissent comme une des lignes directrices fondamentales de *Matthieu* à la lumière des chapitres 5 à 11 des *Romains*, d'où sont extraits les

1. Cf. J. Doignon, « Citations singulières et leçons rares du texte latin de l'Évangile de Matthieu dans l'In *Matthaeum* d'Hilaire de Poitiers », p. 194-195.

2. Cf. *in Matth.*, 31, 3.

3. Cf. 15, 3, 19-20 : « In lege enim uirga de radice Iesse (*Is.* 11, 1) et Dauid filius aeterni et caelestis regni rex continetur (cf. *Jér.* 23, 5). »

4. Adam : 19, 2 ; Caïn : *ibid.* 18, 10, 10-13 ; Abraham : 2, 3 ; Jonas : 12, 20 ; l'or du temple : 17, 10, 3-5 ; 24, 6 ; Moïse et les Hébreux : 12, 22.

thèmes de la justification par la foi et de la libération de la Loi rendue caduque par l'inefficacité de ses œuvres vouées au péché, en dépit de la prédestination et de l'élection dont a joui Israël[1].

Une vision globale de l'homme et de son salut se découvre aussi dans l'œuvre de Paul. Elle se projette sur le commentaire hilarien qui en retient les aspects fondamentaux : le salut par la mort spirituelle au péché dans le dépouillement du vieil homme d'après les chapitres 2 et 3 des *Colossiens*[2], l'habitation intérieure du Christ en nous[3], mystère de la volonté de Dieu révélée, en vue de l'homme parfait[4] qui, ayant crucifié la chair avec ses vices[5], vit des fruits de l'Esprit[6], selon une perspective qui synthétise plusieurs passages de la *Première aux Corinthiens*, des *Éphésiens* et des *Galates*. La *Première aux Corinthiens* alimente également dans l'*In Matthaeum* la dialectique de la sagesse selon Dieu et de la sottise selon le monde[7] et fournit, dans son chapitre 15, la matière de nombreux développements sur la spiritualisation de la chair dans la résurrection[8].

Tertullien   La mystique qui se dégage de ces thèmes s'accompagne d'une mise en œuvre doctrinale dont Hilaire est redevable à ceux qui, de son propre aveu, ont exercé un ascendant sur lui, Tertullien et Cyprien[9]. Au sujet de l'empreinte profonde laissée par les traités théologiques les plus notables de Tertullien (*De anima*, *De baptismo*, *De praescriptione haereticorum*, *Aduersus Praxean*, *De resurrectione*), auxquels la tradition adjoint le *De Trinitate* de Novatien, sur les axes majeurs de la foi hilarienne en matière de christologie, d'anthropologie, de sotériologie,

1. Sur ces thèmes, cf. successivement *in Matth.*, 2, 5 ; 9, 8 ; 10, 3 ; 11, 8.
2. Cf. 10, 24.
3. Cf. 2, 2 ; 24, 11.
4. Cf. 5, 10.
5. Cf. 10, 25.
6. Cf. 11, 9.
7. Cf. 11, 11.
8. Cf. 4, 3 ; 5, 8 ; 10, 20 et 24.
9. Cf. 5, 1, 8-12.

d'éthique du péché et du pardon, nous nous sommes expliqué ailleurs [1]. Ici nous mettrons en relief, dans l'*In Matthaeum*, l'influence très sensible des *topoi* des œuvres apologétiques de Tertullien : ce sont eux en effet qui ont fourni à Hilaire ses définitions de la condition du chrétien face au monde et à César [2], ses points de vue sur les formes d'accès à la connaissance de Dieu [3] et, parallèlement, sur les formes de l'aveuglement des païens [4], des Juifs [5], des hérétiques [6], sur la diffusion du christianisme [7], enfin sur le jugement final [8]. Hilaire a encore trouvé chez Tertullien un répertoire abondant d'explications spirituelles des réalités matérielles (aile, vêtement, mer, maison, etc.) [9], ainsi qu'un directoire équilibré et un langage spécialisé pour l'usage des « figures » dans l'exégèse scripturaire [10].

Cyprien A Cyprien, Hilaire est redevable de ses conceptions sur l'unité et l'apostolicité de l'Église [11], sur la primauté de Pierre [12], sur la « confession » du martyre [13], sur la réconciliation des pécheurs [14], sur la Parousie [15]. Auteur des *Testimonia*, Cyprien a fourni à Hilaire la clé de plusieurs « types » exégétiques, et ses traités parénétiques ont été largement utilisés dans l'*In Matthaeum* pour leur topique morale d'inspiration stoïcisante [16]. Par ailleurs, la formu-

---

1. Cf. notre *Hilaire de Poitiers...*, p. 360-390, pages auxquelles on ajoutera, sur la théorie du péché, ici 5 n. 5 et 10 n. 43.
2. Cf. 23 n. 2 à 9.
3. Cf. 16 n. 9 ; 25 n. 2.
4. Cf. 25, n. 9.
5. Cf. 20 n. 9 ; 21 n. 12 ; 24 n. 6 ; 25 n. 11 ; 27 n. 23 ; 31 n. 16.
6. Cf. 12 n. 10 ; 19 n. 14 ; 23 n. 16 ; 31 n. 9.
7. Cf. 10 n. 25.
8. Cf. 2 n. 8.
9. Cf. 10 n. 32 (aile) ; 22 n. 31 (vêtement) ; 10 n. 13 (maison) ; 18 n. 7 (mer).
10. Cf. notre *Hilaire de Poitiers...*, p. 263-266.
11. Cf. 4 n. 11 ; 10 n. 12 à 18 ; 13 n. 1 et 2 ; 17 n. 21.
12. Cf. 14 n. 23.
13. Cf. 11 n. 1 ; 16 n. 20 ; 20 n. 19 ; 22 n. 17.
14. Cf. 10 n. 12.
15. Cf. 14 n. 24 ; 17 n. 12 ; 27 n. 2.
16. Cf. 8 n. 9 ; 14 n. 24 ; 16 n. 22 ; 17 n. 3 et 12 ; 26 n. 22.

lation par articles d'un catéchisme moral, telle qu'on la trouve à plusieurs reprises sous la plume de l'évêque de Poitiers, reflète plutôt, semble-t-il, l'influence des Deux Voies de la *Doctrina XII apostolorum* [1].

En comparaison de ces modèles de première grandeur, les œuvres de Victorin de Poetovio, de Lactance, de Fortunatien d'Aquilée et de Juvencus, n'ont laissé, bien qu'elles soient plus récentes, que des traces de détail dans l'*In Matthaeum* [2], lequel a été encore plus imperméable aux échos des textes conciliaires contemporains, à commencer par le credo de Nicée qu'Hilaire avoue ne pas avoir connu avant l'exil [3]. Cependant, des allusions à des thèses ariennes, dont Hilaire donnera plus tard la référence par un exposé des pièces, nous donnent à penser qu'avant son exil il se tient au courant des débats sur l'homéisme [4].

Cicéron   La culture chrétienne, loin d'avoir éliminé la science profane, a entretenu l'auteur de l'*In Matthaeum* dans le goût de cette dernière. L'exégèse scripturaire prend appui sur des faits de la nature ou des points de vue de la raison. Or c'est dans les grandes sommes de la tradition classique latine consacrées à la philosophie, à la morale ou aux techniques qu'Hilaire a pu recueillir la documentation nécessaire à l'interprétation des données de la nature ou de la raison.

A côté de plusieurs lieux communs hérités de maximes d'historiens (Salluste, Tite-Live, Tacite) [5], une espèce d'anthologie des œuvres de la philosophie naturelle et morale de Cicéron, éclipsant presque complètement celles de Sénèque [6], paraît avoir constitué dans l'information d'Hilaire un *corpus* de références pour les notions du « sens

---

1. Cf. 11 n. 19 ; 18 n. 2.
2. Cf. successivement 20 n. 13 et 20 ; 17 n. 6 et 20 n. 14 ; 18 n. 6 ; 25 n. 26.
3. Cf. *supra*, p. 20, n. 2.
4. Cf. 11 n. 14 ; 12 n. 14 ; 31 n. 8.
5. Cf. 5 n. 16 ; 27 n. 25 ; 32 n. 3.
6. Cf. cependant 11 n. 7 ; 14 n. 13 ; 31 n. 20 ; mais toujours appuyées par une référence à d'autres auteurs : Cicéron, Tertullien.

commun [1] », qui se définissent généralement par opposition : loi et force, communion de nature et d'amitié, imitation et vérité, passions (crainte...), devoirs et interêts, sensation et conscience [2]. Un contact plus direct semble avoir rapproché Hilaire des pages cicéroniennes demeurées célèbres au IVe siècle pour leur portée spirituelle (*Songe de Scipion*, fragments de l'*Hortensius* et de la *Consolation*) et lui avoir transmis les thèmes philosophiques du « regard de l'esprit [3] », du « chemin du ciel [4] », de l' « envol de l'âme [5] », de la chute et de l'alourdissement du corps dans les plaisirs [6], autant de thèmes d'ailleurs qui pouvaient s'harmoniser avec ceux de la sotériologie de Tertullien et de Cyprien.

Littérature technique   Pour présenter avec compétence les curiosités du monde végétal et animal qui arrêtent le lecteur de l'Évangile, mais dont l'explication sert à l'intelligence du texte matthéen, Hilaire recourt au *corpus* de Pline [7], qu'il complète par des informations tirées, directement ou non, de textes médicaux [8]. D'autres sommes techniques sont aussi consultées à l'occasion : Quintilien — moins souvent sans doute que dans les œuvres d'après l'exil [9] —, les *artes grammaticae* [10], les glossaires bilingues [11], les répertoires de curiosités comme ceux d'Aulu-Gelle et de Censorinus [12], enfin surtout les recueils de juristes qui procurent à l'exégète les définitions propres

---

1. L'expression se trouve en 18, 2, 8.
2. Cf. 11 n. 9 (loi et force) ; 12 n. 22 (communion...) ; 24 n. 13 (imitation et vérité) ; 18 n. 18 et 19 n. 22 (passions) ; 18 n. 9 et n. 3 (devoirs et intérêts) ; 17 n. 2 (sensation et conscience).
3. Cf. 4 n. 4 ; 14 n. 15.
4. Cf. 8 n. 9.
5. Cf. 10 n. 32 ; 24 n. 26.
6. Cf. 10 n. 35 ; 25 n. 12 et 18.
7. Cf. 5 n. 10 ; 17 n. 16 ; 26 n. 3 ; 33 n. 12 et 17.
8. Cf. 12 n. 2 ; 19 n. 29.
9. Cf. 14 n. 14 ; 32 n. 10.
10. Cf. 4 n. 19 ; 5 n. 14 ; 12 n. 19 ; 15 n. 10 ; 31 n. 14 ; 32 n. 5.
11. Cf. 4 n. 20 ; 17 n. 20 ; 21 n. 7.
12. Cf. 15 n. 17 (Aulu-Gelle) ; 33 n. 14 (Censorinus) ; 19 n. 27 (Végèce).

de notions communes relevant du droit pénal, du régime de la famille, du droit commercial [1].

La liste de ces *fontes* appelle plusieurs remarques générales. Elle ne mentionne aucun auteur grec et exclut même Origène, dont l'influence, si elle a pu s'exercer sur Hilaire, n'a été qu'indirecte, ainsi que nous l'avons montré [2]. De ce fait, la culture religieuse d'Hilaire avant l'exil apparaît infiniment plus étroite que celle de Tertullien ; par contre, la représentation des domaines de la culture profane est à peu près la même chez Hilaire que chez son maître africain. Chez l'un et chez l'autre, la place faite aux formules poétiques procède de la même concession à une « littérature » susceptible d'orner un travail qui poursuit d'abord un but didactique [3]. Cette orientation fondamentale explique que les définitions cicéroniennes soient pour Hilaire celles d'un spécialiste [4], qualité qui est d'autre part reconnue à Tertullien en tant qu'auteur de traités sur Dieu et sur l'homme [5]. On a donc le sentiment que l'exégète pictave n'a pas « converti » une culture livresque qui amalgame les influences classiques et chrétiennes, mais qu'il a consommé et absorbé celles-ci dans le tissu de son texte au bénéfice d'une « lecture » de l'Évangile qui, pratiquée comme elle l'a été par lui, est devenue une œuvre de science.

---

1. Cf. 9 n. 1 ; 10 n. 30 et 40 ; 20 n. 17 ; 24 n. 5, 8 et 17.

2. Cf. notre *Hilaire de Poitiers...* p. 170-190, et ici 15 n. 14 ; 25 n. 26.

3. Cf. 10 n. 32 ; 15 n. 5 ; 16 n. 11 ; 17 n. 17 ; 25 n. 32 et l'index des expressions du vocabulaire de la poésie, (tome II).

4. Cf. 12 n. 16 ; 19 n. 17 ; 21 n. 15, 16, 17 et 21 ; 22 n. 35 ; 23 n. 20 ; 24 n. 14-15 ; 25 n. 13 ; 28 n. 1.

5. Hilaire parle des *scripta probabilia* de Tertullien (*in Matth.*, 5, 1, 12) ; sur la portée de l'expression, cf. notre *Hilaire de Poitiers...*, p. 221-223.

CHAPITRE II

ANALYSE DOCTRINALE

A. Éthique, histoire et mystère du salut

Dans l'optique d'Hilaire, l'Évangile accorde autant d'importance aux paroles du Christ qui apportent des préceptes de vie et l'enseignement du salut qu'aux actions par lesquelles il accomplit ce salut [1].

L'enseignement par la parole est donné par le Christ soit dans de grands discours (Sermon sur la montagne : *in Matth.*, 4, 5 et 6 ; discours aux apôtres : *in Matth.*, 10 ; dernières apostrophes prononcées à Jérusalem : *in Matth.*, 24-28) soit par le détail des paraboles, soit enfin par des réponses à des questions qui conduisent aux mystères de la foi. Premier des grands discours, le Sermon sur la montagne montre le progrès des exigences de la foi par rapport aux prescriptions de la Loi [2] : progrès dont témoignent l'acceptation de la violence, la franchise dans la parole, l'amour de tous les hommes, la pureté des intentions [3]. Le discours aux apôtres a surtout pour objet de présenter le programme d'une vie parfaite [4], marquée par la transformation des rapports de la volonté de l'âme et des appétits du corps : la première acquiert la liberté de l'Esprit, auxquels se soumettent les seconds, dans un mouvement de renoncement qui correspond à la dynamique du baptême définie par saint Paul [5]. Autant qu'à la

---

1. Cf. *in Matth.* 10, 1, 2-5 : « Verborum uirtutes non minus oportet introspicere quam rerum, quia, ut diximus, paria in dictis atque in factis significationum momenta consistunt. »
2. Cf. 4, 21, 3 : « profectum fides sumit. »
3. Cf. 4, 21 et 4, 23-27.
4. Cf. 10, 4, 3-5 : « nunc *perfectam* Christi imaginem et similitudinem sortiuntur nihil a Domini sui uirtutibus differentes. »
5. Cf. 10, 24, 1-12 : « Cum ergo innouamur baptismi lauacro per uerbi uirtutem, ab originis nostrae peccatis atque auctoribus separamur... ueterem cum peccatis atque infidelitate sua hominem

vie de l'Esprit en chacun de nous, c'est à la vie de communauté de l'Église que sont initiés les apôtres : projetées dans la tradition de l'enseignement de Cyprien, les leçons du Christ concernent les problèmes du schisme et de la réconciliation de ceux qui ont failli [1], de la persécution et du martyre [2], enfin du ministère épiscopal et de ses rapports avec le siècle [3].

Contrastant avec ce programme de vie parfaite, les imprécations lancées par le Christ contre les Pharisiens stigmatisent le refus de reconnaître celui que la Loi leur présentait comme la source de la rémission des péchés et du salut.

Ce salut qui est participation à l'éternité n'est pas seulement l'affaire de l'homme en particulier ou de l'Église. Il s'accomplit dans l'histoire, dont le peuple juif a tissé la trame et que les apôtres, issus d'Israël, sont chargés de poursuivre. Les paraboles, dont la narration comporte une succession d'épisodes, répondent le mieux à cette exégèse historique : ainsi les paraboles développées par le Christ lors de l'ultime montée à Jérusalem : parabole des ouvriers de la vigne, du figuier stérile, des deux fils, des vignerons homicides, des noces, des vierges, des talents [4]. En identifiant les personnes et les événements de ces récits symboliques avec les articulations essentielles de la Révélation, le Père et le Fils, les prophètes et les Juifs, la Loi et les païens, Hilaire fait du commentaire des paraboles l'explication des étapes de l'action divine du salut, étapes qui sont les « testaments » de Dieu, échelonnés de Noé au Christ [5]. Le dernier « testament »

exuentes et per Spiritum anima et corpore innouati (cf. *Col.* 3, 9-10) ... Et quia corpus ipsum per fidem mortificatum in naturam animae quae ex adflatu Dei uenit..., idcirco iam unum atque idem cum anima uelle coepit effici... »

1. Cf. 10, 7-10.
2. Cf. 10, 11-13.
3. Cf. 10, 5.
4. Cf. successivement 20, 5-7 ; 21, 6-9 ; 21, 11-14 ; 22, 1-2 ; 22, 3-7 ; 27, 3-5 ; 27, 6-11.
5. Cf. 20, 6, 1-6 (à propos des ouvriers envoyés à la vigne à différentes heures) : « In prima igitur hora tempus constituti testamenti ad Noe ex matutini significatione noscendum est, tertia autem hora ad Abraham, sexta ad Moysen, nona ad Dauid et prophetas. Totidem enim *testamenta* humano generi constituta per singulos reperiuntur, quotidem ad forum enumerantur egressus. »

commence avec l'incarnation du Christ [1] : une occasion de se convertir a été alors offerte aux Juifs par le ministère des disciples de Jean et celui des apôtres [2], mais ce « délai de pénitence [3] » a été négligé et, au temps du retour du Fils, les noces de l'humanité et de l'éternité se feront en laissant de côté ceux qui avaient été « les premiers invités [4] ».

L'enseignement du Christ n'ouvre pas seulement des perspectives sur l'histoire de la révélation de Dieu aux hommes. Il montre aussi cette révélation enfermée dans des formules qui sont le nœud de questions sur le mystère.

« Qui dit-on que je suis ? » Cette question, à laquelle Pierre répond par sa confession de foi [5], fournit à Hilaire l'occasion d'expliciter les éléments fondamentaux de sa théologie : paternité du Dieu d'éternité, procession du Fils comme naissance à l'éternité, incarnation qui consomme le mystère du Verbe en donnant à la chair la capacité d'éternité [6].

La question de la vie future est un problème sur lequel le Christ a donné une réponse mystérieuse : « Vous serez comme des anges [7] », parole dont saint Paul a trouvé une application dans le mystère de l'identification du Christ et de l'Église [8]. Sur la nature de l'assomption de la chair d'éter-

---

1. Cf. 20, 6, 6-7 : « In undecima autem hora corporei aduentus tempus ostendit. »
2. Cf. 21, 1, 18-20 : « Duabus enim uocationibus Israel uel per apostolos uel per Ioannem ex lege saluatur. »
3. Cf. 27, 4, 19 (parabole des vierges) : « *Mora* sponsi *paenitentiae* tempus est. »
4. Cf. 22, 4, 11-6, 4 : « His enim omnibus iam paratis..., regni caelestis gloria tamquam nuptiae nuntiantur... Indignis enim repertis his qui primi inuitati fuerant, iubet iri ad exitus uiarum. »
5. Cf. 16, 6, 1-3 : « Editis itaque quae diuersae de eo erant hominum opinionibus, quid de se ipsi sentiant quaerit. Petrus respondit : *Tu es Christus filius Dei uiui.* »
6. Cf. 16, 4.
7. *Matth.* 22, 30, cité dans *in Matth.*, 23, 4, 17.
8. Cf. *in Matth.* 22, 3, 12 : « Et in hoc quidem loco admonebimus ita ut et in superiore, ubi de repudii condicione tractatum est (cf. *in Matth.*, 19, 2), diligenter quae de ratione resurrectionis significata sunt contueri et id quod sub persona Adae ad Euam dictum est, quia sacramentum magnum sit (cf. *Éphés.* 5, 32), ne incuriose relinquatur. »

nité, chair sur laquelle s'exercera le jugement dernier [1], une comparaison de l'Évangile nous fournit un point de repère, celle des lis des champs : comme ces fleurs tirent d'elles leur sève, ainsi la substance d'éternité doit à elle seule d'être ce qu'elle est [2].

Un autre problème encore se présente, enveloppé dans l'Évangile, celui des relations que doit avoir avec le siècle le chrétien qui tient tout de Dieu. La réponse du Christ : « Rendez à César ce qui est à César et à Dieu ce qui est à Dieu » suscite l'étonnement. Elle doit se comprendre comme impliquant un partage, conçu sur le mode juridique [3], entre les choses dont César a la procuration et notre être qui appartient à Dieu [4].

1. Cf. 5, 12, 15-16 et 24-26 : « Si igitur gentibus idcirco tantum indulgetur aeternitas corporalis ut mox igni iudicii destinentur..., haec recte perfecteque uiuentium merces est ut in nouam caelestemque substantiam ex hac corruptibilis corporis materie transferantur... »
2. Cf. 5, 11, 17-19 et 26-30 : « Est autem in natura istius germinis (lilii) ut aptissime caelestibus angelorum substantiis comparetur..., dum ex eo tantum, quod intra se acceptum habeat alatur in florem. Ideo ergo lilia non laborant neque neunt, quia uirtutes angelorum ex ea quam adeptae sunt originis suae sorte ut sint semper accipiunt. »
3. Cf. 23, 2, 1-3 : « O plenam miraculi responsionem et perfectam dicti caelestis absolutionem ! Ita omnia inter contemptum saeculi et contumeliam laedendi Caesaris temperauit. » *Temperare* est une « conduite » juridique recommandée par les jurisconsultes : cf. Pompon., *dig.*, 35, 1, 4 : « Si his legatum est quibus patronus legata praestat, *temperare* debet praetor condicionem ut et patrono et heredibus scriptis pro portione dentur condicionis explendae gratia » ; Ivlian., *dig.*, 37, 5, 6 : « Decreto itaque ista *temperari* debebunt, ut et hereditatis partem emancipatus praestet ita ne scriptus heres amplius habeat quam emancipatus. »
4. Cf. 23, 2, 7 -13 : « Porro autem si rebus illius (Caesaris) incubamus, si iure potestatis suae utimur et nos tamquam mercennarios alieni patrimonii procurationi subicimus, extra querelam iniuriae est Caesari redhiberi quod Caesaris est, Deo autem quae eius sunt propria reddere nos oportere corpus, animam, uoluntatem. »

B. Le salut en action : miracles et Passion

Les enseignements du Christ sur les problèmes et les conditions du salut sont suivis de réalisations [1]. Cette solidarité de la parole et de l'action avait déjà servi à l'apologétique latine d'argument en faveur de la véracité des déclarations de Jésus [2], mais elle revêt, dans le commentaire d'Hilaire sur *Matthieu*, un sens plus profond. En effet, de même que les *praecepta* de l'Évangile ont une visée qui dépasse celle des commandements de la Loi, de même les actions du Christ ont une signification intérieure à leur apparence [3].

Pris à un niveau encore très proche de celui où se situait le stoïcisme latin, quand il déduisait l'existence d'une providence du spectacle de l'enchaînement merveilleux des causes et des effets dans la nature [4], les « miracles » du Christ se présentent au jugement de la « faiblesse humaine » comme des faits confondants : c'est ainsi que les foules qui découvrent la guérison du possédé sourd et muet se sentent envahies par la stupeur [5]. Qu'elles s'élèvent jusqu'à la louange ou qu'elles succombent à la peur [6], elles font cet aveu : des actes

1. Cf. 7, 1, 8-9 et 12-13 : « Toto igitur superiore sermone (= Sermon sur la montagne) Dominus fidei praecepta tradiderat... Quid igitur post haec primum gesserit contuendum est. »
2. Cf. Cypr., *patient.*, 6 : « Nec hoc, fratres dilectissimi, Iesus Christus Dominus et Deus noster tantum uerbis docuit, sed impleuit et factis » ; Lact., *epit.*, 45 (50) : « Qui aliquid docet debet, ut opinor, facere ipse quae docet, ut cogat homines obtemperare. »
3. Cf. *in Matth.*, 14, 3, 2-5 : « Frequenter monuimus omnem diligentiam euangeliorum lectioni adhiberi oportere, quia in his quae gesta narrantur subesse interioris intelligentiae ratio reperiatur. »
4. Cf. Cic., *nat. deor.*, 2, 97-98 ; *Tusc.*, 1, 68, textes qui ont inspiré Min. Fel., 17 : « Caelum ipsum uide, quam late tenditur, quam rapide uoluitur uel quod in noctem astris distinguitur uel quod in diem sole lustratur : iam scies quam sit in eo summi moderatoris mira et diuina libratio. » Rapprochement déjà signalé par M. Pellegrino, éd. de *M. Minucii Felicis Octauius*, Turin-Milan 1947, p. 130-131.
5. Cf. *in Matth.*, 12, 11, 16-19 : « Stupuerunt facti istius turbae..., quia humanam infirmitatem haec tanta eius excederent. »
6. Les deux attitudes se succèdent chez ceux qui ont assisté à la

de ce genre sont le fait d'un homme extraordinaire [1]. Mais leur étonnement en reste là [2].

Plus complexe est la stupéfaction causée par la multiplication des pains. Les assistants ne comprennent pas le surgissement ininterrompu de nouveaux morceaux de pain, miracle qui surpasse la succession des produits au long des saisons [3]. En faisant cette comparaison, Hilaire récupère la conclusion des apologistes déduisant l'existence de Dieu de l'admirable régulation de la nature, au profit d'une théologie du développement de la matière par l'action « invisible » du Christ [4], théologie qui prolonge l'enseignement de Tertullien sur la spiritualisation de la chair à la résurrection [5]. Sans doute ne faut-il pas comprendre que la divinité du Verbe « s'enferme » dans les choses, comme dans les houppes de l'hémorroïsse guérie par le Seigneur [6]. Sans se diviser, l'Esprit sort du corps du Christ pour s'incorporer aux réalités physiques [7], selon un processus qui suit l'explication

guérison du paralytique : cf. *Matth.* 9, 8, commenté dans *in Matth.*, 8, 8.

1. Cf. *in Matth.*, 8, 2 : « *Qualis hic homo est quod uenti et mare oboediunt illi ?* (*Matth.* 8, 27)... : nunc admiratos esse homines significat, hominibus hominem in ipsa admiratione dicentibus. »

2. Cf. 14, 12, 23 : « Sola relinquitur admiratio potestatis. »

3. Cf. 14, 12, 9-16 : « Dat deinde discipulis panes. Non quinque multiplicantur in plures, sed fragmentis fragmenta succedunt et fallunt semper praefracta frangentes... Ne mirere fontes fluere, inesse uuas uitibus et uuis uina diffundi et omnes mundi opes annuo quodam meatu indefessoque diffluere. »

4. Cf. 14, 12, 12 et 16-20 : « Crescit deinde materies... Auctorem enim huius uniuersitatis tantus panum profectus ostendit, per quem tali incremento modus pertractatae materiae adderetur. Agitur enim in opere uisibili inuisibilis molitio. »

5. Cf. Tert., *resurr.*, 52, 7 : « Ergo additicium erit corpus quod corpori superstruitur nec exterminatur illud cui superstruitur, sed augetur. »

6. Cf. *in Matth.*, 9, 7, 9-13 : « Et adsumptio corporis non naturam uirtutis inclusit, sed ad redemptionem suam fragilitatem corporis uirtus adsumpsit, quae tam infinite libera est, ut etiam in fimbriis eius humanae salutis operatio contineretur. »

7. Cf. 9, 6, 8-10 : « ... fimbriam uestis per fidem festinat (mulier) adtingere, donum uidelicet Spiritus sancti de Christi corpore modo fimbriae exeuntis... » ; 9, 7, 6 : « Ipse enim dona in Spiritu diuidit, ceterum non diuiditur in donis. »

donnée par le *De baptismo* de Tertullien sur la pénétration de l'eau matérielle par l'Esprit [1].

Présenté de cette manière, le miracle apparaît comme l'occasion offerte au Christ d'agir visiblement comme puissance de Dieu. Par là s'instaure un ordre de choses qui n'est pas celui de la nature humaine [2], mais qui révèle les perspectives tracées par Dieu lui-même pour l'histoire du salut : elles apparaissent par exemple dans l'apaisement miraculeux de la tempête qui suit la multiplication des pains, dans la mesure où il préfigure l'avènement glorieux du Christ qui mettra fin aux persécutions de l'Antéchrist [3].

Dépassant tous les miracles qui sont des signes ponctuels du salut, la Passion révèle l'accomplissement total de ce salut [4] : avec elle « meurent toutes les douleurs de nos infirmités [5] », comme le montrent deux moments essentiels de ce mystère, l'affliction du Christ au Jardin des Oliviers et les souffrances et la mort de la Croix.

L'affliction de Gethsémani n'est pas produite par une faiblesse du Verbe, comme le prétendent ceux qui voudraient que l'éternité divine changeât de façon à être autre que ce qu'elle était [6]. P. Smulders a cru retrouver dans cette opi-

---

1. Cf. Tert., *bapt.*, 4, 1 : « (rapiat necesse est) maxime corporalis (materia) spiritalem et penetrare et insidere facilem per substantiae suae subtilitatem. »

2. Cf. *in Matth.*, 14, 12, 21-22 : « Superat autem omnem naturam uirtus operantis. »

3. Cf. 14, 14 et 18.

4. Cf. 33, 6, 18 : « *Consummatum est*, quia omne uitium humanae corruptionis hausisset. »

5. Cf. 31, 10, 8-10 : « omnes imbecillitatum nostrarum dolores cum corpore eius et passione moriuntur. »

6. Cf. 31, 2, 8 s. : « Volunt enim ex infirmitate corporis aerumnam Spiritui adhaerere, ac si... aeternitas naturam fragilitatis acceperit. Quae si ad metum tristis est, si ad dolorem infirma, si ad mortem trepida, iam et corruptioni subdita erit et incidet in eam totius infirmitatis adfectio. Erit ergo quod non erat... ac sic aeternitas demutata in metum, si potest esse quod non erat, potuit perinde hoc quod in ea est aliquando non esse... » ; 31, 3, 1-5 : « Sed eorum omnis hic sensus est ut opinentur metum mortis in Dei Filium incidisse qui adserunt non de aeternitate esse prolatum..., ut adsumptus ex nihilo sit. »

nion le reflet d'une thèse d'Arius combattue par Athanase [1].
Il nous paraît plus exact de dire qu'en rattachant à la thèse
d'une création du Fils à partir du néant l'« opinion » de la
souffrance du Christ — dont la formulation assez peu précise
semble refléter un passage de l'*Aduersus Praxean* de Tertullien dirigé contre l'hérésie monarchienne de la compassi-
bilité du Père avec le Fils [2] —, Hilaire vise l'une de ces
pièces ariennes, œuvre des évêques Ursace et Valens, qu'il
versera en 356 au dossier de son *Liber aduersus Valentem
et Vrsacium* [3].

Analysant la tristesse du Christ à Gethsémani, Hilaire
montre qu'elle n'est pas tournée vers Lui, mais dépasse sa
personne : « Que ce calice passe loin de moi [4] », demande-t-il
au Père, parce qu'il craint que ses disciples ne supportent pas
de souffrir comme Lui [5]. Un même réajustement de perspectives s'impose, selon Hilaire, pour une appréciation exacte
des douleurs du Christ sur la Croix : s'il a éprouvé la souffrance, il ne l'a pas sentie. Cette dernière expression a une
saveur stoïcienne, mais elle rend compte aussi de l'idée générale du verset d'*Isaïe* : il porte nos péchés et c'est pour nous

---

1. P. SMULDERS, *La doctrine trinitaire de saint Hilaire de Poitiers*,
p. 39, n. 102, rapproche le texte cité *supra*, p. 13, n. 6, d'un extrait
de la *Thalie* d'Arius rapporté par ATHANASE, *Oratio c. Arianos I*, 5,
PG 26, c. 21 A : Οὐκ ἀεὶ ἦν ὁ υἱός· πάντων γάρ γενομένων ἐξ οὐκ ὄντων
καὶ πάντων ὄντων κτισμάτων καὶ ποιημάτων γενομένων καὶ αὐτὸς ὁ τοῦ
Θεοῦ Λόγος ἐξ οὐκ ὄντων γέγο,ε.

2. Cf. TERT., *adu. Prax.*, 29, 7 - 30, 1 : « Ita et Spiritus Dei ut
pati possit in Filio... Habes ipsum exclamantem in passione : *Deus
meus, Deus meus, ut quid me dereliquisti ?* »

3. *Coll. antiar.*, *ser.* B, II, 9, 6 (26), *CSEL* 65, p. 149 : « Tradebant
autem Arrii talia : Patrem Deum instituendi orbis causa genuisse
Filium et pro potestate sui ex nihilo in subtantiam nouam atque
alteram Deum nouum alterumque fecisse. »

4. Cf. *in Matth.*, 31, 7, 7-16 : « Qui autem ut a se transeat rogat,
non ut ipse praetereatur orat, sed ut in alterum id quod a se transit
excedat... Totus igitur super his qui passuri erant metus est. »

5. *Ibid.* 31, 7, 16-20 : « Atque ideo, quia non est possibile se non
pati, pro his rogat qui passuri post se erant..., id est... sine sensu
doloris. » Sur la couleur stoïcienne de cette dernière formule, cf.
notre *Hilaire de Poitiers...*, p. 376, n. 1 et, plus ancien, l'article de
G. RAUSCHEN, « Die Lehre des hl. Hilarius von Poitiers über die
Leidensfähigkeit Christi », dans *ThQ* 87, p. 436.

qu'il souffre [1]. Dans la même optique de dépassement, la mort du Christ marque l'accomplissement de son sort, mais au regard de l'humanité ; elle ne saurait être l'anéantissement du Verbe qui s'est retiré de son corps, comme en témoigne ce cri qui monte de la chair : « Mon Dieu, mon Dieu, pourquoi m'as-tu abandonné [2] ? » Cette séparation du Verbe et du corps, qui est parallèle, selon R. Favre [3], à l'abandon que le Verbe fait de sa nature d'homme entre les mains de Satan pour lui permettre de le tenter, n'est pas le signe de deux natures hétérogènes (thèse d'Athanase) [4] et ne s'explique pas non plus par l'unité substantielle du Verbe et du corps (thèse arienne) [5].

La mort du Seigneur enfin apparaît comme la « consommation » du mystère du salut [6], laissant dans l'ombre la Résurrection, dont le commentaire est réduit à une courte paraphrase du récit de l'apparition de l'ange aux saintes femmes [7].

1. Cf. *in Matth.*, 31, 10, 6 : « Ideo peccata nostra portat et pro nobis dolet », paraphrase de *Is.* 53, 4.
2. Cf. *ibid.*, 33, 6, 4 : « Clamor uero ad Deum corporis uox est recedentis a se Verbi Dei contestata discidium. Denique cur relinquatur exclamat dicens : *Deus, Deus meus, quare me dereliquisti* (*Matth.* 27, 46) ? Sed relinquitur, quia erat homo etiam morte peragendus. » — A rapprocher du commentaire donné par TERT., *adu. Prax.*, 30, 2 : « Sed haec uox carnis... id est hominis. »
3. Cf.R. FAVRE, « La communication des idiomes dans les œuvres de saint Hilaire de Poitiers », dans *Gregorianum*, t. 17, p. 491-492.
4. Cf. ATHANASE, *Oratio c. Arianos III*, 57, *PG* 26, c. 444 C : Ὁ δὲ Κύριος· ἀθάνατος ὤν, σάρκα δὲ θνητὴν ἔχων ἐπ' ἐξουσίας εἶχεν ὡς Θεὸς ἀπὸ τοῦ σώματος χωρισθῆναι. Sur cette dichotomie cf. G. VOISIN, « La doctrine christologique de saint Athanase », dans *RHE*, 1, 1900, p. 236.
5. Présentation de cette thèse dans A. GRILLMEIER, *Le Christ dans la tradition chrétienne de l'âge apostolique à Chalcédoine* (451), trad. fr., Paris, 1973 p. 218-225.
6. Cf. *in Matth.*, 31, 7, 9-11 : Numquid possibile erat non pati Christum ? Atquin iam a constitutione mundi sacramentum hoc in eo erat nostrae salutis ostensum. »
7. Cf. 33, 9.

CHAPITRE III

PROBLÈMES CRITIQUES, LINGUISTIQUES ET STYLISTIQUES

A. LES MANUSCRITS

La présente édition est établie d'après neuf manuscrits qui sont ou les plus anciens ou les plus représentatifs des divers rameaux de la tradition. Nous leur avons joint cinq manuscrits, de second rang, qui ont été consultés à l'occasion de *loci uexati*. Des accidents importants ont dû survenir dans la transmission de l'*In Matthaeum* avant le IXe siècle, date des *codices* les plus anciens, et ont laissé dans ces quatorze manuscrits des traces profondes qui permettent de les classer en deux familles. Nous commençons par présenter ces dernières.

Manuscrits de la première famille

L *Laureshamensis*, Vatican, *Palatinus lat. 167*, fin IXe ou début Xe siècle, 55 fol.

Morceau d'un ms. beaucoup plus important dont il ne représente plus que sept quaternions (XVII à XXIII). Son lieu d'origine est l'abbaye de Lorsch (diocèse de Mayence) ; selon B. Bischoff[1], son écriture révèle la période de transition entre le style ancien et le style nouveau de Lorsch. De cette abbaye, il est passé dans la bibliothèque de l'Électeur palatin et, de là, au Vatican. L'incipit a été ajouté au fol. 1 en capitale rustique du XIe s. Le texte s'interrompt brutalement au milieu d'un mot du chapitre XIV des éditions modernes : *admonui...* (7, 1) : cette mutilation était déjà accomplie au XIe s., puisque le scribe de l'incipit l'enregistre : « Incipit expositio in euangelium Mathei super titulos quatuordecim. » Ces *tituli* correspondent aux divisions notées en marge de II à XIV, lesquelles s'apparentent de très près à la capitulation adoptée par les éditeurs modernes et issue d'un groupe de mss de la seconde famille. Le *Laureshamensis* porte la trace de quelques corrections dues à une

1. B. BISCHOFF, *Lorsch im Spiegel seiner Handschriften* (*Münchener Beiträge zur Mediävistik und Renaissance Forschung*, Beiheft), Munich 1974, p. 29 et 168.

seconde main. Dom P. Coustant, qui l'a connu grâce à une collation incomplète effectuée par Dom Jean Durand à Rome en 1686, lui donne le nom de *Vaticanus* [1].

R Reginensis, Vatican, *Reg. lat. 314 a*, xie siècle, fol. 1-70.

Le fol. 71, dernier du codex, comporte un résumé des *Recognitiones* du Ps.-Clément. Issu du scriptorium de Micy (dioc. d'Orléans), comme l'indique au fol. 70 [v] un colophon du xiie s. (*Liber Maximini Mitiacensis*), il a été acheté en 1650 aux héritiers d'Alexandre Petau [2] par Vossius, représentant la reine Christine de Suède, et de là est passé au Vatican [3]. Au fol. 70, le texte d'Hilaire qui s'arrête à *Christi miraculum* (33, 9, 20), comme l'indique une note marginale d'un lecteur récent, est prolongé sans avertissement par les dernières lignes du *Commentarius in Matthaeum* de Jérôme. On observe très peu de corrections du moins au début, mais quelques notes marginales qui paraissent provenir du modèle [4]. Une division en chapitres, semblable à celle du *Laureshamensis* pour les quatorze premiers chapitres, est indiquée en marge jusqu'au chiffre XXXI, selon le découpage que nous connaissons par les éditeurs. Ne sont pas notés cependant les *tituli* I, II, VI à X, XIV, XXXII et XXXIII. Ce ms. porte le nom de *Romanus* dans l'édition de Dom P. Coustant, qui en a fait effectuer une collation à Rome en 1686 par Dom Jean Durand [5].

E Excubiensis, Grenoble, Bibl. mun., *263 (428)*, xiie siècle, fol. 1-105[v].

L'autre partie du ms., fol. 106-147, donne le texte du *De synodis* d'Hilaire [6]. Au verso de la couverture, on lit, en écriture gothique,

---

1. Cf. « Matériaux pour une édition de S. Hilaire », ms., Paris, Bibl. Nat., *lat.* 11620, fol. 130-133[v].
2. Sur les mss de Micy (= Saint-Mesmin) dans la bibliothèque des Petau, cf. K. A. DE MEYIER, *Paul en Alexandre Petau en de geschiedenis van deen handschriften*, Leyde 1947, p, 108-113. Sur la bibliothèque de Micy, cf. A. PONCELET, « La bibliothèque de Micy aux ixe et xe siècles », dans *AB* 23, 1904, p. 76-84.
3. Cf. J. BIGNAMI ODIER, « Le Fonds de la Reine à la Bibliothèque Vaticane », dans *Collectanea Vaticana in honorem A. M. card. Albareda* (= *Studi e Testi* 219), Vatican 1962, p. 163.
4. Fol. 12[v] : Cyprianium laudat, Tertullianum improbat ; fol. 15 : N. allegoriam liliorum ; fol. 30 : duo passeres corpus et anima ; fol. 36 : complectenda sententia ; fol. 44[v] : praedicheticum (?) uerbum ; fol. 53[v] : quid sit camelum per foramen acus posse transire.
5. Cf. ms. *lat.* 11620 (Paris, Bibl. Nat.), fol. 229-238[v]. — Quelques erreurs : 1, 2 patribus progenti ; 10, 23 : sic *add.*
6. Les leçons propres de ce ms. du *De synodis*, dont le texte est

cet ex-libris : « Iste liber est domus Excubiarum », nom latin de la chartreuse des Écouges, au diocèse de Grenoble. En dessous, une étiquette imprimée indique que le ms. a été la propriété de la Grande Chartreuse par legs d'un ami de cette dernière, Jacques Gigard, prêtre, mort à Grenoble le 5 juillet 1766. De nombreux *addenda*, soit entre les lignes, soit en marge, soit même sur une page entière (fol. 37 r-v), sont l'œuvre d'une seconde main qui a dû se référer à un témoin appartenant à l'autre famille, car certains de ces *addenda* sont des leçons propres à cette famille [1]. Aucune capitulation n'est indiquée.

P *Parisinus*, Paris, Bibl. Nat., *lat. 2083*, xiiie-xive siècle, fol. 103-129 v.

Partie d'un ms. à double colonne, de 132 folios, comportant en outre de nombreux traités d'Augustin ou attribués à Augustin, un traité de Cyprien, un *Liber exhortationis* de Paulin d'Aquilée. A appartenu à la bibliothèque de Colbert, d'où le nom de *Colbertinus* que lui a donné Dom P. Coustant. Le texte du commentaire d'Hilaire offre une lacune au chap. 20 (depuis 1, 4 : *Rursum illi* jusqu'à 3, 9 : *possibile autem apud Deum*). La capitulation adoptée est celle de la Vulgate, à ceci près que XXVI couvre les chapitres 26 et 27 de la Vulgate. Comme *R*, *P* ajoute au texte d'Hilaire l'épilogue du *Commentaire sur Matthieu* de Jérôme (IV, 28, 16-20), sans marquer la soudure.

Manuscrits de la seconde famille

A *Atrebatensis*, Arras, Bibl. mun., *700* (catal. *628*), ixe-xe siècle, fol. 1-52 v.

Partie d'un ms. de 120 feuillets comportant, à partir du fol. 54, le *De doctrina christiana* d'Augustin [2]. Au fol. 1, un ex-libris indique

écrit de la même main que celui de l'*In Matthaeum*, se retrouvent dans l'*Aurelianensis 14* (*11*) en provenance de Fleury (variantes de ce dernier publiées par P. Courcelle, « Fragments non identifiés de Fleury-sur-Loire », dans *REL*, 32, 1954, p. 95). Ce serait peut-être l'indication que le modèle de *E* aurait appartenu à la bibliothèque de Fleury.

1. Fol. 12v : non *add.* ; fol. 14v : in *add.* ; fol. 30 : occursu *E*[2] : occasu *E* ; fol. 37 (ajouté) : unus ; fol. 64v : sanauerat *add.* ; fol. 83 : remittuntur *add.*

2. La description du ms. dans le Catalogue des mss. de la Bibliothèque d'Arras (*Catal. général des mss des Bibliothèques publiques des Départements*, in-4°, 4, p. 252) laisse beaucoup à désirer : « *S. Au-*

qu'en 1628 le ms. appartenait à la bibliothèque du monastère de Saint-Vaast. Le texte a été révisé par une seconde main, A^2. Celle-ci est peut-être à l'origine des traces sporadiques de capitulation : XII, XVIIII (en marge de 20, 2 = XX dans la capitulation de T), XXXI, XXXIII. La plupart des cahiers sont mutilés et quelques folios conservés sont déchirés (6 $^{r-v}$; 52 $^{r-v}$). Les parties conservées du texte sont les suivantes : 4, 19, 8 (*remitti*) - 4, 24, 9 (*sedem*) ; 4, 28, 12 (*sortiuntur*) - 5, 11, 1 (*quomodo*) ; 5, 13, 13 (*metus*) - 7, 4, 8 (*gentes*) ; 9, 3, 6 (*uitae*) - 10, 12, 7 (*offerendos*) ; 10, 17, 12 (*non timentes*) - 11, 6, 7 (*propheta*) ; 11, 9, 20 (*pudicitia*) - 12, 2, 5 (*curramus*) ; 12, 9, 5 (*sui*) - 12, 18, 22 (*sub uenia*) ; 12, 22, 17 (*postea*) - 13, 4, 3 (*cuius*) ; 14, 1, 3 (*sed discipulis*) - 14, 19, 5 (*demorata*) ; 15, 4, 15 (*delatus*) - 19, 3, 14 (*infantium*) ; 19, 8, 1 (*Dominus*) - 20, 7, 3 (*est constituta*) ; 20, 10, 17 (*sensus*) - 20, 13, 22 (*secuti*) ; 21, 3, 8 (*hereditatem*) - 23, 6, 20 (*mente tua*) ; 24, 7, 5 (*legem*) - 26, 4, 3 (*non solum*) ; 27, 6, 1 (*sicut*) - 33, 3, 10 (*circumdata*) ; 33, 7, 11 (*resurrectione*) à la fin, la moitié du texte étant mutilée.

G *Guelferbytanus*, Wolfenbüttel, Herzog-August-Bibliothek, *lat. 4119* (*Weissenburg. 35*), milieu du IXᵉ siècle, selon la datation de Butzmann [1], fol. 1-113.

Parchemin de 114 fol. Le texte, d'une fine écriture caroline, ne comporte à peu près pas de rature ni de correction. Une seule division est notée : XII, au fol. 45.

S *Sigilleriensis*, Paris, Bibl. Nat., *lat. 9520*, IXᵉ siècle, fol. 1-85 ᵛ.

Première partie d'un ms. de 116 fol., comportant en outre : *Super cantica canticorum* d'Alcuin, *Duodecim abusiua saeculi* et un *sermo* attribué à saint Augustin. Au fol. 1, on lit dans une écriture

gustini Sermones de Evangeliis. Tractatus de Doctrina christiana... Manque le commencement. Les premiers mots sont : ' Remitti nobis peccata nostra oramus exemplo et data adversariis conditione veniae, etc. ' Cette première partie du manuscrit finit avec un sermon numéroté XXXIII : ' Sedente autem Pilato pro tribunali, etc. ' » Ces indications ont permis récemment de reconnaître dans « cette première partie du manuscrit » le texte de l'*In Matthaeum* d'Hilaire. En 1940, M. GRIERSON, « La bibliothèque de Saint-Vaast d'Arras au XIIᵉ siècle », dans *RB* 52, 1940, p. 138, mentionne le ms. sans identifier le texte d'Hilaire.

1. Cf. H. BUTZMANN, *Die Weissenburger Handschriften* (= *Kataloge der Herzog-August-Bibliothek Wolfenbüttel*, n. R., 10. Bd), Francfort-sur-le-Main 1964, p. 146, lequel pense que le ms. pourrait provenir d'Allemagne du Sud.

du xviiie siècle : *Ex libris praepositi de Seillières* (dioc. de Troyes).
Le codex, passé dans la Bibliothèque du Roi (*Suppl. lat.* 202), a
été relié aux armes de Louis XV. Selon J. Vézin, l'écriture est celle
du scriptorium de Corbie au milieu du ixe siècle [1]. Une seconde
main S^2, d'une écriture plus foncée que la première, a procédé à de
très nombreuses retouches : des lettres ont été exponctuées, sur-
chargées, ajoutées, grattées ; des références de péricopes correspondent au propre du jour [2]. Aucune trace de capitulation.

T Turonensis, Tours, Bibl. mun., *262*, ixe siècle, fol. 1-110
d'un parchemin de 110 feuillets.

Deux ex-libris y figurent. L'un du xviie ou xviiie siècle, sur la
première page de garde : *ad usum Capucinorum turonensium* ;
l'autre, (fin du xvie s.) sur la dernière : *Stephanus Macicault, hujus
libri possessor, teste signo* (suit un paraphe). De très nombreuses
corrections, qui sont sans doute l'œuvre de la même main T^1. Les
fol. 2-3 [v] sont occupés par l'énumération des 33 *capitula* qui figureront dans les éditions, en tête du texte. Les divisions des *capitula*,
qui correspondent à peu près aux *capita* de *PL* 9 [3], sont reportées
dans le texte, le chiffre romain étant précédé de l'abréviation *CAP*
pour IV à XIX, à l'exception de XIII, XV, XVI. Pour III et à
partir de XX, *CAP* fait défaut sauf devant XXV. Les divisions I,
II, IX ne sont pas notées.

M Michaelinus, Avranches, Bibl. mun., *58*, xie siècle, fol. 3-
83.

Partie d'un ms. assez composite (Hilaire, *Super Matthaeum* ;
extrait des *Sentences* d'Isidore ; *liber de IV uirtutibus* de Martin de
Braga) ; issu du scriptorium du Mont-St-Michel, où il se trouvait
encore en 1739 d'après Montfaucon (*Bibl. bibl.*, t. 2, p. 1356-1361).
Le copiste s'est corrigé lui-même par endroits et s'est livré à
quelques conjectures, consignées entre les lignes [4]. Aux fol. 1-2,
même liste de *capitula* (au nombre de 34) que dans *T* ; les divisions

---

1. Écriture étudiée par B. Bischoff, « Hadoard und die Klassi-
kerhandschriften aus Corbie », dans *Mittelalterliche Studien*, 1,
Stuttgart 1966, p. 49-62.
2. Ainsi fol. 8[v] : In natali doctoris scd Math. In illo tempore
Dominus Iesus discipulis suis... ; fol. 24[v] : In nat. sci Mathei apli
euangeliste ; fol. 60[v] : Scd Matth. natal. sci Iacobi.
3. Le début des *capita* V, XVII, XIX et XX ne coïncide pas
dans *T* et dans *PL*.
4. Ainsi : fol. 5 : auersae *M* : auersos M^1 ; fol. 36[v] : ad metum *M* :
ad medicum M^1 ; fol. 75 : sata *M* : seminata M^1 ; fol. 75 [v] nummu-
lariis *M* : monetariis M^1.

(au nombre de 33) sont reportées dans le texte, très rarement accompagnées de $\widetilde{\text{CAP}}$ ou $\widetilde{\text{CP}}$ (III, X, XXII). En marge du début de VII, a été ajouté *capitulum VIII*, en référence à la capitulation de la Vulgate. *Michaelinus* est déjà le nom de ce ms. dans l'édition de P. Coustant.

Il nous faut encore mentionner cinq manuscrits de la seconde famille qui, très proches de *A* et de *S*, peuvent corroborer les leçons propres de *S*, lorsque *A* fait défaut.

O Oxoniensis, Oxford, Bodleian Library, *5256 (24)*, *Marshall 21*, xiie siècle, fol. 1v-70.

Provenance : Saint-Pierre de Gand.

Q Ambianensis, Paris, Bibl. Ste-Geneviève, *71*, xiie siècle, fol. 1-48.

Il appartenait, au xve s., au couvent des Célestins d'Amiens.

X Trecensis, Troyes, Bibl. mun., *1222*, xiie siècle.

Provient de l'abbaye de Clairvaux, 123 feuillets.

W Vindobonensis, Vienne, Nationalbibliothek, *lat. 1017 (Theol. 375)*, fol. 1v-67v, xiiie siècle.

Vient de l'abbaye St-Georges de Weltenberg (Bavière).

Z Zwettlensis, Zwettl (Basse-Autriche), Bibliothek des Stiftes, *240*, xiiie siècle, fol. 2-70 v.

Autres témoins du XIe au XVe siècle

Outre les manuscrits mentionnés ci-dessus, nous avons repéré ou collationné les manuscrits suivants, qui appartiennent tous à la seconde famille :

Allemagne

Berlin, Staatsbibliothek, *theol., fol., 577* (= coll. Phillipps, ms. *3733*), xiiie siècle, fol. 1-39 v.

Cues, Hospital, *37*, xve siècle, fol. 2-81.

France

Bordeaux, Bibl. mun., *112*, xiie siècle, fol. 145^v-197 [1].

Paris, Bibl. Nat., *lat. 1715 A*, xiie siècle, fol. 9-69, provenant de l'abbaye de Moissac [2].

Tours, Bibl. mun., *263*, xie siècle, fol. 2-57^v (incomplet), provenant de Marmoutier [3].

Vendôme, Bibl. mun., *124*, xiie siècle, fol. 1-85.

Italie

Florence, Bibl. Laur., *S. Marci 532*, xiiie siècle, fol. 1-47.

Florence, Bibl. Laur., *Leopold. 51*, xve siècle, fol. 106-148.

Pays-Bas

Utrecht, Bibl. Univ., *100*, xve siècle, fol. 1-130.

Vatican

Urb. lat. 38, xve siècle, fol. 2-59^v.

Manuscrits disparus

Allemagne

Prüfening, Stift (cf. Becker, *Catalogi bibl. antiqui*, p. 210).

France

Bec, Abbaye (cf. Montfaucon, *Bibl. bibl.*, t. 2, p. 1251).

Chartres, Bibl. mun., *79*, disparu en 1940 (cf. *Catal. gén. mss Bibl. publ. Départ.*, 11, p. 42) [4].

---

1. En provenance de l'abbaye de la Sauve-Majeure. Une collation a été faite par les Mauristes de cette abbaye à l'intention de Dom P. Coustant : cf. ms., Paris, Bibl. Nat., *lat.* 11622, fol. 226-230^v.

2. Cf. J. Dufour, *La bibliothèque et le scriptorium de Moissac* (E. P. H. E., IVe Section, *Centre de Rech. d'Histoire et de Philologie*, V, 15), Genève-Paris 1972, p. 113.

3. Présentation par E. K. Rand, *Studies in the Script of Tours. I. A Survey of the Manuscripts of Tours*, Cambridge (Mass.) 1929, p. 209.

4. Une partie de ces deux derniers mss peut être reconstituée à partir des collations effectuées par les correspondants de D. P. Coustant et réunies dans le codex *lat.* 11622 (Paris, Bibl. Nat.), fol. 231-235^v : *uariae lectiones manuscripti S. Petri Carnutensis (cap. I-VII)* ; fol. 236-249^v : *castigationes ad manuscriptum Beccensem*.

Dijon, St-Bénigne (cf. Montfaucon, *ibid.*, t. 2, p. 1288 b).

Fécamp, La Trinité (cf. *Catal. gén. mss Bibl. publ. Départ.*, I, p. xxv, n° 51) [1].

Murbach, Cartulaire, n° 17.

Pontigny, Abbaye : cf. Auxerre, Bibl. mun., *260* (399) n° 155 (*Catal. gén. mss Bibl. publ. Départ.*, 6, p. 90).

Grande-Bretagne

Cheltenham, Bibl. Phillipps, *531*, vendu en 1910.

Suisse

Saint-Gall (cf. Becker, *ibid.*, p. 55).

Vatican

Codex collatus per Gulielmum Sirletum [2].

Fragments manuscrits

Un certain nombre de *fragmenta* de l'*In Matthaeum* d'Hilaire sont conservés par des homéliaires. Nous avons repéré les témoins suivants :

France

Grenoble, Arch. départ., xiiie siècle.

> *Sermons*, fragments ; fol. 2 ᵛ : Item omelia lectionis eiusdem beati Hylarii episcopi XII : « Qui prophetas... frequenter tamen » (= *in Matth.*, 24, 9, 1 à 24, 11, 2) ; fol. 3 : Homelia lectionis eiusdem beati Hilarii episcopi : « Parante Herode... nuncupatum » (= *in Matth.*, 1, 6, 1 à 2, 1, 20).

Paris, Bibl. de l'Arsenal, *474 a*, xiie siècle.

> Fol. 123 ᵛ : Sermo beati Hylarii : « Quis uult post me... comparanda » (= *in Matth.*, 16, 11, 1-21) ; fol. 126 ᵛ : Omelia beati Hylarii de uirginibus (= *in Matth.*, 27, 3-5).

---

1. Il est mentionné dans l'ouvrage de G. Nortier, *Les bibliothèques médiévales des abbayes bénédictines de Normandie*, Paris 1967, p. 234.

2. Un certain nombre de leçons de ce codex ont été recueillies par Latinus Latinius, *Bibliotheca sacra et profana*, Rome, 1677 p. 68-72, qui les a entremêlées de ses propres conjectures. Les recherches qu'a bien voulu effectuer pour nous Mgr A. Pelzer dans le fonds latin *Ottoboni* de la Bibliothèque Vaticane pour retrouver ce codex n'ont pas abouti.

Troyes, Bibl. mun., *653*, xie-xiie siècles [1].

Fol. 8 ^v : Sermo beati Hylarii de eodem (aduentu Domini) :
« Duo discipuli ad uicum missi sunt... meditatur operatio »
(= *in Matth.*, 21, 1, 2 à 21, 3, 14) ; fol. 16 : Secundum
Matheum. In illo temp. Cum audisset Iohannes... et rel.
Omelia sancti Ylarii episcopi de eadem lectione : « Iohannes
retentus in carcere Dominum ignorat... fide gentium occu-
patur et rapitur » (= *in Matth.*, 11, 1-7) ; fol. 49 ^v : In uigilia
Domini expositio sancti Hylarii in eodem euangelio : « Liber
generationis Iesu Christi filii Dauid, filii Abrahae. Non differt... non admiscetur » (= *in Matth.*, 1, 1, 20 à 1, 3, 15) ;
fol. 94 : Sermo beati Ylarii episcopi in euangelio quo supra.
In illo temp. dicebat Iesus turbis Iudaeorum et principibus
sacerdotum : Vae uobis... sepulcra prophetarum et rel.
« Iudicii forma in absoluto est... confessione benedicent »
(= *in Matth.*, 24, 8-11) ; fol. 110 ^v : Item expositio beati
Ylarii episcopi in eodem euangelio. Lectio sancti euangelii
secundum Matheum : Angelus Domini... « Nam conceptum
ex Spiritu sancto... sed uitam ad salutem gentium nuncupatum » (= *in Matth.*, 1, 3 à 2, 1).

Italie

Mont-Cassin, ms. *100 (85)* = *109 (104)* = *305 (104)*,
xie siècle.

Omelia beati Augustini ep. in ev. s. Matth. : « Accesserunt
ad Iesum Sadducaei » (excerpta S. Hilarii *Comm. in Matth.* =
23, 3-6).

Mont-Cassin, ms. *103 (52)* = *106 (138)*, xie siècle.

Sermo S. Augustini 113 (desumptus ex S. Hilarii *Comm. in
Matth.* = 20, 5-7 [A. Mai, *Nova Patrum Bibl.*, 1, Rome 1852,
p. 239-240]).

Mont-Cassin, ms. *109 (120)* = *305 (118)*, xie siècle.

Omelia beati Augustini ep. in ev. S. Matth. : « Egressus
Iesus de templo » (est c. XXV S. Hilarii *Comm. in Matth.*).

Mont-Cassin, ms. *113 (25)*, xie siècle.

Omelia beati Augustini ep. (ex. Comm. S. Hilarii *in Matth.*
= 7, 6-11).

1. Une analyse sommaire de la composition de cet homéliaire a
été donnée par A. Wilmart, « Deux expositions d'un évêque Fortu-
nat sur l'Évangile », dans *RB*, 32, 1920, p. 159-162.

Testimonia

1) antérieurs aux manuscrits les plus anciens :

Jérôme, *epist.*, 20, 1 :

> Noster Hilarius in commentariis Mathei ita posuit : « Osanna Hebraico sermone significatur redemptio Dauid » (= *in Matth.*, 21, 3, 6-7).

Augustin, *De natura et gratia*, 62, 72 :

> Beatus uero Hilarius, cuius haec uerba posuit (Pelagius) : « Non enim nisi spiritu perfecti et immortalitate mutati, quod solis mundis corde dispositum est, hoc quod in Deo est immortale cernemus » (cf. *in Matth.*, 4, 7).

Vincent de Lérins, *Commonitorium*, 1, 18 :

> De eo (Tertulliano) beatus confessor Hilarius quodam loco scribit : « Sequenti, inquit, errore detraxit scriptis probabilibus auctoritatem » (= *in Matth.*, 5, 1, 11-12.)

2) contemporains des manuscrits carolingiens :

Hincmar, *De praedestinatione* (*PL* 125, c. 176 D - 177 A) :

> Quia secundum diluuii tempus... comprobabit (= *in Matth.*, 26, 4-5).

Raban Maur, *Commentarius in Matthaeum*, *PL* 107, c. 734 D-1071 D : treize emprunts à Hilaire, *In Matthaeum* 1, 2 ; 1, 3 ; 1, 7 ; 4, 11 ; 5, 15 ; 7, 10 ; 10, 28 ; 11, 15 ; 12, 4 ; 18, 9 ; 19, 1 ; 24, 3 ; 24, 7.

3) contemporains des manuscrits des xiie-xiiie siècles :

Abélard

> *Sermo XI* (*PL* 178, c. 466) :
>
> > Hilarius super Matthaeum : « Vbi uis paremus tibi pascha manducare ? Post quae Iudas... polliceretur » (= *in Matth.*, 30, 1-2).

> *Sic et non*, 19 (*PL* 178, c. 1380) :
>
> > Hilarius super Matth., cap. II : « De Domino baptizato : Nam baptizato... meus » (= *in Matth.*, 2, 6, 1-5).

> *ibid.*, 44 (c. 1406) :
>
> > Hilarius super Matthaeum, cap. V : « Nonne anima... necesse est » (= *in Matth.*, 5, 8, 10-20).

ibid., 80 (c. 1461-1462) :

Idem super Matthaeum, cap. XXXII : « Aliquorum ea opinio... non possumus » (= *in Matth.*, 31, 2-10).

ibid., 81 (c. 1465) :

Hilarius super Matthaeum : « Clamat... peragendus » (= *in Matth.*, 33, 6, 5-8).

ibid., 94 (c. 1480) :

Hilarius super Matthaeum : « Nam cum praedicare... auctorem » (= *in Matth.*, 16, 9-10).

ibid., 123 (c. 1545) :

Hilarius super Matthaeum, cap. I : « Plures... relinquebat » (= *in Matth.*, 1, 3-4).

Thomas d'Aquin

Summa theologica, 2, 2, q. LXXXVII, 1, 1 :

Dicit enim Hilarius super Matth. : « Decimato... omitti (= *in Matth.*, 24, 7, 8-10).

ibid., 2, 2, q. CLVII, 4, 2 :

Et Hilarius dicit : « per mansuetudinem mentis nostrae... nobis » (= *in Matth.*, 4, 3, 4-5).

ibid., 2, 2, q. CLXXXIX, 6, 3 :

Ex quo, ut Hilarius dicit : « Docemur Christum... non teneri » (= *in Matth.*, 3, 6, 8-10).

ibid., 3, q. XXI, 4, 1 :

Hilarius enim super Matth. dicit : « Quod autem... mortis » (= *in Matth.*, 31, 7, 14-20).

ibid., 3, q. XXXIX, 8, 3 :

Vnde Hilarius dicit super Matth. quod : « Super Iesum... filios fieri » (= *in Matth.*, 2, 6).

ibid., 3, q. XLI, 1, 3 :

Sicut Hilarius dicit super Matthaeum : « in sanctificatis... de sanctis » (= *in Matth.*, 3, 1, 23-25).

ibid., 3, q. XLII, 3, 3 :

Non legimus quod, sicut Hilarius dicit super Matth. canon 10 exponens illud uerbum inductum : « Non legimus... esse loquendum » (= *in Matth.*, 10, 17, 2-7).

ibid., 3, q. XLVI, 2, 2 :

Vt Hilarius dicit : « Ideo calix transire... non possumus » (= *in Matth.*, 31, 10, 10-11).

ibid., 3, q. XLVI, 11, 3 :

Tertio secundum Hilarium : « Duo latrones laeuae ac dexterae adfiguntur omnem humani generis... saluatur » (= *in Matth.*, 33, 5, 2-7).

ibid., 3, q. LI, 2, 4 :

Vt Hilarius dicit quod : « per apostolorum doctrinam... aduoluitur » (= *in Matth.*, 33, 8, 16-22).

ibid., 3, q. LV, 2, 3 :

Vnde Hilarius dicit super Matth. : « Ideo angelus... nuntiaretur » (= *in Matth.*, 33, 9, 8-10).

ibid., 3, q. LXVI, 3, 1 :

Vel quia, ut dicit Hilarius super Matth. : « Baptizatis in Spiritu sancto reliquum est consummari igne iudicii » (= *in Matth.*, 2, 4, 15-16).

B. Les éditions

Dans le lot relativement important d'éditions des *Opera* d'Hilaire de Poitiers parues depuis le xvie siècle, nous avons retenu celles qui sont les plus caractéristiques pour l'histoire du texte de l'*In Matthaeum*.

Bad.

Édition *princeps* parue à Paris en 1510 par les soins de Badius Ascensius (Josse Bade). Dans l'ensemble des *Opera complura sancti Hilarii episcopi*, l'*Explanatio in euangelium Matthaei* occupe 31 folios. Le texte de l'*explanatio* a été procuré à l'éditeur par Guillaume Petit, du monastère St-Bénigne de Dijon, dont la bibliothèque possédait un codex de l'*In Matthaeum* provenant sans doute de l'abbaye du Bec, si l'on en croit une indication fournie par le catalogue des mss de St-Bénigne publié par Montfaucon [1]. Au fol. 1 figure une *Tabula canonum euangelii Matthei*, qui dérive de la liste des *capitula* des mss de la famille de *T*, mss parmi lesquels se trouvait le codex *Beccensis*, à en juger par la collation qui nous en a été

---

1. On y lit en effet (*Bibl. bibl.*, t. 2, p. 1288) : « Bibliotheca Divio-Benigniana : Manuscripti monasterii Beccensis : Hilarius super Matthaeum. »

conservée [1]. En tête de chacune des 33 sections ou *canones* est
répété le sommaire correspondant qui figurait déjà dans la *tabula*.

Era.

Édition d'Érasme (*Divi Hilarii... lucubrationes*, p. 326-345) imprimée chez Jean Froben à Bâle en 1523, réimprimée par les mêmes
presses en 1526 et 1535, revue par Louis le Mire en 1544 en vue d'une
réédition parue à Paris. L'épître dédicatoire d'Érasme à Jean Caron-
delet (en tête de l'édition de 1523) ne nous renseigne pas sur les
mss de l'*In Matthaeum* utilisés par l'éditeur. La raison en est vrai-
semblablement que la principale tâche d'Érasme a consité à corri-
ger l'édition de Josse Bade sur un grand nombre de points de détail
relatifs à la morphologie, la conjugaison, la coordination et la construction de phrases au nom de la cohérence et de l'usage [2]. Néanmoins cette *emendatio* a dû se faire, au moins dans certains cas,
après consultation de mss de la seconde famille [3]. Érasme a repris
à Josse Bade la division du texte en 33 *canones* dont le sommaire
est consigné dans un *elenchus* inaugural.

Lip.

Édition de Martin Lipse (*D. Hilarii... lucubrationes*), imprimée
à Bâle en 1570 *per E. Episcopium et Nicolai fratris haeredes*. Elle est
présentée comme une réédition de la précédente, améliorée par la
consultation de *plura exemplaria*, peut-être du type du ms. *M*, si
l'on veut trouver une origine aux leçons nouvelles de *Lip* [4]. L'*In
Matthaeum commentarius* occupe les pages 250 à 331.

Gil.[1]

Édition de Jean Gillot (*D. Hilarii ... quotquot extant opera*, p. 139-
185) parue à Paris *apud S. Nivellium* en 1572. Le texte est celui de
Lip. *Gil.*[1] conserve la division en *canones* de ses prédécesseurs, mais
note en marge les références scripturaires, réduites cependant aux

---

1. Paris, Bibl. Nat., *lat.* 11622, fol. 236-249ᵛ. Les leçons propres
de la famille de *T* se retrouvent dans le codex *Beccensis*, ainsi que
les 33 *canones* : cf. fol. 236-237ᵛ.
2. Cf. *infra*, *in Matth.*, 3, 4 ; 4, 7 ; 4, 13 ; 5, 11 ; 6, 4 ; 7, 6 ; 10, 10 ;
11, 3 ; 12, 11 ; 12, 16 ; 13, 4 ; 14, 4 ; 14, 8 ; 18, 4 ; 18, 11 ; 20, 6 ; 21,
4 ; 21, 11 ; 21, 15 ; 25, 6 ; 26, 5 ; 27, 9 ; 29, 2 ; 31, 8 ; 31, 9 ; 33, 3 ;
33, 9.
3. Cf. *infra*, *in Matth.*, 5, 11 ; 11, 3 ; 12, 11 ; 13, 4 ; 14, 8. *G* cité
1, 1.
4. Cf. *in Matth.* 4, 26 ; 4, 28 ; 12, 21 (fient *M Lip.* : fiunt *S G T
Era.*) ; 13, 4 ; 13, 9 ; 14, 11 ; 15, 2 ; 16, 4 ; 20, 13 ; 21, 6 ; 22, 7 ; 24, 7 ;
25, 2 ; 26, 5 ; 32, 6.

ehapitres. Autre innovation : la place du *Commentarius in Matthaeum* dans l'œuvre de son auteur est éclairée par une présentation d'ensemble de celle-ci, accompagnée d'une défense de la *pietas* et de l'*eruditio admirabilis* d'Hilaire, qu'Érasme avait mises en cause dans l'épître dédicatoire de son édition.

Gil.[2]

Nouvelle édition de Jean Gillot (*Sancti Hilarii... quotquot extant opera*, p. 461-608) parue à Paris, à l'enseigne de la Grand-Nef, en 1605. Dans une adresse au lecteur, Gillot explique que la nouvelle édition « a été collationnée sur les manuscrits les meilleurs [1] », c'est-à-dire, dans le cas du *Commentarius in Matthaeum*, sur un ms. procuré par Paul Petau, qui n'est autre que notre ms. *R. Gil.*[2], en donnant l'avantage un grand nombre de fois aux leçons propres de *R* [2], permet à la première famille de mss, solidaire si souvent de *R*, d'émerger pour la première fois dans les éditions imprimées de l'*In Matthaeum* [2]. Le texte de 1605 marque donc un tournant essentiel dans l'histoire de la tradition de l'*In Matthaeum*. Dans les réimpressions de sa seconde édition, parues respectivement en 1617 à Cologne, en 1631 et 1652, à Paris, Gillot a fait figurer, à la fin du volume en 1617, en marge en 1631 et 1652, les leçons de la première édition de 1572 [4].

Cou.

Édition établie *studio et labore monachorum ordinis S. Benedicti e congregatione S. Mauri*, sous la direction de Dom Pierre Coustant,

---

1. Cf. p. 4, dans l'avis du *Typographus* au *Lector* : « Hilarii opera curauimus cum optimis quibusque mss. codicibus conferri, quos benigne nobis... suppeditarunt ad libros de Trinitate Nic. Faber, ad tract. in psalmos Jacobus Bongarsius, ad. Comm. in Matth. recensendos Paulus Petaneus Senator Paris. »

2. *Gil.*[2] s'aligne sur le seul ms. *R* notamment en 3, 4 ; 6, 6 ; 10, 12 ; 11, 8 ; 12, 23 ; 14, 10 ; 18, 6 ; 20, 3 ; 21, 1 ; 27, 1 ; 32, 6 ; 32, 7 ; 33, 9. Sur ces occurrences on consultera notre apparat critique.

3. Par le fait même qu'il choisit la leçon de *R*, il arrive, quand celle-ci n'est pas isolée, que *Gil.*[2] se trouve en accord avec des groupes de mss de la première famille, groupes où figure *R* : *L R* en 6, 1 ; 9, 4 ; *R E* en 11, 4 ; 11, 9 ; 19, 4 ; 24, 8 ; *R P* en 3, 5 ; 10 ; 12, 11 ; 11 ; 12, 3 ; 12, 15 ; 21, 11 ; 23, 8 ; *R E P* en 5, 15 ; 12, 7 ; 15, 4 ; 16, 3 ; 17, 8 ; 24, 1 ; 24, 8 ; 30, 1 ; 33, 5 ; *L R E P* en 1, 3 ; 4, 7 ; 4, 26 ; 5, 8 ; 5, 10 ; 8, 5 ; 9, 5 ; 9, 8 ; 10, 5 ; 10, 10 ; 11, 3 ; 11, 7 ; 12, 10 ; 12, 12.

4. Ces variantes sont signalées, pour les dix premiers chapitres de l'*In Matthaeum*, en 1, 1 ; 1, 3 ; 3, 4 ; 3, 6 ; 4, 6 ; 4, 7 ; 4, 12 ; 4, 15 ; 4, 19 ; 5, 3 ; 6, 1 ; 8, 4 ; 8, 5 ; 8, 7 ; 9, 4 ; 9, 7 ; 9, 8.

comme il ressort des documents que ce dernier a réunis pour amé-
liorer le texte des *Sancti Hilarii... opera,* et imprimée à Paris chez
Fr. Muguet en 1693. En ce qui concerne le *Commentarius in euangelium Matthaei* (p. 609-751), Coustant a collationné le texte des
éditeurs antérieurs avec des mss déjà connus (son *Romanus = R*),
ou nouveaux (*P T M* de notre liste ; Bordeaux, Bibl. mun., *112* ;
Paris, Bibl. Nat., *lat.* 1715 A ; Vendôme, Bibl. mun., 124 ; mss perdus
du Bec et de Chartres). Mais le résultat ne semble pas être à la
mesure de l'effort déployé : faute d'un classement objectif des
mss [1], les leçons retenues le sont souvent pour des motifs de vrai-
semblance difficilement appréciables [2] ; en outre, une faveur particulière entoure les mss nouveaux, quoique leurs leçons propres
soient d'un intérêt médiocre au regard de l'ensemble de la tradition
du texte[3]. Enfin Coustant n'hésite pas à substituer au *textus receptus*
ses propres conjectures [4]. Cependant l'édition des Mauristes offre,
grâce à des innovations heureuses, une lecture plus éclairée et plus
aérée du commentaire d'Hilaire : une *admonitio* initiale traite de la
date de ce dernier, de la méthode exégétique de l'auteur, de l'au-
thenticité des *capitula* ; à l'intérieur de chaque *caput*, dont le sommaire est donné en tête, les références scripturaires sont multipliées
et devenues plus précises ; des sous-titres rappelant en marge les
principaux thèmes du chapitre servent de support à une succession
d'alinéas numérotés. En bas de page, des notes abondantes indiquent
les leçons non retenues, mais leur manque de précision les rend peu
utilisables [5]. Il arrive qu'elles contiennent un commentaire justifi-
catif appuyé sur une tradition théologique dont les jalons sont
S. Augustin, S. Léon, S. Thomas [6]. Enfin, l'*index rerum et senten-*

---

1. Tout au plus, Coustant note-t-il la convergence des mss « *Rom.
Vat. Colb. Carn.* » (cf. p. 741, note c ; p. 682, note h ; p. 701, note f)
et celle des mss « *Turon. Mich. Vind. alter Colb. Becc. Silv.* » (cf.
p. 731, note c) ou oppose-t-il aux *editi* le témoignage des mss : cf.
p. 740, note g ; p. 749, note a.

2. Quelques termes très imprécis expriment ces motifs : *uerius*
(p. 806, note d) ; *rectius* (p. 680, note h ; p. 725, note h) ; *malumus*
(p. 704, note e).

3. *Cou.* se rallie au seul *P* en 4, 20 ; 4, 28 ; 5, 13 ; 5, 15 ; 6, 1 ; 6, 6 ;
10, 5 ; 10, 17 ; 10, 23 ; 11, 9 ; 12, 7 ; 14, 3 et *passim* ; il donne la faveur
au groupe *T M*, en particulier en 4, 10 ; 4, 24 ; 5, 3 ; 5, 7 ; 5, 11 ; 6, 6 ;
9, 2 ; 9, 3 ; 10, 29.

4. Cf. *infra*, notre apparat critique en 4, 2 ; 5, 12 ; 6, 4 ; 6, 6 ; 9, 6 ;
10, 13 (bis) ; 11, 9 ; 14, 5 ; 18, 6 ; 19, 6 ; 20, 6 ; 20, 7 ; 21, 2 ; 21, 4 ;
23, 5 ; 25, 4 ; 32, 1.

5. Les mss témoins de ces leçons sont désignés par des formules
aussi vagues que *plerique mss.* (p. 714, note e) ; *aliquot mss.* (p. 735,
note a) ; *tribus mss.* (p. 709, note b) ; *sex mss.* (p. 691, note e ;
p. 708, note h).

6. Cf. p. 621, note *h* ; 703, note b ; 744, note h.

tiarum de la fin du volume permet aux thèmes traités dans le commentaire d'être replacés dans le contexte général des *Opera* d'Hilaire.

Ver.

Réimpression de l'édition précédente, exécutée à Vérone en 1730, *ap. Petr. Ant. Bernam et Jac. Vallarsium.* Si le texte du *De Trinitate* et celui des *Tractatus super psalmos* ont été améliorés par la collation de mss véronais, le texte du *Commentarius in euangelium Matthaei* (p. 665-810) est celui de *Cou.*, augmenté d'erreurs ou de conjectures fâcheuses [1].

Obe.

S. Hilari... opera omnia, t. 3, Wurzbourg 1785, p. 311-494 (= *Opera omnia sanctorum patrum latinorum*, t. 10) par les soins de Fr. Oberthür. Le texte est celui de *Cou.*, mais dépouillé des soustitres et de l'apparat scripturaire et critique.

Cai.

Édition de *S. Hilarius, Opera : In euangelium Matthaei commentarius*, p. 1-207, établie par A. B. Caillau pour la *Collectio selecta SS. Ecclesiae patrum*, t. 29, Paris 1830. Réédition très simplifiée de *Cou.* : les sous-titres, au lieu de correspondre à chaque alinéa, sont groupés en tête de chaque *caput* sous forme d'un *argumentum*. Dans les bas de pages il n'y a plus que des références scripturaires.

PL

Tome 9 de la *Patrologia latina* de J.-P. Migne, c. 915 B - 1078 A, imprimé à Paris, chez Vrayet, en 1844. Reprend le texte de *Ver.* en lui ajoutant encore des coquilles [2]. Les sous-titres, au lieu d'être en marge comme dans *Ver.*, sont en pleine page, en tête de chaque alinéa.

C. L'ÉTABLISSEMENT DU TEXTE

1. *Le classement des manuscrits*

L'établissement du texte critique de l'*In Matthaeum* ne peut se faire sans un classement préalable des manuscrits· C'est à cette tâche que les éditeurs antérieurs s'étaient dérobés, hormis P. Coustant qui avait perçu de façon spora-

---

1. On les trouve en 4, 23 (bis) ; 5, 15 ; 6, 3 ; 7, 1 ; 10, 29 ; 16, 2 ; 16, 11.
2. Elles se rencontrent en 6, 6 ; 6, 7 ; 14, 15 ; 14, 19 ; 17, 2 ; 17, 19 ; 25, 7.

dique certaines affinités entre les nombreux manuscrits dont il disposait.

En présentant les quatorze manuscrits que nous avons collationnés, nous avons indiqué qu'ils se groupaient en deux familles, que nous désignerons par les sigles de leur ancêtre supposé : 1re famille : α (= $L\ R\ E\ P$) ; 2e famille : β (= $A\ G\ S\ T\ M\ O\ Q\ X\ W\ Z$).

Ce classement repose sur la prise en considération de plusieurs facteurs.

D'abord trois remaniements d'une certaine ampleur en 3, 2 ; 9, 7-9 ; 33, 5, entraînant des décalages importants dans la succession des phrases, font apparaître nettement le clivage qui sépare les deux familles. Cela ressort des trois tableaux suivants :

in Matth. 3, 2

Vulgate de α [1]

Nam post quadraginta dies, non in quadraginta diebus esuriit, Moyse et Elia in eodem ieiunii non esurientibus. Igitur cum esuriit Dominus (non inediae subrepsit operatio, sed uultus, illa quadraginta dierum non mota ieiunio), naturae suae hominem dereliquit. Non enim erat a Deo diabolus sed a carne uincendus ; quam utique temptare ausus non fuisset, nisi in ea per esuritionis infirmitatem quae sunt hominis recognouisset ; quam utique in eo sentiens ita exorsus est : *Si filius Dei es.* Anceps sermo est : *Si filius Dei es.* Licet esurientem uideret, quadraginta tamen dierum in eo iudicium pertimescebat.

Vulgate de β

Nam post quadraginta dies, non in quadraginta diebus esuriit, sed quam utique in eo sentiens ita exorsus est: *Si filius Dei es.* Anceps sermo est : *Si filius Dei es.* Licet esurientem uideret, quadraginta tamen dierum in eo ieiunium pertimescebat, Moyse et Elia in eodem ieiunii tempore non esurientibus. Igitur cum esuriit Dominus (non inediae subrepsit operatio, sed uultus, illa quadraginta dierum non mota ieiunio), naturae suae hominem dereliquit. Non enim erat a Deo diabolus sed a carne uincendus ; quam utique temptare ausus non fuisset, nisi in ea per esuritionis infirmitatem quae sunt hominis recognouisset.

1. On note quelques variantes : 1) dans la tradition de α : uultus L : uult ut E uelut $R\ P$; illa $L\ E$: illud $R\ P$; temptare E : et euitare $L\ P$ euitare R ; non E : *om.* $L\ R\ P$; exorsus $R\ P$: orsus $L\ E$; 2) dans la tradition de β : illa $G\ T\ M$: ille S ; mota G : motus S motae $T\ M$; quam $G\ S$: quem $T\ M$; uultus $GSTMOQ$: uir XWZ.

in Matth. 9, 7-9

Vulgate de α [1]	Vulgate de β
7... Sed ad redemptionem suam fragilitatem corporis uirtus adsumpsit, quae tam infinita, tam libera est, ut etiam in fimbriis eius humanae salutis operatio contineretur.	7... Sed ad redemptionem suam fragilitatem corporis uirtus adsumpsit, quae tam infinita, tam libera est, ut etiam ostendat non ex salute fidem, sed per fidem salutem exspectandam. Caeci enim quia crediderant uiderunt, non quia uiderant crediderunt ; ex quo intelligendum est fide merendum esse quod petitur non ex impetratis fidem esse sumendam.
8......	8......
9... Quibus Dominus ostendens non ex salute fidem, sed per fidem salutem exspectandam (caeci enim quia crediderant uiderunt, non quia uiderant crediderunt, ex quo intelligendum est fide merendum esse quod petitur, non ex impetratis fidem esse sumendam), si credidissent uisum pollicetur.	9... Quibus Dominus, si credidissent, uisum pollicetur.

in Matth. 33, 5

Vulgate de α [2]	Vulgate de β
Cui duo latrones laeuae ac dexterae adfiguntur et ideo cum eo ut intelligi posset mors hominum a morte Vnigeniti discrepare (ille enim reddidit spiritum sponte cum uoluit), istis crura	Cui duo latrones laeuae ac dexterae adfiguntur

1. On relève les variantes suivantes : 1) dans la tradition de α : infinite (-tae *R*) *R E* : infinitam *L* infinita et *P* ; 2) dans la tradition de β : ostendat *T M* : -dens *A G S*.

2. On relève les variantes suivantes dans la tradition de α : ideo cum *R P* : *om. E* ; eo ut *R P* : ut in eo *E* ; discrepare *R P* : disciscere *E* ; reliqua *R P* : cetera *E* ; commotione *R P* : commonione *E* communione *E*.

sunt comminuta, omnem humani generis uniuersitatem uocari
ad sacramentum passionis Domini ostendentes... *Hic est qui
destruebat templum Dei et in
triduum illud reaedificabat*, et
reliqua. Non erat difficile de
cruce descendere, sed sacramentum erat paternae uoluntatis explendum ; sed maiora
opera in cruce positus agebat
totius commotione naturae. Hoc
igitur maximum omnium et ueluti difficillimum ponitur.

omnem
humani generis uniuersitatem
uocari ad sacramentum passionis Domini ostendentes.... *Hic
est qui destruebat templum Dei
et in triduum illud reaedificabat*,
et reliqua.

Hoc igitur
maximum omnium et ueluti
difficillimum ponitur.

A côté de ces remaniements, interviennent des additions,
inversions et omissions, qui sont l'œuvre de copistes négligents ou de réviseurs réfléchis et dont la critique textuelle
montre qu'elles affectent principalement la famille β [1]. Mais

1. Additions dans β (en *italique*) : 2, 2 : nam *et* ; 4, 6 : sit *solis* ;
4, 13 ; omnia *in ordine* ; 4, 19 : *et in carcerem (-e) mittamur* ; 6, 4 : *se*
quaerere ; 7, 1 : exegerat *ante* ; 7, 2 : uenientis *adoratio* ; 7, 9 : propositis *enim* ; 8, 3 : et *pro fidei merito* ; 9, 9 : credentibus *praestat et* ;
10, 7 : non recipiens *et ipsos non audiens* ; 10, 18 : *et* cui ; 10, 23 :
arbitrium *quod* ; 10, 24 : *et* origo ; 11, 11 : paruulis *et reliqua* ; 12,
10 : *Israel et* ex reliquiis ; 13, 4 : sinapis *et reliqua* ; 13, 8 : cui *et*; 14,
1 : nouorum *spiritus sancti* ; 14, 2 : *et* quamquam ; 14, 2 : *et* materiem ; 14, 3 : *qui* in carcere ; 14, 18 : claritatis *suae* ; 15, 8 : siue *ex* ;
16, 1 : ostenderet *et reliqua* ; 19, 11 : *in* angustiis ; 21, 13 : positum
quo (*quae* A S) eos ; 21, 15 : regno *caelorum* ; 23, 8 : *de* adsidendi ;
24, 9 : sunt *et* ; 24, 9 : crucifixos *et* ; 25, 5 : *uel* esse ; 33, 8 : *in* nouam.
Additions dans α : 12, 7 : oportere *curationes in sabbato et* (*om. E*) ;
33, 5 : cf. *supra*, p. 63.
Inversions : 4, 2 : omnia omnibus α   omnibus omnia β ; 4, 21 :
uitiis propriis α   propriis uitiis β ; 10, 8 : sit dictorum α   dictorum
sit β ; 10, 10 : tolerabilius erit... Gomorrhaeorum α   tolerabilius...
Gomorrhaeorum erit β ; 11, 9 : Dei uirtutem et Dei sapientiam α
Dei sapientiam et Dei uirtutem β ; 22, 1 : Christi speculari α   speculari Christi β ; 26, 6 : diabolum ostendit α   ostendit diabolum β ;
27, 5 : oleum emere α   emere oleum β ; 31, 5 : in Petro seruata est
α   seruata in Petro est β ; 32, 3 : est Christum α   Christum est β ;
33, 3 : enim est α   est enim (autem *T M*) β.
Omissions dans β (en *italique*) : 4, 21 : te *et cetera* ; 4, 22 : repudium *et cetera* ; 4, 23 : non *est* ; 4, 24 opifice *suo* ; 4, 25 metum *metu* ;
5, 11 : *res* refertur ; 5, 13 : ergo *et* ; 6, 4 : qui *se* ; 6, 6 : firmoque *consistat eumque* ; 7, 2 : *uerbi* uirtus ; 7, 8 : *et* Dominus ; 8, 2 : *tantum*

ce sont surtout les leçons propres, en grande abondance, qui opposent l'une à l'autre les deux familles [1].

A l'intérieur de la famille α, les témoins *L R P*, puis *R P* à partir de 14, 7, 1 (*admonuimus*) — puisque *L* fait défaut depuis cet endroit — forment un groupe distinct du témoin *E*. Le texte de ce dernier se sépare sur de nombreux points des autres témoins de la famille α pour se rapprocher de la famille β ou du moins de plusieurs de ses représentants : on ne compte pas moins de 113 occurrences où ce phénomène se produit [2], alors que *L R* et *P* ne sont d'accord avec β contre les autres représentants de α que respectivement six, huit et treize fois [3]. La conjonction entre *E* et la famille β est particulièrement remarquable dans plusieurs cas où des lacunes importantes apparaissent dans le texte de *L R P* [4]

nauem ; 9, 8 : *post* electionis ; 9, 9 : indicauit *lex* ; 10, 5 : patiens *est* ; 10, 7 : *non* mediocriter ; 10, 10 : uidetur *esse* ; 10, 12 : *et* regibus ; 10, 16 : *et* ea ; 10, 23 : *et* singularum ; 10, 24 : *uerbi* uirtutem ; 11, 1 : *in* carcere ; 11, 8 : *ad* inuicem ; 11, 12 : cognitionis *secreto* ; 12, 2 : contuendum *est* ; 12, 2 : et *quia* ; 12, 17 : quia *et* ; 14, 5 : *et* timere ; 14, 8 : *et* ita ; 16, 3 : *in* praeformationem ; 16, 11 : se ipsum *sibi* ; 19, 3 : *in* typicam ; 21, 6 : *eo* uidelicet ; 22, 4 : multitudinis *collectis* ; 26, 5 : *et* altera ; 26, 5 : *et* alius ; 27, 8 : *et* Dominum ; 31, 1 : *et* Ioannem ; 31, 9 : *ne* quid ; 33, 4 : *antea* comprehensa ; 33, 6 : Deus *Deus*. Omissions dans α : 6, 4 : regnum *enim* ; 24, 6 : *ad* futurorum.

1. Les leçons propres se répartissent ainsi, le premier chiffre indiquant le chapitre, le second le nombre de leçons propres : 1 : 4 ; 2 : 6 ; 3 : 9 ; 4 : 46 ; 5 : 15 ; 6 : 9 ; 7 : 15 ; 8 : 13 ; 9 : 11 ; 10 : 34 ; 11 : 16 ; 12 : 31 ; 13 : 11 ; 14 : 22 ; 15 : 3 ; 16 : 6 ; 17 : 8 ; 18 : 7 ; 19 : 9 ; 20 : 12 ; 21 : 9 ; 22 : 4 ; 23 : 5 ; 24 : 15 ; 25 : 4 ; 26 : 6 ; 27 : 7 ; 30 : 2 ; 31 : 11 ; 32 : 5 ; 33 : 15. Soit un total de 370.

2. Ces occurrences se répartissent ainsi, le premier chiffre indiquant le chapitre, le second le nombre de leçons propres communes : 1 : 1 ; 2 : 2 ; 3 : 3 ; 4 : 9 ; 5 : 4 ; 6 : 4 ; 7 : 1 ; 8 : 4 ; 9 : 3 ; 10 : 9 ; 11 : 4 ; 12 : 12 ; 14 : 1 ; 16 : 1 ; 17 : 1 ; 18 : 1 ; 19 : 2 ; 20 : 8 ; 21 : 4 ; 22 : 3 ; 23 : 5 ; 24 : 5 ; 25 : 3 ; 26 : 1 ; 27 : 3 ; 28 : 2 ; 29 : 1 ; 30 : 1 ; 31 : 3 ; 32 : 5 ; 33 : 7.

3. Accord de *L* avec β contre α en 1, 3 ; 4, 17 ; 5, 15 ; 7, 11 ; 10, 17 ; 11, 1.
Accord de *R* avec β contre α en 8, 1 ; 13, 7 ; 18, 6 (bis) ; 20, 2 ; 20, 4 ; 24, 9 ; 26, 1.
Accord de *P* avec β contre α en 2, 5 ; 4, 6 ; 18, 1 ; 18, 10 ; 19, 2 ; 20, 7 ; 20, 9 ; 21, 2 (quater) ; 22, 3 ; 27, 5 ; 32, 4.

4. Lacunes de *L R P* ou *R P* (en italique) : 2, 3 : excitare. *Non enim successio carnis quaeritur, sed fidei hereditas* ; 4, 10 : *sal est* in

et lors d'un remaniement qui, au chapitre 8, 6, affecte l'ordre des phrases dans la transmission du texte par *L R P* [1]. De cet ensemble d'observations on peut conclure que le modèle de *E*, ε s'est détaché du tronc de la famille avant l'apparition de l'ancêtre commun au rameau *L R P*.

Au sein de ce rameau des relations particulières existent entre *L* et *R*, comme le montrent 32 fautes communes [2], et laissent supposer qu'ils descendent d'un ancêtre commun *x*. Celui-ci ne saurait être λ, modèle de *L* pour cette raison que, si *R* est intégralement conservé, *L*, incomplet, a été copié

uno ; 6, 2 : orandum est *quaerendum est* ; 8, 1 : in nobis. *Maxime autem illud accidit ut a Deo praecipue in periculi motu et uexatione speremus atque utinam uel spes sera confidat sese periculum posse euadere Christi intra se uirtute uigilante* ; 10, 12 : futuri, *quo testimonio excusatio ignoratae diuinitatis adimenda sit persequentibus, gentibus uero uia pandenda credendi* ; 11, 3 : cui *rei* ; 12, 18 : *ultra humanam* ; 21, 1 : *et* mox ; 22, 7 : non *est* ; 23, 2 : *sunt* propria ; 24, 1 : legis ignari *neque opera neque uirtutem eius ipsius legis agnouerint, amantes primos accubitus in conuiuiis, qui igni aeterno conuiuantibus potius cum Abraham gentibus deputantur, et primas cathedras in synagogis, ipsi doctorem suum secundum legis et prophetarum testimonia nescientes, sed et salutationes in foro, quibus humilitas cordis et ministerium in omnes est imperatum. Vocari etiam ab hominibus magistri uolunt doctrinae legis ignari* ; 27, 5 : prudentes *uirgines* ; 30, 1 : *dicentes* : Vbi ; 32, 6 : tamquam *figulus* ; 33, 9 : *est* index.

1. *In Matth.* 8, 6

E β	*L R P*
Deinde murmurationem eorum Dominus introspicit dicitque facile esse filio hominis in terra peccata dimittere. Verum enim nemo potest remittere peccata nisi solus Deus ; ergo qui remittit (-sit *E*) Deus est. Quia nemo remittit nisi Deus, Deus (Verbum enim Dei *E*) in homine manens curationem homini praestabat.	Deinde murmurationem eorum Dominus introspicit dicitque : Nemo potest remittere peccata nisi solus Deus. Ergo qui remisit Deus est. Quia nemo remittit nisi Deus, facile esse filio hominis in terra peccata dimittere. Verbum enim Dei in homine (-nem *L R*) manens curationem homini praestabat.

2. Les fautes communes à *L R* se trouvent en 1, 5 ; 1, 6 ; 3, 1 ; 3, 3 ; 4, 13 ; 4, 19 ; 4, 23 ; 4, 25 ; 4, 28 ; 5, 14 ; 5, 15 ; 6, 1 ; 7, 3 ; 8, 1 ; 8, 4 ; 8, 6 ; 9, 4 ; 10, 2 ; 10, 5 ; 10, 6 ; 10, 9 ; 10, 10 ; 10, 17 ; 10, 19 ; 10, 29 ; 11, 4 ; 12, 9 ; 12, 18 ; 12, 22 ; 12, 24 (bis) ; 13, 4.

sur un modèle déjà mutilé au moment où il est parvenu au scribe de *L*, qui n'annonce que 14 *tituli* à l'*Expositio in euangelium Mathei*. Il est possible que le modèle de *x*, α, ait été un manuscrit à onciales d'une écriture continue, car à plusieurs reprises le scribe de *L* pratique de fausses coupes entre les mots[1].

Le manuscrit *P* est beaucoup plus difficile à localiser dans la tradition de la première famille. Il offre un très grand nombre de leçons singulières fautives[2], mais très peu de fautes communes avec *E*[3]. C'est avec *R* que celles-ci sont les plus nombreuses (19[4] contre 8 avec *L*[5]). Il doit donc y avoir un certain rapport de filiation entre l'ancêtre (peut-être au second degré) π de *P* et celui de *R*, ρ.

La structure de la famille β est à la fois plus simple et moins cohérente que celle de la famille α. Cette seconde famille est composée de deux groupes dont l'autonomie est attestée par l'existence, dans l'un et l'autre groupe, d'un nombre considérable de fautes communes.

Le groupe *A G S* est le plus fragile pour deux raisons. D'une part une certaine contamination de témoins de la première famille s'est exercée sur *G*, du moins sur son

---

1. Ainsi fol. 32[v] : consistunturbarum (= consistunt turbarum : 10, 1) ; fol. 38 : redemittet (= redemit et : 10, 18) ; fol. 39[v] : sibiture (= sibi iure 10, 23) ; fol. 47 : illi nemessiae (= illinc messis suae : 12, 7) ; fol. 48[v] : nontelligentes (= non intelligentes : 12, 15).

2. On les trouve en 1, 1 ; 1, 2 (ter) ; 1, 6 ; 2, 2 ; 3, 2 ; 4, 2 ; 4, 6 ; 4, 20 ; 6, 4 ; 6, 6 (bis) ; 8, 4 ; 9, 7 ; 10, 2 ; 10, 17 ; 10, 23 (bis) ; 10, 24 ; 11, 8 ; 11, 9 ; 12, 7 ; 12, 21 ; 12, 22 ; 14, 3 ; 14, 10 ; 17, 7 (bis) ; 18, 4 ; 18, 5 ; 19, 4 ; 20, 10 (bis) ; 21, 1 (bis) ; 21, 4 ; 22, 2 ; 23, 4 ; 23, 7 ; 24, 6 (bis) ; 24, 8 ; 24, 10 ; 25, 3 ; 25, 8 ; 26, 3 ; 26, 6 ; 31, 3 ; 32, 2 ; 33, 8.

3. On les trouve en 4, 13 ; 5, 2 ; 8, 3 ; 9, 9 ; 10, 14 ; 14, 15 ; 21, 1.

4. On les trouve en 1, 4 ; 1, 7 ; 2, 2 ; 5, 13 ; 5, 14 ; 5, 15 ; 7, 6 (bis) ; 8, 6 ; 9, 8 ; 10, 22 ; 11, 11 ; 11, 12 ; 12, 6 ; 12, 7 ; 12, 11 ; 13, 4 ; 13, 6 ; 14, 3 ; 14, 7 ; 16, 4 ; 17, 8 ; 17, 12 ; 18, 6 ; 19, 4 ; 19, 6 ; 20, 7 ; 20, 9 (bis) ; 20, 10 ; 20, 12 ; 20, 13, 21, 4 ; 21, 5 ; 21, 6 ; 21, 11 ; 21, 15 ; 22, 1 ; 22, 6 ; 22, 7 ; 23, 2 ; 23, 6 (bis) ; 24, 1 ; 24, 6 ; 24, 7 ; 24, 9 (bis) ; 25, 2 ; 25, 6 ; 26, 5 ; 27, 5 ; 27, 8 ; 28, 1 ; 29, 1 ; 30, 1 ; 31, 2 ; 31, 8 ; 32, 2 ; 32, 6 ; 33, 1 ; 33, 2 ; 33, 3 ; 33, 4 ; 33, 6 ; 33, 9 (quinquies). La comparaison du nombre de fautes communes à *R P* et à *L P* doit s'arrêter à 14, 7, puisque *L* s'interrompt à cet endroit.

5. On les trouve en 1, 7 ; 2, 2 ; 3, 2 ; 4, 11 ; 4, 15 ; 6, 3 ; 8, 4 ; 10, 19.

modèle γ, car *G* se dissocie en plus d'un endroit du texte des autres manuscrits de la famille β pour rejoindre α [1]. D'autre part, à la tradition commune à *A G S* [2], laquelle remonte à leur ancêtre δ, le rameau *A S* a fait subir des altérations en nombre très important [3]. Il arrive sans doute que *A* se sépare de *S* pour se rencontrer avec *G* ou *T M* [4], mais ces discordances sporadiques ne peuvent ruiner la réalité d'une parenté très étroite entre *A* et *S* et liée à l'existence d'un ancêtre commun σ. Notons encore que la plupart des fautes communes au groupe *A S* se retrouvent dans les *codices*

1. Ces endroits sont : 1, 2 (bis) ; 5, 6 ; 8, 4 ; 10, 2 ; 10, 24 ; 11, 3 ; 11, 7 ; 12, 4 ; 14, 2 ; 16, 4 ; 17, 8 ; 18, 7 ; 20, 4 ; 22, 2 ; 33, 6 ; 33, 7 ; 33, 8.
2. Laquelle se manifeste par un nombre important de fautes communes à *A G S* ou à *G S* quand *A* fait défaut. On les trouve en 1, 1 ; 2, 4 ; 4, 1 ; 4, 2 ; 4, 3 ; 4, 7 ; 4, 21 ; 5, 1 ; 6, 4 ; 7, 3 ; 9, 5 ; 9, 7 ; 10, 2 ; 10, 7 ; 10, 11 ; 10, 29 ; 11, 4 ; 11, 10 ; 12, 10 ; 12, 11 ; 12, 15 ; 12, 16 ; 12, 17 ; 12, 23 ; 13, 3 ; 14, 3 ; 14, 8 ; 14, 9 ; 14, 13 (ter) ; 15, 2 ; 15, 3 ; 15, 4 ; 15, 6 ; 15, 9 ; 15, 10 ; 16, 1 ; 17, 3 ; 18, 3 ; 18, 7 ; 20, 6 ; 20, 11 ; 20, 13 ; 21, 4 (bis) ; 21, 5 ; 21, 6 ; 21, 7 ; 21, 8 ; 21, 10 ; 21, 11 ; 21, 13 ; 21, 15 ; 22, 3 ; 22, 7 (bis) ; 23, 2 ; 23, 4 (bis) ; 24, 7 ; 24, 10 ; 25, 1 ; 25, 6 ; 26, 3 ; 27, 8 ; 28, 1 (ter) ; 29, 2 (bis) ; 31, 2 ; 31, 3 ; 31, 6 ; 31, 8 (bis) ; 31, 9 ; 31, 11 ; 32, 1 ; 32, 2 ; 32, 6 ; 33, 1.
3. Les fautes communes à *A S* se trouvent en 5, 6 ; 5, 9 ; 5, 13 ; 5, 15 ; 6, 6 ; 7, 3 (bis) ; 7, 4 ; 9, 4 ; 9, 5 ; 9, 9 ; 10, 2 ; 10, 4 (bis) ; 10, 5 (bis) ; 10, 9 (bis) ; 10, 18 ; 10, 21 ; 10, 24 (bis) ; 10, 29 ; 11, 1 ; 11, 2 ; 11, 3 (ter) ; 11, 9 ; 12, 2 ; 12, 17 ; 12, 24 (bis) ; 13, 3 ; 14, 1 ; 14, 3 ; 14, 4 ; 14, 5 (bis) ; 14, 7 ; 14, 8 ; 14, 12 (ter) ; 14, 17 ; 15, 4 ; 15, 6 ; 15, 8 (bis) ; 15, 10 (quinquies) ; 16, 1 ; 16, 2 (ter) ; 16, 4 (bis) ; 16, 7 (bis) ; 16, 8 ; 16, 9 (bis) ; 16, 10 ; 16, 11 (bis) ; 17, 1 ; 17, 2 (bis) ; 17, 5 ; 17, 6 (bis) ; 17, 7 ; 17, 13 ; 18, 4 ; 18, 5 ; 18, 6 (bis) ; 19, 2 ; 19, 3 ; 19, 8 ; 20, 11 (bis) ; 20, 13 ; 21, 6 ; 21, 7 ; 21, 8 ; 21, 9 ; 21, 11 ; 21, 12 ; 22, 2 ; 22, 4 ; 22, 6 ; 23, 4 (ter) ; 23, 6 (bis) ; 24, 7 (bis) ; 24, 8 ; 24, 9 ; 24, 11 ; 25, 2 (bis) ; 25, 4 ; 25, 5 ; 25, 6 ; 25, 8 ; 26, 1, 26, 2 (quater) ; 27, 2 ; 27, 6 (bis) ; 27, 7 ; 27, 9 ; 27, 10 ; 27, 11 (bis) ; 28, 1 (ter) ; 28, 2 ; 29, 1 ; 29, 2 (ter) ; 30, 3 (bis) ; 31, 2 (bis) ; 31, 3 (quinquies) ; 31, 4 ; 31, 6 (bis) ; 31, 11 ; 32, 1 ; 32, 3 (ter) ; 32, 7 (bis) ; 33, 2.
4. Divergences entre *A* et *S* en 5, 4 ; 5, 15 ; 6, 4 ; 6, 5 ; 6, 6 (bis) ; 7, 2 ; 7, 3 ; 9, 8 (bis) ; 10, 4 ; 10, 6 ; 10, 22 ; 10, 24 ; 12, 12 ; 14, 11 ; 15, 7 ; 17, 11 (bis) ; 18, 6 ; 19, 2 ; 20, 13 ; 21, 5 ; 21, 7 ; 21, 8 ; 21, 11 ; 21, 13 ; 22, 4 ; 22, 6 ; 24, 8 ; 24, 10 ; 25, 1 ; 25, 3 ; 25, 4 ; 25, 5 ; 26, 1 (bis) ; 26, 2 ; 27, 7 ; 27, 10 ; 29, 2 ; 33, 2 ; 33, 8 ; 33, 9 (bis).

minores des XII-XIIIe siècles *O Q X W Z*, lesquels cependant semblent avoir des liens plus étroits avec *A* qu'avec *S* [1].

La dissidence très accusée des deux témoins *T* et *M* traduit une recension particulière du texte de β au niveau d'un ancêtre θ à l'époque carolingienne. Cette recension a été marquée d'abord par l'insertion dans la tradition de l'*In Matthaeum* d'un sommaire de 33 *capitula* en tête du texte proprement dit [2], ensuite par une révision qui, opérée par le copiste de θ, a abouti dans T et M à une multitude de fautes communes [3]. Bien que les divergences de *M* avec *T* soient proprement insignifiantes [4], il est préférable de supposer à *M* un modèle qui ne serait pas *T*, mais, comme ce dernier, un descendant direct de θ. Cette hypothèse expliquerait qu'à partir d'un chef de file unique qui ne saurait être *T*, se soit diffusé à partir du XIe-XIIe siècle, surtout dans l'Ouest et le Midi atlantique de la France, une sorte de texte-type consigné dans les nombreux manuscrits provenant d'abbayes de ces régions, manuscrits que nous avons énumérés précédemment sous la rubrique : « Autres témoins du XIe au XVe siècle ».

L'ensemble de cette analyse peut se résumer dans le stemma p. 70.

1. Les variantes de *A* dissidentes de *S* se retrouvent presque toutes dans *O Q X Z* ; les trois derniers témoins cependant se rallient à *S* contre *A* pour une leçon propre commune en 12, 12 : plurimum : plurium *A*.

2. Nous les donnons en appendice. Nous leur avons consacré une étude intitulée : *Les « Capitula » de l' « In Matthaeum » d'Hilaire de Poitiers. Édition critique et commentaire*, dans *Textkritische Studien* (= *Texte und Untersuchungen*), Berlin, à paraître.

3. Elles se répartissent de la façon suivante, le premier chiffre indiquant le chapitre, le second le nombre de fautes communes dans le chapitre considéré : 1 : 3 ; 2 : 2 ; 3 : 6 ; 4 : 15 ; 5 : 6 ; 6 : 8 ; 7 : 3 ; 8 : 6 ; 9 : 8 ; 10 : 32 ; 11 : 11 ; 12 : 4 ; 13 : 3 ; 14 : 8 ; 15 : 2 ; 16 : 4 ; 17 : 5 ; 18 : 4 ; 19 : 3 ; 20 : 11 ; 21 : 12 ; 22 : 3 ; 23 : 11 ; 24 : 12 ; 25 : 7 ; 26 : 5 ; 27 : 10 ; 31 : 3 ; 32 : 1. Soit un total de 200.

4. Elles sont au nombre de 15 qui se trouvent en 1, 2 ; 4, 14 ; 6, 1 ; 8, 4 ; 8, 5 ; 12, 21 ; 18, 6 ; 20, 3 ; 24, 7 ; 26, 5 ; 31, 8 ; 32, 6 ; 33, 1 ; 33, 2 ; 33, 9.

codex archetypus

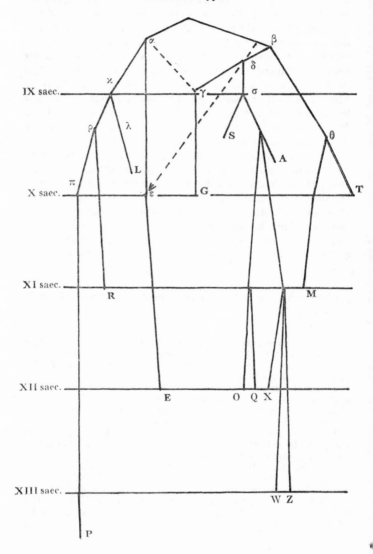

2. Principes directeurs de l'établissement du texte

Ils sont au nombre de quatre :

1° Il apparaît évident, après le classement des manuscrits que nous venons de faire, que la conjonction de *L R E P* ou *R E P* après 14, 7, ou à la rigueur, celle de *E P* ou de *R E*, ou plus rarement de *L R*, avec *A G S* ou avec *T M* ou avec *G* seul est la marque la plus sûre de la « bonne leçon ».

2° Cette conjonction des deux familles se réduit dans certains cas à la rencontre de la même variante chez les seuls témoins *E* pour α et *T M* pour β^1 : le plus souvent cette variante est à retenir.

3° La situation privilégiée occupée par le manuscrit *E*, qui fait le pont en quelque sorte entre les deux familles, explique qu'il nous soit apparu dans quelques cas comme le témoin unique de la leçon qui permet de dénouer les contradictions opposant les autres témoins [2].

4° Lorsqu'il y a affrontement entre *L R E P* ou *R E P* (après 14, 7), ou à la rigueur *R E* ou *E P*, avec *A G S T M* ou *G S T M*, quand *A* fait défaut, l'avantage revient dans la majorité des cas à la leçon des témoins de la famille α [3].

---

1. En 1, 2 : quarta ; 3, 1 : nequitiae ; 8, 7 : reditu ; 9, 4 : adsuti ; 10, 13 : credent ; 10, 14 : habens ; 10, 27 : recipit ; 11, 4 : in se ; 11, 9 : et ; 11, 10 : nullam ; 12, 18 : careat ; 12, 22 : ministratum... manna ; 13, 4 : ex ; 16, 2 : in se ; 20, 7 : data ; 20, 8 : confirmatis ; 20, 13 : increpat ; 22, 3 : desponsata ; 22, 7 : ideo ; 22, 7 : esse ; 22, 7 : uestis ; 23, 4 : Sadducaeos ; 24, 1 : cum ; 25, 2 : qui ; 25, 4 : moenia ; 25, 6 : etiam ; 27, 9 : recondidit ; 31, 9 : uigilet ; 32, 5 : constituant.

2. Ces cas sont : 1, 1 : gradum ; 1, 1 : ediderat Lucas in sacerdotali origine computat ; 1, 1 : cognationem ; 1, 2 : quod autem ; 5, 15 : trabem ; 7, 5 : non est ; 9, 8 : adprehensa ; 10, 5 : indigne ; 12, 23 : habet ; 15, 3 : statum ; 20, 2 : homines ; 21, 2 : docebunt ; 21, 4 : ingressus est ; 21, 4 : admonemus ; 23, 5 : erant ; 26, 5 : nuncupamus.

3. Les leçons propres à *R E* qui sont retenues sont : 9, 7 : infinite ; 18, 1 : odiunt ; 18, 10 : hominem ; 19, 2 : de *om*. ; 20, 1 : futuros *om*. ; 20, 2 : ei ; 20, 6 : undecima ; 20, 7 : undecimae ; 20, 9 : superior ; 21, 2 : substernent ; 21, 15 : arbore ficu ; 22, 3 : et cetera ; 24, 4 : expetatur ; 24, 8 : ueneretur ; 27, 5 : cum parato ; 32, 4 : primum.
Les leçons propres à *E P* qui sont retenues sont : 2, 1 : Ioseph ;

L'inverse se produit quand *L R E P* ou *R E P* se présentent
en tronçons dispersés [1] ou quand le lapsus du copiste de
l'ancêtre α (les « erreurs » de cette famille sont très souvent de
cette nature) apparaît trop manifeste [2]. Mais, d'une façon
générale, le face à face des variantes des deux familles laisse
apparaître dans la seconde les traces multiples d'un remaniement systématique du texte opéré par le copiste de l'ancêtre β en vue d'éliminer des *lectiones difficiliores* [3]. En tout
état de cause, jamais, sauf dans deux cas [4], les représentants
de l'une des branches de la famille issue de β ne fournissent
une variante qui puisse être retenue.

4, 2 : conscios ; 5, 3 : damnosa ; 10, 6 : quae *om.* ; 11, 8 : potus ; 18,
6 : Sara Sarra ; 20, 4 : tribubus ; 21, 1 : idem *om.* ; 24, 9 : peremerint ;
24, 10 : foret ; 26, 1 : Dei gloria ; 27, 11 : duplicauerat ; 31, 11 :
quod.
    Les leçons retenues de *L R E P* sont trop nombreuses pour être
énumérées.
    1. Le cas se présente en 2, 3 ; 4, 13 ; 6, 6 ; 10, 12 ; 10, 17 ; 11, 8 ;
12, 22 ; 14, 6 ; 22, 6 ; 25, 8 ; 33, 5.
    2. « Erreurs » de α : 4, 27 : Deus ; 6, 4 : enim *om.* ; 6, 6 : et reliqua
om. ; 7, 3 : intrasset ; 8, 8 : dedit ; 9, 6 : occasum ; 10, 2 : missus ;
10, 13 : promerenda ; 10, 24 : materia ; 11, 2 : abluatur ; 12, 1 :
consequentur ; 12, 22 : aberrauit ; 14, 6 : exemplo ; 14, 14 : corporis ; 17, 2 : ei ; 17, 11 : et ; 19, 1 : fuisset ; 22, 7 : paucitas ; 23, 8 :
de *om.* ; 24, 6 : ad *om.* ; 25, 7 : digrassandi ; 30, 3 : scilicet ; 31, 3 :
eum.
    3. Nous en donnons la liste en faisant suivre chaque *lectio diffi-
cilior* de α de la leçon que lui substitue β : 2, 2 : uenitur : uenit ;
4, 10 : sacramento : sacramenti ; 4, 18 : reconciliatos : reconciliata ;
4, 21 : sensum : sensu ; 4, 25 : metu : *om.* ; 5, 11 : indutus : indultus ;
5, 12 : destinatur : destinabitur ; 6, 6 : consistat eumque : *om.* ; 7, 10 :
doctorem diffidentem : doctore diffidente ; 7, 10 : in quo cognitio :
in quos cognitione ; 9, 6 : in fimbriis... contineretur : *om.* ; 9, 9 :
lex : *om.* ; 10, 7 : non mediocriter : mediocriter ; 10, 24 : uerbi : *om.* ;
11, 12 : secreto : *om.* ; 12, 18 : dignitatem : diuinitatem ; 13, 7 : gra-
tuitum : gratum ; 17, 3 : senserat : sanauerat ; 19, 11 : infirmitas :
informitas ; 20, 7 : et nouissimis : ex nouissimis ; 27, 8 : traditione :
ratione ; 33, 6 : uitia : uitiata.
    4. En 3, 2, 5 nous adoptons, avec les éditeurs antérieurs, la leçon
uirtus de *X W Z* et, en 10, 1, la leçon de *A S*, conservée par tous
les éditeurs depuis *Lip.* : *messus.*

3. Problèmes particuliers

a) Le titre :

La formule de l'incipit varie beaucoup selon les témoins, ainsi qu'il ressort de l'apparat critique. Quels termes doit-on en retenir pour donner un titre au *liber* que nous éditons ? *Expositio, tractatus* ou *commentarius* ? *In* ou *super Matthaeum* ?

Commentarii est le terme dont se sert Jérôme dans la Lettre 20, dans le *De uiris illustribus* et dans la préface de la *Translatio Origenis homiliarum in Lucam* pour présenter l'ouvrage d'Hilaire sur Matthieu [1]. Mais le mot *commentarii*, qui est appliqué également par Jérôme aux travaux exégétiques de Fortunatien et Victorin [2], pour ne parler que des commentateurs latins du Premier Évangile, désigne moins le titre d'une œuvre qu'un type d'ouvrage analogue aux *tractatus* [3]. *In Matthaeum* (= *Sur Matthieu*) nous paraît la formule qui a le plus de chances de correspondre sinon à la totalité, du moins à l'essentiel d'un titre peut-être plus étoffé : elle est appuyée par le témoignage de Jérôme qui, dans la préface de son propre commentaire sur Matthieu, parle des *opuscula Hilarii, Victorini, Fortunatiani in Matthaeum* [4].

---

1. Cf. HIER., *epist.*, 20, 1 : « Noster Hilarius in commentariis Mathei ita posuit... » ; *uir. ill.*, 100 (notice sur Hilaire) : « Est eius... et commentarii in Matthaeum... » ; *hom. Orig. in Luc., praef.* : « Praeterea commentarios uiri eloquentissimi Hilarii et martyris Victorini, quos in Matthaeum diuerso sermone, sed una gratia spiritus ediderunt. »

2. Cf. HIER., *uir. ill.*, 97 (notice sur Fortunatien) : « Breui sermone et rustico scripsit commentarios » ; pour Victorin, cf. note précédente.

3. JÉRÔME se sert de *commentarii* pour désigner les *Tractatus super psalmos* d'Hilaire : cf. *epist.*, 34, 3 : « Miror te in Hilarii commentariis non legisse... » (suit une citation de Hil., *in psalm.*, 126, 19).

4. HIER., *in Matth., praef.* : « Legisse me fateor ante annos plurimos in Matthaeum... Latinorum Hilarii, Victorini, Fortunatiani opuscula. »

b) Le prétendu *prooemium* :

Les premières lignes de l'*In Matthaeum* ont subi une série de retouches de la part de copistes divers. Ces perturbations dans la tradition du début du texte, ajoutées à la relative obscurité de la formule *ut quia diximus* en tête du second alinéa — formule qui a pu paraître renvoyer à un morceau antérieur perdu [1] —, peuvent s'interpréter comme le résultat d'une lacune qu'aurait présentée l'*In Matthaeum* en son début et qui correspondrait à la disparition de ce *prooemium* dont Cassien a sauvé de l'oubli quelques extraits. L'auteur du *Contra Nestorium* en effet, dans le cadre d'un florilège de textes patristiques et à la fin d'une série de passages d'Hilaire authentiques, destinés à prouver qu'Hilaire « enseigne à l'évidence que Dieu est né de Marie », livre trois citations du *prooemium* de l'*In Matthaeum* : « De même dans le prologue de l'exposition du même (Hilaire) sur l'Évangile selon

---

1. Cf. *in Matth.*, 1, 2 , 1 s. : « Sequens illud est ut, quia diximus secundum rerum fidem generationis istius ordinem nec numero sibi nec successione constare... » Le *quia diximus* renvoie à ces remarques de 1, 1, 19 s. : « Cum enim filius Dauid atque Abrahae ostendendus sit, quia ita coepit : *Liber generationis Iesu Christi, filii Dauid, filii Abrahae*, non differt quis in originis *NVMERO* atque *ORDINE* collocetur, dummodo uniuersorum familia coepta esse intelligatur ab uno... Haec enim in lege ratio seruata est, ut, si mortuus sine filiis familiae princeps fuisset, defuncti uxorem posterior frater eiusdem cognationis acciperet suscepTosque filios in familiam eius qui mortuus esset referret maneretque in primogenitis *SVCCESSIONIS ORDO*, cum patres eorum qui post se nati essent aut nomine haberentur aut genere. » La formule *quia diximus* renverrait au *prooemium* selon P. Coustant (cf. *PL* 9, c. 920, note e : « *Diximus* : quo sane memorat Hilarius quod prologo proposuerat »). On notera qu'Hilaire, s'il n'emploie jamais le mot *prooemium*, parle d'un *exordium sermonis* (cf. 7, 1, 3 s. : « In *EXORDIO SERMONIS* admonuimus ne quis forte existimaret aliquid rerum gestarum fidei detrahendum, si res ipsas profectus rerum consequentium continere in se doceremus »), mais c'est pour renvoyer au « début » de la narration évangélique, c'est-à-dire à la prédication de Jean-Baptiste ; passage où l'on retrouve la même observation méthodologique qu'en 7, 1 : « In Ioanne locus, praedicatio, uestitus, cibus est contuendus atque ita ut meminerimus gestorum ueritatem non idcirco corrumpi, si gerendis rebus interioris intelligentiae ratio subiecta sit (*in Matth.*, 2, 2, 3) ».

Matthieu, on lit : ' Il était d'abord nécessaire pour nous que
le Fils de Dieu fût reconnu comme incarné pour nous ', ensuite
que ' l'homme qu'il n'était pas alors naquît Dieu, ce qu'il
était ', et encore : ' il convenait, par la suite, en troisième
lieu, que, puisqu'il était homme Dieu né dans le monde ',
etc [1]. » L'attribution à Hilaire et à l'*In Matthaeum* de ces
formules se heurte à plusieurs objections : certaines des
locutions employées n'appartiennent pas au lexique de l'*In
Matthaeum* [2] ; d'autre part, comme nous l'avons constaté à
propos de passages d'Ambroise, Cassien pratique des amal-
games de textes qui ne ressemblent pas du tout à des citations [3]. Nous verrions donc dans les trois points, dégagés
par Cassien, de l'enseignement d'Hilaire sur l'Incarnation
un résumé des problèmes de la Nativité qui sont ceux que
pose le début de l'Évangile ; des textes du *De Trinitate* et
des *Tractatus super psalmos* traitant des mêmes problèmes
ont pu fournir au compilateur des formules qui ont un air
hilarien [4].

1. CASSIAN., c. *Nest.*, 7, 24, 3 (*CSEL* 17, p. 383) : « Item eiusdem
in prooemio expositionis euangelii secundum Matthaeum : *Erat
namque primum necessarium nobis ut unigenitus Deus nostri causa
homo natus cognosceretur.* Item in consequentibus : *Ad id quod
Deus erat, homo id quod non erat gigneretur.* Item in eodem : *Tertium
deinceps illud congruum fuit ut, quia Deus homo genitus in mundo,
et cetera.* » ALCVIN. dans *adu. Felicem Vrgellitanum episc.*, 4, 11
(*PL* 101, c. 184), cite à son tour le premier fragment en lisant *unus*,
non *unigenitus*.
2. Ces locutions sont : *unigenitus, ad id quod Deus erat... gigneretur* ; *genitus in mundo* : cf. notre *Hilaire de Poitiers...*, p. 229, n. 3.
3. Ainsi la compilation ambrosienne intitulée *In natali Domini*
et insérée par Cassien dans son *Contra Nestorium* : cf. notre article :
« Une compilation de textes d'Hilaire de Poitiers présentée par le
pape Célestin Ier à un concile romain en 430 », dans *Oikouménè*
(= *Studi paleocristiani pubblicati in onore del concilio ecumenico
Vaticano II*), Catane 1964, p. 488-490.
4. Ce sont *trin.*, 2, 24-27, et *in psalm.*, 2, 23-29, qui commentent
la Nativité. En effet, un fragment de *trin.*, 2, 24, est cité par CASSIEN
dans son florilège hilarien du c. *Nest.*, 7, 24, 3, florilège qui s'achève
par les extraits du *prooemium expositionis euangelii secundum
Matthaeum*. Ce rapprochement incite à penser que l'ensemble de
textes *trin.*, 2, 24-27, a pu paraître une sorte de commentaire théologique de la Nativité proche des premières pages de l'*In Matthaeum*, celles-ci pouvant trouver comme une introduction dans des

c) Les divisons du texte et les *capitula* :

Nous nous séparons des éditeurs antérieurs en rejetant en appendice à notre édition les *capitula* qui n'apparaissent que dans la branche θ de la seconde famille représentée ici par les manuscrits *T* et *M* [1]. Mais nous gardons des éditions antérieures la division de l'œuvre en 33 chapitres ou *canones* dont le découpage a été fondé, depuis l'édition de Josse Bade, sur celui des *capitula*.

Cependant ce découpage des *capitula* ne cadre pas toujours, chez les éditeurs, avec celui qu'ont conservé certains témoins : ainsi pour les *capita* V, XVII, XIX, XX dans *T* et *M* eux-mêmes, qui ont mieux respecté que les éditeurs les limites des *capitula*, et pour les « sections » notées IV, V et X dans *L*, IX n'étant pas noté dans *L*, non plus que dans *T* et *M*. Dans l'ensemble, ces divisions que nous indiquons dans l'appa-rat critique, se trouvent être les mêmes dans *T* et *M* (sou-vent sous le nom de *capita*) et dans *L*. Elles coïncident même dans *T M* d'une part, *R* d'autre part, lorsque, *L* étant défail-lant, *R* les consigne de XV à XXXI (manquent XXXII et XXXIII). On peut donc émettre l'hypothèse qu'il a existé de très bonne heure, peut-être même au niveau de l'archétype, un découpage de l'*In Matthaeum* en *tituli* numérotés (c'est le nom que leur donne le scribe de *L*).

formules de *trin.*, 2, 25 (*PL* 10, c. 67 A) : « Non ille eguit homo effici…, sed nos eguimus ut Deus caro fieret » ; le rapprochement de ces dernières avec *in Matth.*, 2, 5 : « Ipse quidem lauacri egens non erat…, sed adsumptum ab eo creationis nostrae fuerat corpus », explique l'amalgame effectué par Cassien pour reconstituer le premier point du *prooemium* de l'*In Matthaeum* : « Erat namque primum necessarium nobis ut unigenitus Deus nostri causa homo natus cognosceretur. » Le second lemme dudit *prooemium* (« ad id quod Deus erat, homo id quod non erat gigneretur ») a pu être sug-géré à Cassien par la formule de *in psalm.*, 2, 27 : « nascens ad id quod ante tempora fuit, id tamen in tempore nascitur esse quod non erat », commentant l'épisode du baptême de Jésus, l'un des premiers de l'Évangile selon Matthieu.

1. Cf. *supra*, p. 69, n. 2.

d) Les citations du Premier Évangile :

Les citations des autres livres de l'Écriture étant très rares dans le commentaire d'Hilaire [1], ce sont celles de l'Évangile de Matthieu qui, de très loin les plus nombreuses, retiennent l'attention.

Dissociées des allusions sur lesquelles il est très difficile de se fonder pour avoir une connaissance précise du texte scripturaire, les citations matthéennes proprement dites ont été réunies par F.-J. Bonnassieux qui, les joignant à celles des autres ouvrages d'Hilaire [2], a pu ainsi reconstituer le texte du Premier Évangile « d'après » l'évêque de Poitiers. Des tableaux dressés par F.-J. Bonnassieux il est facile d'extraire les citations qui proviennent de l'*In Matthaeum* et nous nous permettons de renvoyer le lecteur à ces documents, auxquels nous apportons cependant les correctifs suivants :

1° Notre travail critique oblige à modifier sur les points suivants le texte des citations inventoriées par Bonnassieux d'après *PL* 9 :

Matthieu	*in Matthaeum*	Bonnassieux	
1, 20	1, 3, 7	43	supprimer *Mariam*
4, 4	3, 3, 11	45	lire *uiuet* au lieu de *uiuit*
5, 20	4, 16, 3	46	lire *regno* au lieu de *regnum*
5, 27	4, 20, 1	46	supprimer *antiquis*
6, 9	7, 11, 5	47	lire *in caelis es* au lieu de *es in caelis*
6, 34	5, 13, 2	48	lire *ipse* au lieu de *ipsi*
7, 22	6, 5, 2	49	lire *in nomine tuo* au lieu de *in tuo nomine*
7, 24	6, 6, 1–2	49	lire *similabo eum* au lieu de *similem eum aestimabo*
8, 28	8, 3, 1	50	lire *regione* au lieu de *regionem*

---

1. Nous en donnons ici la liste, le premier chiffre indiquant la référence de l'*In Matthaeum* : 10, 22 : *Ex.* 20, 12 ; 1, 3 : *Lc* 2, 33 ; 2, 6 : *Lc* 3, 22 ; 10, 22 : *Lc* 12, 52 ; 1, 4 : *Jn* 19, 26-27 ; 3, 4 : *Jn* 14, 30 ; 10, 22 : *Jn* 14, 27 ; 32, 1 : *Jn* 13, 27 ; 33, 6 : *Jn* 19, 30 ; 10, 18 : *I Cor.* 9, 9 ; 11, 9 : *I Cor.* 1, 24 ; 2, 5 : *I Pierre* 2, 22.

2. F.-J. BONNASSIEUX, *Les Évangiles synoptiques de saint Hilaire de Poitiers*, p. 43-66.

Matthieu	*in Matthaeum*	Bonnassieux
9, 13	9, 1, 9	50 ajouter *quid sit* devant *misericordiam*
10, 10	10, 5, 10	51 lire *uiam* au lieu de *uia*
11, 7	11, 4, 3-12	53 lire *deserto* au lieu de *desertum*
11, 8	11, 5, 1	53 supprimer *sed*
13, 47	13, 9, 1	56 lire *mari* au lieu de *mare*
16, 24	16, 11, 2	57 ajouter *sibi* après *seipsum*
20, 18	20, 8, 1	60 lire *Hierosolymis* au lieu de *Hierosolymam*
20, 31	20, 13, 15	60 lire *at* au lieu de *ad*
22, 30	23, 4, 13	61 lire *nubunt* au lieu de *nubent*
22, 32	23, 5, 4	61 lire *uiuentium* au lieu de *uiuorum*
23, 13	24, 3, 1	62 lire *cluditis* au lieu de *clauditis*
24, 45	27, 1, 1	63 lire *nam* au lieu de *namque*
27, 19	33, 1, 2	65 lire *sit tibi* au lieu de *tibi sit*
27, 19	33, 1, 2	65 lire *illi* au lieu de *isti*

2⁰ Notre étude critique des témoins de l'*In Matthaeum* nous a révélé — et notre apparat critique le montre — que le texte établi par A.-J. Bonnassieux ne représente, pour un certain nombre de versets, que la tradition de l'une des deux familles de mss, l'autre famille citant le même verset avec une ou plusieurs variantes. La liste de ces occurrences et leur examen fera l'objet d'une étude [1]. Rappelons ici seulement les principes qui ont guidé notre choix.

Nous rejetons les leçons du texte évangélique qui sont totalement étrangères au texte des mss de la *Vetus latina* au profit de celles qui recoupent leur tradition. Dans le cas où la variante de l'une ou l'autre famille ou branche de cette famille correspond à un alignement sur le texte de la Vulgate [2], nous donnons la préférence aux

1. J. Doignon, « Observations critiques sur le texte de l'*In Matthaeum* d'Hilaire de Poitiers », à paraître.
2. Voici la liste de ces variantes alignées sur la Vulgate (le premier chiffre indique la référence au texte de l'*In Matthaeum*, la seconde au texte de *Matthieu*) : 1, 3 (1, 20) : Mariam *add.* L E S T M ; 2, 2 (3, 1) : Baptista *add.* S O Q X W Z ; 3, 3 (4, 4) : uiuit E P S T M ; 4, 10 (5, 13) : euanuerit L R E P ; 4, 16 (5, 20) : regnum R E P S T M ; 4, 20 (5, 27) : antiquis *add.* P ; 5, 8 (6, 25) : plus A S T M ; 5, 11 (6, 29) : nent R P S T M ; 5, 12 (6, 30) : minimae T M ; 6, 5 (7, 22) : in tuo nomine L R A G ; 7, 3 (8, 6) : Domine *add.* A S ; 7, 11 (6, 9) : es in caelis L G S T M ; 8, 3 (8, 28) : regionem E P ; 8, 7 (9, 6) : dimittendi G S T M ; 10, 1 (9, 36) : uexati

témoins qui ont conservé la leçon de la Vieille Latine. Dans le cas où deux leçons s'affrontent et appartiennent toutes deux à l'*Itala*, nous donnons l'avantage à celle qui est soutenue par le plus grand nombre de témoins vieux-latins ou par ceux que A.-J. Bonnassieux a pu, au terme de son étude, identifier comme les plus proches du texte cité par Hilaire.

3º Beaucoup de citations attribuées à Matthieu par l'ensemble des témoins de la tradition manuscrite sont irréductibles aux leçons transmises par les *codices* ou la tradition indirecte (citations des auteurs de la *Vetus latina*). Nous en avons dressé la liste et nous avons essayé de leur trouver une justification dans des pages déjà publiées auxquelles le lecteur voudra bien se reporter [1].

D. Faits de langue rares
ou caractéristiques du latin tardif

Des études approfondies et nourries d'abondants exemples ont été consacrées, il y a moins d'un demi-siècle, aux États-Unis, à plusieurs sujets importants de la langue d'Hilaire : vocabulaire, clausules, syntaxe des prépositions, des cas, des formes nominales du verbe [2]. Le lecteur voudra bien s'y référer, s'il veut avoir une vue d'ensemble de ces problèmes dans l'œuvre d'Hilaire. Ici même, nous utiliserons, le cas échéant, ces dissertations pour les relevés de faits qu'elles procurent, mais nous négligerons systématiquement tous ceux qui ont trait au matériel classique de la langue de l'*In Matthaeum*.

Notre enquête a procédé des nécessités même de la critique textuelle. Soucieux d'établir une édition qui reflète l'apport des témoins les meilleurs de la tradition manuscrite,

---

L R P A S ; 10, 5 (10, 10) : uia *E P T M* ; 10, 6 (10, 11) : intraueritis *A G S T M* ; 11, 4 (11, 7) : desertum *R E A² S² T M* ; 11, 11 (11, 25) : caeli *A T M* ; 13, 9 (13, 47) : mare *E T M* ; 16, 11 (16, 24) : semet *A S* ; 16, 11 (16, 24) : sibi *om. A G S T M* ; 20, 8 (20, 18) : Hierosolymam *E P T M* ; 20, 13 (20, 30) : transiret *E A T M* ; 21, 3 (21, 9) : filio *S T M* ; 21, 5 (21, 16) ; lactentium *R E P G¹ T M* ; 24, 3 (23, 13) : clauditis *E P* ; 31, 2 (26, 42) : bibam illum *E A S T M* ; 31, 10 (26, 42) : si *add. E A S T M* ; 33, 1 (27, 19) : sit *om. E*.

1. J. Doignon, « Citations singulières et leçons rares du texte latin de l'Évangile de Matthieu dans l'*In Matthaeum* d'Hilaire de Poitiers ».

2. On en trouve la liste complète dans l'index bibliographique.

nous avons achoppé sur un certain nombre de faits linguistiques qui, dérogeant à l'usage classique, témoignent de la
résurgence ou de l'apparition de phénomènes lexicologiques,
morphologiques et syntaxiques, sur lesquels les travaux de
l'école suédoise et de l'école de Nimègue nous aident à faire
la lumière [1]. Ce sont ces faits insolites dont nous avons dressé
le relevé dans le sillage du travail parallèle accompli par
A. Engelbrecht naguère sur les *Collectanea antiariana parisina* [2], mais cet inventaire ne prétend nullement constituer
la matière d'une étude générale sur la langue et les styles
de l'*In Matthaeum*, étude ébauchée par nous-même dans
notre contribution au volume collectif : *Hilaire et son
temps* [3].

I. *Lexique*

On relève les néologismes suivants : *obseratio* (24, 4, 4) ; *parabo-
licus* (21, 2, 2) ; *peccamen* (18, 10, 25) ; *praecerptio* (12, 1, 4) ; *prae-
formatio* (4, 24, 12) ; *praeitor* (11, 1, 5) ; *promergo* (21, 8, 17) ; *pro-
phetalis* (2, 2, 24) ; *quotidem* (15, 10, 18) ; *subsecundo* (7, 8, 7).

II. *Morphologie*

1. Noms :

a) 1re déclinaison : *patrem familias* (22, 1, 7), mais *patris familiae*
(14, 1, 5 ; 22, 2, 13).
b) 3e déclinaison : *igni* (2, 4, 14 : citation de *Matth.* 3, 11), mais
igne (2, 4, 16 : dans le commentaire) ; accusatif pluriel en *-is* : *con-
tumacis* (21, 6, 17) ; *cor* masculin (5, 3, 9) ; *misericordia*, pluriel
neutre de l'adjectif substantivé (6, 2, 5), comme dans *psalm.* 106,
8 ; 106, 15 ; 106, 21 (codd. δ σ).
c) 4e déclinaison : datif singulier en *-u* : *aduentu* (12, 23, 6).

1. Nous avons surtout bénéficié des observations consignées dans
E. Löfstedt, *Philologischer Kommentar zur Peregrinatio Aethe-
riae*, Uppsala 1911 ; J. Svennung, *Untersuchungen zu Palladius und
zur lateinischen Fach- und Volksprache*, Uppsala 1936 ; P. Merkx,
Zur Syntax der Casus und Tempora in den Traktaten des hl. Cyprian
(*Latinitas christianorum primaeva*, 9), Nimègue 1939.
2. A. Engelbrecht, « Zur Sprache des Hilarius Pictaviensis und
seiner Zeitgenossen », dans *WS*, 39, 1917, p. 135-161.
3. J. Doignon, « Hilaire écrivain », p. 267-286.

d) 5ᵉ déclinaison : *materies* partout (4, 14, 25 ; 5, 12, 13 ; 10, 19 10 ; 10, 24, 10) sans interférence de formes en *-a*.

e) Noms grecs : alternativement accusatif pluriel en *-es* et en *-as* : *daemones/as* (12, 15, 11 et 14).

f) Les noms hébreux, habituellement indéclinables (cependant *Israelem* en 14, 7, 8) ne sont déclinables que si leur désinence les apparente à des mots grecs, selon l'usage appliqué dans les versions latines de l'Écriture : *Moyse* (3, 2, 3) ; *Esaiae* (3, 6, 3).

g) Parmi les noms de nombre, *duo* fait au pluriel *duorum*, s'il accompagne un nom masculin (5, 5, 1 ; 8, 3, 3 ; 9, 5, 5 ; 20, 11, 9 ; 20, 13, 4), *duum*, s'il accompagne un substantif neutre (4, 25, 15 ; 27, 8, 9).

2. Verbes :

a) Formes : *odiunt* (18, 1, 9) ; *odies* (4, 27, 2) comme dans le verset correspondant de *Matth.* 5, 44, d'après le témoignage de plusieurs mss de la *Vetus Latina* ; *increpato* (17, 5, 6) à côté de *increpitis* (8, 1, 6) ; *praestatum est* (18, 2, 18) à côté de *praestiturus* (4, 6, 5).

b) Emploi : *careo* (4, 21, 7), *misereor* (14, 4, 2 et 9, 6), *ueneo* (10, 18, 16), comme transitifs ; *conuenio* au passif personnel (18, 7, 14) ; *opinor, dominor* employés comme passifs (18, 6, 10 ; 21, 1, 33) ; sens moyen donné à *effundens* (12, 22, 11) ; *nutriens* (25, 6, 1) ; infinitif présent au lieu de l'infinitif futur (10, 29, 6-7 ; 17, 4, 2) ; adjectif verbal en *-ndus* employé comme participe futur passif (31, 4, 5 ; 31, 6, 4) ; forme périphrastique : participe présent avec *sum* au lieu du verbe simple : *esse patientes* (4, 7, 5-6) ; *patens esset* (4, 23, 10).

III. *Syntaxe*

1. Emploi des cas du nom :

génitif complément du comparatif : *maiora horum* (21, 7, 7) ; génitif partitif employé avec *habeo* (26, 3, 6) ; génitif de relation indiquant le grief avec *punio* (7, 10, 6) ou déterminant de façon très libre des adjectifs : *confidens* (20, 8, 7) ; *fugax* (2, 2, 28) ; *inanis* (11, 4, 11) ; *infirmus* (31, 9, 17) ; *salliens* (4, 17, 13) ; emploi du datif adnominal après *adoratus* (12, 22, 14) ; du datif au lieu de l'accusatif après *audio* (27, 1, 8) ; *iubeo* (16, 8, 1) ; du datif final avec *patiens* (4, 7, 6) ; emploi de l'ablatif instrumental au lieu d'un tour prépositionnel après *iuro* (4, 24, 6).

2. Mots invariables :

milia (32, 1, 9) ; conjonctions pléonastiques : *ut* dans *ut sicut* (12, 20, 2) ; *cum* dans *donec cum* (17, 3, 13), dans *quippe cum* (27, 10, 12) ; *quando* dans *cum quando* (12, 13, 9) ; *neue = nec* (10, 5, 14) ; *ne = ut non* (31, 8, 4).

Hilaire de Poitiers. I.   6

3. Pronoms :

a) Emploi : *quique* pour *qui* (15, 5, 11) ; *quisque* pour *quicumque* (24, 5, 9) ; *quicumque* pour *quilibet* (10, 7, 12).

b) Construction : attraction du relatif par son attribut : *patrem, quod caput eius est* (33, 3, 18) ; attraction du relatif par son antécédent : *potestatem cuius uellet praemii* (14, 3, 11-12) ; accord du relatif *ad sensum : apostolici temporis... quorum* (13, 3, 2) ; *rerum gestarum quae* (17, 3, 12) ; *apostolicam auctoritatem qui* (19, 2, 8-9) ; *rebus quae* (20, 2, 3) ; accord du démonstratif *ad sensum : generis Israelitae... quia per eum* (18, 4, 3-4) ; succession de relatives sans reprise du relatif par *is : et cui praeceptum sit... et... crediderit* (21, 14, 3).

4. Verbes :

A) Indicatif : extension de son emploi avec valeur d'irréel : *fuerat* (2, 2, 7).

B) Infinitif : a) complément de nom : *dari* (4, 22, 5) ; *reuerti* (14, 4, 5) ; *regredi* (14, 10, 5).

b) infinitif substantivé : *illud ipsum habere* (19, 9, 7) ; en particulier au passif impersonnel : *potuisset inhiberi* (22, 7, 11) ; *uigilari praecipit et orari* (31, 9, 14).

C) Participe : a) emploi comme substantif : au parfait passif personnel : *adsutum* (9, 4, 5).

b) au nominatif absolu : au lieu d'une proposition circonstancielle : *angeli Christo ministrant, ostendens* (3, 5, 24) ; *legislatio obtinere... debebat, ... habiturus* (10, 3, 9-11) ; *testes enim... futuri... nos... monet... oportere* (10, 12, 8-13) ; *quia in illo sunt... falsi testes conquisiti, sacerdos... quaerens* (32, 3) ; *uirtutes, per eos eiciendus* (17, 7, 8-9) ; dans une proposition relative : *quae... accipiens* (10, 23, 28) ; dans une proposition principale : *cum praecipiant... ipsi... persequentes* (24, 1, 14-16).

c) à l'ablatif absolu : sans sujet exprimé : *adsumptis* (31, 4, 9) ; avec sujet renvoyant à un mot de la proposition régissante en : 4, 16, 7-9 ; 4, 19, 9-10 ; 8, 1, 1 ; 11, 2, 8 ; sans participe exprimé : *lucro deinceps non ambiguo* (17, 1, 15).

d) Accord par syllepse : *fides nostra... in exemplo habentes Abraham* (10, 14, 3-5) ; *Dei ingerenda cognitio... non timentes* (10, 17, 10-13).

5. Propositions :

A) Constructions paratactiques :

à l'indicatif : *desolabitur... necesse est* (12, 13, 6-7) ; au lieu d'une complétive introduite par *ut* : *oratur opem adferat* (8, 1, 5-6) ; au participe comme apposition : *angeli Christo ministrant, ostendens* (3, 5, 24).

B) Propositions complétives :

a) infinitives : sans sujet exprimé : 4, 15, 2 ; 5, 14, 9 ; 6, 4, 2 ; 9, 3, 14 ; 31, 3, 3-4 en particulier après *iubeo* (14, 13, 10) ; extension de la construction personnelle à *negatur* (12, 15, 15), à un verbe qui n'est pas déclaratif : *uenisse conspecti sunt* (20, 10, 19) ; infinitive développant l'idée d'un substantif : *admiratio* (8, 1, 7) ; *exemplum* (9, 4, 3 ; 15, 9, 7) ; *prophetia* (12, 4, 1) ; *signum* (12, 20, 2).

b) introduites par *quod* : après un verbe *sentiendi uel dicendi* : *significo* (11, 5, 4 avec prolepse), *loquor* (16, 8, 1) ; développant l'idée d'un substantif : *error* (1, 2, 23) ; *ratio* (22, 3, 6) ; *opinio* (1, 4, 2) ; *exemplum* (6, 6, 5-6) ; *stultitia* (8, 2, 10) ; *modi* (11, 9, 13) ; à l'infinitif (6, 6, 9) ; avec *ita* dans le sens de *ita ut* (15, 6, 21) ; développant l'idée d'une proposition : *quod... replentur, copia indicatur* (15, 10, 11-13) ; *quod... praecepit, ... quomodo postea ueniet...* (10, 8, 1-6).

c) introduites par *ut* : sans verbe régissant exprimé : *ut ignoret* (4, 28, 10) ; après *iubeo* (19, 5, 17), *repello* (5, 14, 18) ; après des locutions verbales impersonnelles : *est* (5, 8, 7 ; 5, 11, 18), *cadit* (7, 8, 10), *condignum est* (23, 2, 14), *necesse est* (9, 2, 22), *adiacet* (14, 6, 3), *sine effectu uidetur* (20, 3, 10), *possibile est* (20, 3, 14), *non ex nihilo est* (29, 1, 3-4) ; développant l'idée d'un substantif : *causa* (1, 2, 4), *ratio* (1, 3, 22 ; 19, 1, 6), *adoptio* (4, 8, 2) ; *natura* (4, 11, 1) ; *iudicium* (11, 11, 11 ; 18, 8, 3), *signum* (12, 20, 1), *onus* (17, 1, 6), *tempus* (17, 2, 19), *sensus atque opinio* (24, 8, 4), *error* (25, 4, 1), *necessitas* (26, 3, 7).

d) interrogative indirecte à l'indicatif : 10, 19, 2.

C) Propositions circonstancielles :

a) temporelles : introduite par *dum* (= jusqu'à ce que) à l'indicatif présent dans une phrase au passé (7, 6, 15) ; par *postquam* au subjonctif (6, 6, 15 ; 13, 4, 4).

b) causales : au subjonctif introduites par *dum* (5, 11, 26), *quando* (10, 20, 11 ; 12, 16, 13) ; à l'indicatif introduites par *cum* (5, 8, 4 ; 5, 11, 15 ; 12, 23, 3 ; 21, 10, 16).

c) concessives : au subjonctif, introduites par *quamquam* (13, 6, 1 ; 14, 2, 3 ; 32, 4, 2 ; 33, 8, 4) ; à l'indicatif, introduite par *quamuis* (20, 7, 5).

d) comparatives : comparaison proportionnelle rendue par *hoc maiore... si* (14, 6, 5-6).

6. Style indirect :

a) libre en proposition indépendante à l'infinitif : 7, 8 ; 10, 12 ; 15, 1 ; 19, 6 ; 24, 6 ; 29, 2.

b) libre en proposition indépendante au subjonctif : 4, 13, 6 : *uacua sit* ; 11, 8, 14-16 ; *rursumque eos... inflexerit* ; 21, 7, 10 : *essent consecuturi* ; 24, 7, 28 : *praeferant* ; 27, 10, 15 : *et idcirco durus hic sit*.

7. Coordination :

a) Apodose : introduite par une particule de liaison : *sed* (5, 1, 11 ; 6, 6, 19 ; 13, 6, 2) ; *igitur* (21, 1, 25).

b) Brachylogie : ... *hoc ita quia* (1, 2, 14-15) ; ... *ac simul ut* (2, 6, 9) ; *uirgam de radice Iesse* (= *uirgam quae est* ...) (10, 5, 23) ; *admonetur ... mutare et ut meminerit* (19, 6, 12-13) ; *sed hoc ideo ut* (19, 7, 8).

c) Anacoluthe : *hominem exponit quod... eumque... non posse* (6, 6, 6-9) ; *accidit ut... atque utinam* (8, 1, 12-14).

d) Ἀπὸ κοινοῦ : *paucitatem sequentium contuens et doctorem legis diffidentem an...* (7, 10, 14-15) ; *hanc... uiam gentium... praedicauerunt quique* (= *et eorum qui*) (21, 2, 14-15) ; *se... offerendo... exuerunt* (21, 2, 16-17).

e) Zeugma : 12, 23, 7 ; 14, 5, 8.

E. FORMES STYLISTIQUES DANS L'« IN MATTHAEVM »

L'originalité de l'expression dans l'*In Matthaeum* n'est pas le fait seulement de particularités de langue. Elle est liée également à des structures stylistiques adaptées aux exigences diverses de l'exégèse.

Les plus élémentaires de ces structures sont les catégories grammaticales telles qu'elles sont définies dans le cadre des parties du discours. En vertu de ces catégories, par exemple, les verbes sont classés en verbes de « sens actif » et verbes de « sens neutre [1] » ; or cette opposition est celle qui est appliquée par Hilaire au *transeat calix a me* de la scène de Gethsémani. L'évangéliste, remarque l'exégète, a écarté le « sens actif » de *transeo*, pour que le Christ ne paraisse pas demander que le calice l'épargne [2], au profit du « sens

1. Ainsi chez DIOMED., *ars gramm.*, 1, éd. Keil, 1, p. 337 : « De neutra significatione :... Ex hac quoque forma sunt et illa uerba in quibus nec agentis nec patientis significatio plane dinoscitur... » ; p. 336 : « De actiua significatione : actiua significatio est cum alio agente sit qui patiatur, id est cum actum nostrum cum alterius patientia significat. »

2. Cf. *in Matth.*, 31, 7, 3-9 : « Transire a se calicem rogat. Numquid ait : Transeat me calix iste ? Haec enim futura erat pro se timentis oratio. Sed aliud est ut se transeat, aliud ut a se transeat deprecari. In eo enim quod se transit, ipse ille a molestia transeuntis excipitur ; qui autem ut a se transeat rogat, non ut ipse praetereatur orat, sed ut in alterum id quod a se transit excedat. »

neutre », qui implique que le calice « passe », mais à autrui, en l'occurrence aux apôtres [1].

Les classifications de la logique fournissent aussi des moyens d'investigation à l'exégète embarrassé par le sens d'une formule : ainsi, la distinction établie par les dialecticiens entre ce à partir de quoi et ce en vue de quoi une chose est faite [2] concourt à l'interprétation de la formule de l'Évangile : « Mon âme est triste jusqu'à la mort » ; « jusqu'à » et non « à cause de ma mort », observe l'exégète [3], car ce n'est pas de sa mort que le Christ a peur, mais du moment de sa mort [4], lequel risque d'être celui où la foi des apôtres serait ébranlée.

Ces cadres grammaticaux et logiques ne valent que pour des détails du texte évangélique. Mais il existe des ensembles plus vastes (*ordines narrationis*) possédant une caractéristique littéraire qui se définit à la lumière des « genres de discours ».

Au genre parénétique est rattaché le *sermo*, c'est-à-dire le commentaire suivi d'un groupe de versets : en effet, si l'exégète y éclaire le sens des mots, c'est pour mettre en valeur la rigueur de la logique mise en œuvre et la force de la leçon qui s'en dégage : ainsi en va-t-il du *sermo* du Seigneur sur le royaume divisé contre lui-même [5]. Au style diatribique sont référés les *praecepta* du Sermon sur la montagne ou du Discours aux apôtres. Tantôt le « précepte » est direct et il est

---

1. Cf. *ibid.*, 31, 7, 18-19 : « *Transeat calix a me*, id est quomodo a me bibitur, ita ab his (apostolis) bibatur. »
2. Cf. Sen., *epist.*, 65, 8 : « Quinque causae sunt, ut Plato dicit, ... id ad quod, id propter quod... »
3. Cf. *in Matth.*, 31, 5, 1-7 : « Denique ait : *Tristis est anima mea usque ad mortem*. Numquid ait : Tristis est anima mea propter mortem ? Certe non ita. Nam si de morte erat metus, ad eam utique referri per quam erat debuit. Sed aliud est usque in id, aliud ob id metuere. Et causam non facit quicquid in fine est, quia usque in id quod ab altero coeptum sit differatur. »
4. Cf. *ibid.*, 31, 5, 14-16 : « Tristis ergo est *usque ad mortem*. Non itaque mors, sed tempus mortis in metu est. »
5. Cf. *ibid.*, 12, 12, 1-4 : « *Iesus autem sciens cogitationes eorum dixit illis : Omne regnum diuisum contra se desolabitur*. Sermo Dei diues est et ad argumentum positus intelligentiae plurimam de se exemplorum copiam praebet. »

moulé, comme chez Cyprien [1], dans des *admonitiones* qui
peuvent prendre l'allure de *sententiae* [2]. Tantôt il est enveloppé dans des images simples : la lumière à ne pas mettre
sous le boisseau [3], ou dans des « similitudes », comme celles
du lis des champs [4]. Plus complexes sont les *comparationes*,
qui développent sous la forme d'une allégorie tout un programme doctrinal : ainsi en va-t-il de l'« exemple » de la maison dont les membres sont opposés [5].

La variété des structures stylistiques destinées à refléter
la diversité de ton entre les pages de l'Évangile témoigne
de l'éclectisme de la rhétorique d'Hilaire [6] : débordant les
catégories classiques du barreau, elle est le véhicule d'un
enseignement qui est un *ministerium*.

1. Surtout dans les *tituli* des *Testimonia ad Quirinum*.
2. Ainsi *in Matth.*, 5, 2, 5-6 : « omne ieiunium in sanctae operationis decore ponendum » ; 6, 3, 7-9 : « exposita totis saeculi uiribus
illecebrarum omnium lenocinia praeterire maximum caelestis spei
lucrum est » ; 19, 9, 3-4 : « habere criminis non est, sed modus in
habendo retinendus est. »
3. *Ibid.*, 4, 12-13.
4. *Ibid.*, 5, 11.
5. *Ibid.*, 10, 22-24.
6. Pour les clausules, nous renvoyons aux tableaux chiffrés de
M.-E. Mann, *The clausulae...*, p. 24-104.

CONSPECTUS SIGLORUM

I. Codices

Codices locupletiores :

α   L   codex Vaticanus Palatinus lat. 167, saec. IX-X, ex abbatia Lauresamensi (I-XIV, 6 fragm.)

R   codex Vaticanus Reginensis lat. 314 a, saec. XI

E   codex Gratianopolitanus 263, saec. XII, ex abbatia Excubiensi

P   codex Parisinus lat. 2083, saec. XIII-XIV

β   A   codex Atrebatensis 628 (700), saec. IX-X (IV-XXXIII fragm.)

G   codex Guelferbytanus 4119, Weissenburg 35, saec. X

S   codex Parisinus lat. 9520, saec. IX, ex abbatia Sigilleriensi

T   codex Turonensis 262, saec. IX

M   codex Abrincensis 58, saec. XI, ex abbatia S. Michaeli in periculo maris.

β'   Codices minores

O   codex Oxoniensis, Bodleian Libr. 5256 (24), Marshall 21, saec. XII

Q   codex Parisinus, Bibl. S. Genouefae 71, saec. XII

X   codex Trecensis 1222, saec. XII

W   codex Vindobonensis, N. Bibl. 1017, Theol. 375, saec. XIII

Z   codex Zwettlensis 240, saec. XIII

α   représente le consensus de L R E P ou de R E P, quand L fait défaut

β   —   —   —   —   A G S T M ou de G S T M, quand A fait défaut

β'   —   —   —   —   O Q X W Z

codd.   —   —   —   —   tous les codices

II. Editiones :

Bad.   editio Badii Ascensii, Parisiis 1510

Era.   editio Erasmi, Basileae 1523

Lip.   editio Erasmi per Martinum Lipsium emendata, Basileae 1570

Gil.[1]   editio Joannis Gillotii prior, Parisiis 1572

Gil.[2]   editio Joannis Gillotii secunda, Parisiis 1605
Gil.   uulgata ambarum editionum Joannis Gillotii
Cou.   editio Maurinorum cura et studio Petri Coustantii, Parisiis 1693
Ver.   editio Coustantii cura P. A. Bernami et J. Vallarsii recusa, Veronae 1730
Obe.   editio Coustantii cura F. Oberthuri recusa, Wiceburgi 1785
Cai.   editio Coustantii cura A. B. Caillaui recusa, Parisiis 1830
PL   editio Coustantii cura J.-P. Mignii in tomo 9 Patrologiae latinae recusa, Parisiis 1844

Pour abréger, seront désignés, dans l'apparat critique, par

Bad.   le consensus des éditions depuis l'édition princeps jusqu'à celle de P. Coustant
Bad. Era. le consensus des deux premières éditions
Gil.[2] le consensus des éditions depuis la seconde édition de J. Gillot
Cou.   le consensus des éditions depuis l'édition de P. Coustant
edd.   le consensus de toutes les éditions
edd. plures le consensus de plusieurs éditions antérieures à celles de P. Coustant

TEXTE ET TRADUCTION

SANCTI HILARII
IN MATTHAEVM

1

PL 9
918 D
1. Gradum quem Matthaeus in ordine regiae successionis ediderat, Lucas in sacerdotali origine computat,
quem dum uterque dinumerat, cognationem in Domino
919 A utriusque tribus uterque significat. Recteque gene-
5 rationis gradus ponitur, quia sacerdotalis et regiae
tribus societas per Dauid ex coniugio inita iam a Salathiel in Zorobabel confirmetur ex genere. Atque ita dum
Matthaeus paternam originem quae ex Iuda proficis-
cebatur recenset, Lucas uero acceptum per Nathan ex
10 tribu Leui genus edocet, suis quisque partibus Domini
nostri Iesu Christi, qui est aeternus et rex et sacerdos,
etiam in carnali ortu utriusque generis gloriam pro-
bauerunt. Quod uero Ioseph potiusquam Mariae natiui-

post incipit *scrips.* tractatus (-tio G) R G S M expositio L T
explicatio P commentarius E *Cou.* ‖ sancti : beati E G M *om.*
P diui *Bad.* ‖ *post* Hilarii *add.* episcopi Pictauiensis (-ensis T) E S
T M episcopi Pictauiensis urbis P Pictauorum episcopi *edd.*
plures ‖ in : super R E P T M ‖ Matthaeum : euangelium Matthaei
(sancti Matthaei E) L E S *edd.*
post titulum scripsi 1 ; *edd. addiderunt* CANON (CAPVT *Cou.*)
I *Liber generationis Iesu Christi, filii Dauid, filii Abrahae* etc.

LREP (= α) GSTM (= β)
1, 1 gradum : gressum M gressus L R G S T *Bad. Era.* genus
P ‖ quem Matthaeus : Matth. S qui Matth. L quod Matth. et
Lucas P quem Matth. et Lucas *Bad. Era.* ‖ 2 ediderat — computat : ediderat et quem Lucas per sacerdotalem ordinem G ediderat
prosequitur et Lucas M ediderat L R P S T ediderant *Bad. Era.* ‖ 3
quem dum : d. qui L d. P S *om.* G ‖ cognationem : agna- G S

DE SAINT HILAIRE
SUR MATTHIEU

Chapitre 1

1. La progression que Matthieu avait fait ressortir dans la suite de la succession royale, Luc l'énumère dans la lignée sacerdotale. En la présentant chacun comme un dénombrement, ils indiquent chacun, chez le Seigneur, un lien de parenté avec l'une et l'autre tribu. Et il y a une disposition heureuse de la progression dans la généalogie, du fait que l'alliance des tribus sacerdotale et royale, inaugurée par David à la suite de son mariage, est confirmée désormais par l'hérédité, quand on passe de Salathiel à Zorobabel [1]. Et de la sorte, Matthieu, en recensant la lignée paternelle qui partait de Juda, et Luc, en exposant l'hérédité reçue de la tribu de Lévi par l'intermédiaire de Nathan [2], ont prouvé chacun, dans les rôles de notre Seigneur Jésus-Christ, qui est éternellement roi et prêtre [3], la gloire de sa double hérédité jusque dans sa naissance charnelle. Que ce soit l'ascendance de Joseph plutôt que celle de Marie qui soit

et agna- R et agni- L P T M *Bad.* ‖ 10 quisque : quibusque L R P G *Gil.*² uterque *Bad.* ‖ patribus *Cou.* ‖ 10-11 Domino nostro Iesu Christo S T M *edd.* ‖ 11 et¹ *om.* L E

---

1. D'après la généalogie de *I Chr.* 3, 19.
2. La différence entre les deux généalogies a déjà été notée par Victorin. Poetov., *in apoc.*, 4, 4. Celui-ci s'inspirait sans doute de Julius Africanus : cf. Eusèbe de Césarée, *Quaest. ev. ad Stephanum*, IV, 1-2, *PG* 22, c. 900-901 (plus particulièrement c. 901 A).
3. D'après *Hébr.* 7, 1, Melchisédech est roi et prêtre ; il figure le Christ (*ibid.* 7, 3).

tas recensetur, nihil refert : eadem enim est totius
15 tribus atque una cognatio. Exemplum autem etiam
Matthaeus et Lucas dederunt, patres inuicem appellantes
non tam genere quam gente, quia ab uno tribus coepta
B sub unius successionis et originis familia continetur.
Cum enim filius Dauid atque Abrahae ostendendus sit,
20 quia ita coepit : *Liber generationis Iesu Christi, filii
Dauid, filii Abrahae* [a], non differt quis in originis numero
atque ordine collocetur, dummodo uniuersorum familia
coepta esse intelligatur ab uno. Ita cum eiusdem tribus
sit Ioseph et Maria, dum profectus esse ex Abrahae
25 genere Ioseph ostenditur, profecta quoque docetur et
Maria. Haec enim in lege ratio seruata est, ut, si mortuus
sine filiis familiae princeps fuisset, defuncti uxorem
920 A posterior frater eiusdem cognationis acciperet susceptosque filios in familiam eius qui mortuus esset referret
30 maneretque ita in primogenitis successionis ordo, cum
patres eorum qui post se nati essent aut nomine haberentur aut genere.

2. Sequens illud est ut, quia diximus secundum rerum
fidem generationis istius ordinem nec numero sibi nec
successione constare, huius quoque rei ratio adferatur.
Non enim leuis causa est, ut aliud in narratione sit, aliud
5 fuerit in gestis et aliud referatur in summa, aliud uero
teneatur in numero. Namque *ab Abraham usque ad Dauid
quattuordecim generationes* enumeratae sunt *et a Dauid
usque ad transmigrationem Babylonis generationes quattuordecim* [b], cum in Regnorum libris decem et septem depre-

---

LREP (= α) GSTM (= β)
19 ostendendus sit : sit o. P *Bad.*   esset o. T M *Cou.*   o. S ‖ 20
post ita *add.* Matthaeus R P *edd.* ‖ 30 primogeniti L R G ‖ successione L R G ‖ 31 se *om.* S T M *edd.* ‖ **2,** 1 consequens L G ‖ ut *om.*
L² R G ‖ 7-8 et a Dauid usque ad transmigrationem Babylonis generationes XIV (g. XIV *om. Bad.*) *om.* L R P β ‖ 9 cum in Regnorum : et in aliis S T M   in quibusdam *Bad.* ‖ 9-10 deprehen-
duntur S T M *Bad.*

---

a. Matth. 1, 1

passée en revue n'a aucune importance, car le lien de
parenté est unique et identique pour toute la tribu. De
cela, Matthieu et Luc également ont donné une illus-
tration en appelant pères, chacun à son tour, des hommes
qui l'étaient moins par l'hérédité que par le lignage,
parce qu'une tribu sortie d'un homme unique est groupée
en une famille dont la succession et l'origine sont uniques.
Comme, en effet, il s'agit de présenter le « fils de David
et d'Abraham », puisqu'on commence par ces mots : *Livre
de la généalogie de Jésus-Christ, fils de David, fils d'Abraham* [a], il importe peu que l'on mette quelqu'un à tel rang
et à telle place de la lignée, pourvu que l'on comprenne
que la famille globalement procède d'un seul homme [4].
Ainsi, comme Joseph et Marie sont de la même tribu, en
même temps qu'on présente Joseph comme descendant
de la race d'Abraham, on le fait savoir aussi de Marie.
Il y avait en effet dans la Loi une disposition qui est
observée ici, d'après laquelle, si un chef de famille était
mort sans laisser de fils, le frère puîné de la même branche
recueillait la femme du défunt et, s'il en avait des fils, il les
mettait au compte de la maison du défunt, en sorte que
l'ordonnance de la succession restât dans la mouvance
des aînés, qu'ils fussent pères, par le nom ou par l'hérédité, de ceux qui étaient nés après eux [5].

2. Puisque nous venons de dire que, du point de vue
de la vérité historique, l'ordonnance de cette généalogie
n'est régulière ni pour le dénombrement ni pour l'ordre
de succession, il s'agit en conséquence de rendre compte
aussi de ce fait. Car ce n'est pas sans raison solide que
dans un récit il y a une chose et que dans les faits il y a
eu autre chose et qu'un chiffre est consigné dans un total,
tandis qu'un autre est fondé sur le dénombrement. En
effet, on dénombre d'*Abraham à David quatorze générations et de David à la déportation de Babylone quatorze* [b],

b. Matth. 1, 17

---

4. Cf. la définition de la *familia* dans Vlp., *dig.*, 50, 16, 195, 2 : « Qui
sub unius potestate fuerunt recte eiusdem familiae appellabuntur. »
5. Cf. *Deut.* 25, 5 ; *Lc* 20, 27-29.

10 hendantur [c], sed in hoc non mendacii aut neglegentiae
uitium est. Tres enim ratione praeteritae sunt. Nam Ioram
genuit Ochoziam, Ochozias uero genuit Ioam, Ioas deinde
Amasiam, Amasias autem Oziam. Et in Matthaeo Ioram
Oziam genuisse scribitur [d], cum quartus ab eo sit, hoc
15 ita quia ex gentili femina Ioram Ochoziam genuit, ex
Achab scilicet domo [e], dictumque erat per prophetam
921 A non nisi quarta generatione in throno regni Israel quemquam de domo Achab esse sessurum [f]. Purgata igitur
labe familiae gentilis tribusque praeteritis, iam regalis
20 in quarta generationum consequentium origo numeratur.
Quod autem usque ad Mariam generationes quattuordecim
esse scribuntur [g], cum in numero tredecim reperiantur,
nullus esse error poterit scientibus non eam solum esse
Domino nostro Iesu Christo originem quae coepit ex
25 Maria, sed in procreatione corporeae natiuitatis aeternam
significantiam comprehendi.

3. Generationis autem ratio simplex est. Nam conceptum ex Spiritu sancto, natum ex Maria uirgine omnium
opus prophetarum est. Sed plures irreligiosi et a spiri-
B tali doctrina admodum alieni occasionem ex eo occu-
5 pant turpiter de Maria opinandi, quod dictum sit :

LREP (= α) GSTM (= β)
11 ratione : -es S   generationes S² T M ‖ 12 Ioras L R G S T *edd.* ‖
13 Amasiam Amasias : -ssiam -ssias P   -messiam -messias L E S ‖
16 domo *om.* T M *edd. plures* ‖ dictumque erat : praedixerat namque
Dominus S T M   denique *Bad.* ‖ 17 in (*om.* L) quartam generationem L S T M ‖ 19 labe : Achab P *Cou.* ‖ familia gentili P *Cou.* ‖
20 quarto L R P G S *edd.* ‖ 21 quod autem : q. uero T M *Cou.*   et
S *Bad.*   *om.* L R P G ‖ 25 corporea S T M *Bad. Cou.* ‖ aeternae
S T M *Bad. Cou.*

c. Cf. I Chr. 3, 10-15
d. Cf. Matth. 1, 8
e. Cf. IV Rois 8, 26
f. Cf. III Rois 21, 21 ; IV Rois 10, 30
g. Cf. Matth. 1, 17

6. Nous optons pour la leçon *aeternam* (*significantiam*) contre

alors que dans les Livres des Rois on en relève dix-sept [c], mais il n'y a là ni mensonge ni négligence fautive. Trois générations ont été passées intentionnellement. Joram engendra Ochozias, Ochozias engendra Joas, Joas engendra ensuite Amasias et Amasias Ozias. Et dans Matthieu, il est écrit que Joram engendra Ozias [d], alors qu'il est le quatrième après lui. Il en est ainsi parce que Joram engendra Ochozias d'une femme païenne, à savoir de la maison d'Achab [e], et qu'il avait été dit par le prophète que ce serait seulement à la quatrième génération que quelqu'un de la maison d'Achab siégerait sur le trône du royaume d'Israël [f]. Une fois donc que la souillure née de la famille païenne est enlevée et que trois générations sont passées, on compte maintenant à la quatrième l'origine des générations suivantes de rois. Et s'il est écrit que jusqu'à Marie il y eut quatorze générations [g], bien qu'en les dénombrant, on en trouve treize, cela ne pourra pas être une erreur, si l'on sait que notre Seigneur Jésus-Christ n'a pas seulement une origine qui vient de Marie, mais que dans la procréation qui le fait naître de la chair est comprise une signification éternelle [6].

3. L'explication de la génération est simple. Qu'il a été conçu du Saint-Esprit, qu'il est né de la Vierge Marie est la réalisation de toutes les prophéties. Mais plusieurs hommes impies, tout à fait étrangers à l'enseignement spirituel, saisissent l'occasion qui leur est offerte de penser du mal de Marie par ces mots [7] : *Avant qu'ils eussent*

---

aeternae (*natiuitatis*) des seuls mss *S T M* et de la plus grande partie des éditeurs. Il ne peut donc être question ici de « naissance éternelle », comme l'affirme J. M. Mc DERMOTT, « Hilary of Poitiers : the infinite Nature of God », p. 176. Pour le Christ, être *aeternus* et *natus* représente deux qualités distinctes, d'après *infra*, 16, 5. *Aeterna significantia* est parallèle à *interior significantia* (*infra*, 7, 8, 22), le contexte étant semblable dans les deux cas : l'une et l'autre expression se réfèrent à un principe d'exégèse énoncé par Hilaire dans *in psalm.*, 118, 21, 4 : « Haec plus significant quam agant, dum gesta notionem nobis aeternae dispositionis insinuant. »

7. Comme nous le montrons dans notre *Hilaire de Poitiers...*, p. 371-372, Hilaire suit ici l'argumentation de TERT., *uirg. uel.*, 6, 1-3.

Priusquam conuenirent, inuenta est in utero habens [h], et
illud : *Noli timere accipere coniugem tuam* [i], et illud :
Non cognouit eam donec peperit [j], non recordantes desponsatam fuisse et dictum hoc Ioseph uolenti eam abi-
10 cere, quia iustus ipse nollet in eam lege decerni. Igitur
ne qua de partu eius ambiguitas exsisteret, ipse concepti
ex Spiritu sancto Christi testis adsumitur : dehinc quia
desponsata esset, in coniugem reciperetur ; cognoscitur
itaque post partum, id est transit in coniugis nomen ;
15 cognoscitur enim, non admiscetur. Denique cum transire
Ioseph ad Aegyptum admonetur, ita dicitur : *Accipe
puerum et matrem eius* [k] et : *Reuertere cum puero et matre*
922 A *eius* [l] et rursum in Luca : *Et erat Ioseph et mater eius* [m].
Et quotienscumque de utroque fit sermo, mater potius
20 Christi, quia id erat, non uxor Ioseph est nuncupata,
quia non erat. Sed haec quoque ab angelo ratio seruata
est, ut, cum desponsatam eam iusto Ioseph significabat [n],
coniugem nuncuparet. Nam ita ait : *Ioseph, fili Dauid,
noli timere accipere Mariam coniugem tuam* [o]. Ergo et
25 coniugis nomen sponsa suscepit et post partum in coniugem recognita tantum Iesu mater ostenditur, ut, quemadmodum iusto Ioseph deputaretur eiusdem Mariae in
uirginitate coniugium, ita uenerabilis eius ostenderetur
in Iesu matre uirginitas.

B   **4.** Verum homines prauissimi hinc praesumunt opinionis suae auctoritatem, quod plures Dominum nostrum fratres habuisse sit traditum. Qui si Mariae filii

LREP (= α) GSTM (= β)
3, 7 *post* accipere *add.* Mariam L E S T M *edd.* ‖ 10 in *om.* α ‖ 13
coniuge R S T M ‖ recipitur R E P *Gil.* [2] ‖ 16 diciturque S β′ ‖ 22
eam : cum *PL* ‖ 25 suscipit β *Bad.* ‖ 26 ostenderetur L E P ‖ **4,** 3 si :
sit *PL*

h. Matth. 1, 18
i. Cf. Matth. 1, 20
j. Matth. 1, 25
k. Matth. 2, 13

mené vie commune, elle fut trouvée enceinte [h], ou encore :
Ne crains pas de prendre ton épouse [i], et : *Il ne la connut
pas avant qu'elle ait enfanté* [j]. Ils ne se rappellent pas
qu'elle était fiancée et que cette exhortation fut adressée
à Joseph, parce qu'il voulait la renvoyer, étant donné
qu'en homme juste, il ne voulait pas qu'on ordonnât des
mesures contre elle en vertu de la Loi. Aussi, pour qu'il
n'y ait pas d'équivoque sur le fruit de l'enfantement, il
est pris lui-même à témoin que le Christ a été conçu du
Saint-Esprit : dès lors qu'elle lui est fiancée, qu'il la prenne
pour épouse ; et ainsi après l'enfantement, il la connaît,
c'est-à-dire qu'elle accède au titre d'épouse, car si elle
est connue, elle ne s'unit pas. Enfin, quand Joseph est
exhorté à passer en Égypte, il est dit : *Prends l'enfant et
sa mère* [k] et : *Reviens avec l'enfant et sa mère* [l] ; et encore
dans Luc : *Et il y avait Joseph et sa mère* [m]. Et chaque fois
qu'il est question de l'un et de l'autre, elle est appelée
plutôt mère du Christ — car elle l'était — et non pas
femme de Joseph — car elle ne l'était pas. Mais il y a
aussi une raison respectée par l'ange dans le fait qu'au
moment où il la représentait fiancée à un homme juste
Joseph [n], il l'appelle épouse. Il dit en effet : *Joseph, fils
de David, ne crains pas de prendre Marie, ton épouse* [o].
Ainsi, fiancée, elle a reçu le nom d'épouse et, après l'enfantement, alors qu'elle est reconnue comme épouse,
elle est présentée seulement comme la mère de Jésus,
pour que, de la même façon qu'on attribuait à la justice
de Joseph un mariage avec Marie même dans sa virginité, on montre dans la mère de Jésus la sainteté de sa
virginité.

4. Mais des hommes très pervers trouvent une justification présomptueuse de leur erreur dans le fait que la
tradition dit que notre Seigneur eut plusieurs frères. Or
si ces derniers avaient été les fils de Marie ou si plutôt

l. Cf. Matth. 2, 20
m. Cf. Lc 2, 33
n. Cf. Lc 1, 27 ; Matth. 1, 19
o. Matth. 1, 20

Hilaire de Poitiers. I.   7

fuissent et non potius Ioseph ex priore coniugio suscepti,
5 numquam in tempore passionis Ioanni apostolo trans-
cripta esset in matrem, Domino ad utrumque dicente :
Mulier, ecce filius tuus et Ioanni : *Ecce mater tua* ᴾ, nisi
quod ad desolatae solacium caritatem filii in discipulo
relinquebat.

5. Stellae autem ortus primum a magis intellectus
indicat mox gentes in Christo credituras et homines
professionis longe a scientia diuinae cognitionis auersae
lumen quod statim in ortu eius exstitit cognituros.
923 A Denique oblatio munerum intelligentiam in eo totius
qualitatis expressit, in auro regem, in ture Deum, in
myrrha hominem confitendo. Atque ita per uenerationem eorum sacramenti omnis est consummata cognitio,
in homine mortis, in Deo resurrectionis, in rege iudicii.
10 Quod uero repetere iter atque ad Herodem in Iudaeam
redire prohibentur, nihil a Iudaea petere scientiae agni-
tionisque permittimur, sed in Christo salutem omnem
et spem locantes admonemur prioris uitae itinere abstinere.

6. Parante autem Herode paruulis necem Ioseph per
angelum monetur ut eum in Aegyptum transferat,
B Aegyptum idolis plenam et omnigenum deum monstra
uenerantem. Iam post Iudaeorum insectationem et in
5 exstinguendo eo profanae plebis adsensum Christus ad
gentes inanissimis religionibus deditas transit et Iudaeam
relinquens ignoranti eum saeculo colendus infertur,
Bethleem id est Iudaea martyrum sanguine redundante.

LREP (= α) GSTM (= β)
4 coniuge α ‖ 6 matre R P ‖ **5**, 2 Christum L R *Gil.*² ‖ 6 aequa-
litatis α ‖ **6**, 1 *ante* parante *add.* II T M ‖ paruulis : -lo P -li L R
edd. ‖ 2 eum : Iesum T M ‖ 7 ignoranti eum : ignorantium L R E S
ignoranti P   ignorantiam *Bad.*

p. Jn 19, 26-27

8. L'hypothèse remonte sans doute à Victorin de Poetovio : cf.
notre *Hilaire de Poitiers...*, p. 187-188.

Joseph ne les avait pas eus d'une première épouse [8], jamais, au moment de la Passion, Marie n'eût été transférée dans le rôle de mère de l'apôtre Jean, quand le Seigneur s'adressa à l'un et à l'autre disant : *Femme, voici ton fils* et à Jean : *Voici ta mère* [p], n'était que, pour consoler sa solitude, il laissait son amour de fils chez le disciple.

5. L'apparition d'une étoile comprise dès l'abord par les Mages évoque l'idée que les païens ne doivent pas tarder à croire dans le Christ ni les hommes éloignés par leur conviction de la science de la connaissance de Dieu à reconnaître la lumière qui est apparue aussitôt à sa naissance. En effet l'offrande des présents a exprimé l'être du Christ dans toute sa signification [9], en reconnaissant le roi dans l'or, le Dieu dans l'encens, l'homme dans la myrrhe. Et par la vénération des Mages se réalise pleinement la connaissance de l'ensemble du mystère, de la mort chez l'homme, de la résurrection chez Dieu, du pouvoir de juger chez le roi [10]. Dans le fait qu'ils sont empêchés de revenir sur leurs pas et de retourner en Judée auprès d'Hérode, il y a l'idée que nous ne sommes pas libres de puiser en Judée notre science et notre connaissance, mais que nous sommes invités à abandonner la voie de notre vie antérieure en plaçant tout notre salut et toute notre espérance dans le Christ.

6. Hérode méditant une tuerie pour les nouveau-nés, Joseph reçoit de l'ange le conseil de transporter l'enfant en Égypte, cette Égypte pleine d'idoles et adoratrice de monstres divins de toute espèce [11]. Déjà, après la persécution des Juifs et le consentement que donne ce peuple impie à son assassinat, le Christ passe chez les païens qui sont livrés aux cultes les plus futiles et, quittant la Judée, il est présenté, pour être adoré, au siècle qui l'ignore, tandis que Bethléem, c'est-à-dire la Judée, est

---

9. *Qualitas*, concept de la logique stoïcienne, appliqué à la *natiuitas* du Christ par Tert., *apol.*, 21, 9.

10. Même exégèse des présents dans Ivvenc., 1, 249-251. Cf. C. Kannengiesser, « L'exégèse d'Hilaire », p. 132.

11. Souvenir de Verg., *Aen.*, 8, 698 (cortège de la reine d'Égypte) : « omnigenumque deum monstra ».

Herodis uero furor et infantium interfectio populi Iudaici
10 in Christianos saeuientis est forma, existimantis se bea-
torum martyrum caede posse in omnium fide et profes-
sione Christi nomen exstinguere.

7. Sed gloriosus per prophetam neci eorum honor
redditur dicentem : *Vox in Rama audita est, ploratus et
ululatus multus, Rachel plorans filios suos, et noluit conso-*
C *lari, quia non sunt* q. Rachel Iacob uxor fuit diu sterilis,
5 sed nullos ex his quos genuit amisit. Verum haec in
Genesi Ecclesiae typum praetulit. Non igitur illius uox
et ploratus auditur, quae nullum habuit amissorum
filiorum dolorem, sed huius Ecclesiae diu sterilis, nunc
uero fecundae. Cuius ploratus ex filiis, non idcirco quia
10 peremptos dolebat, auditur, sed quia ab his perime-
bantur quos primum genitos filios retinere uoluisset.
Denique consolari se noluit quae dolebat. Non enim non
erant ii qui mortui putabantur ; in aeternitatis enim
profectum per martyrii gloriam efferebantur, conso-
15 latio autem rei amissae erat praestanda, non auctae.

2

924 A   1. Post quae, mortuo Herode, Ioseph per angelum
monetur ut in Iudaeam cum puero et matre ipsius redeat.
Et reuertens cum Archelaum Herodis filium regnare a

LREP (= α) GSTM (= β)
9 infantum R T M ‖ interfectio : mors G S β′ *Bad.* ‖ 10 existi-
mantes L R P S ‖ 11-12 fidem et professionem S β′ ‖ 7, 5 nullum
R P *Gil.*² ‖ genuerat L P ‖ 9 cuius : huius β *edd.* ‖ 13 hi L R G S
II (III P) post P β′ : post L R E β   CANON (CAPVT *Cou.*) II
post *edd.* ‖ 1, 1 quae : quam L T M   *om.* R ‖ Ioseph *om.* L R β

---

q. Jér. 31, 15 ; Matth. 2, 18
a. Cf. Matth. 2, 22

inondée du sang des martyrs. Or, la fureur d'Hérode et
l'assassinat des enfants sont l'image du peuple juif
déchaîné contre les chrétiens, à la pensée que par le
meurtre des bienheureux martyrs il peut effacer le nom
du Christ dans la foi de tous ceux qui le professent.

7. Mais un glorieux hommage est rendu à leur massacre
par le prophète quand il dit : *La voix de Rama a été enten-
due : il y a eu beaucoup de pleurs et de lamentations. C'est
Rachel pleurant ses fils et elle n'a pas voulu être consolée
du fait qu'ils ne sont plus* [q]. Rachel, femme de Jacob, fut
longtemps stérile, mais elle n'a perdu aucun de ceux
qu'elle a engendrés. Pourtant elle a représenté dans la
Genèse le type de l'Église [12]. Ce n'est pas sa voix ni ses
pleurs qu'on entend, car elle n'a pas eu la douleur de
perdre des fils, mais c'est celle de l'Église longtemps stérile, aujourd'hui féconde. C'est elle qu'on entend pleurer
sur ses fils, non qu'elle souffrît de ce qu'ils étaient tués,
mais parce qu'ils devaient de l'être à ceux qu'elle aurait
voulu garder pour ses fils premiers-nés. De ce fait, elle
n'a pas voulu être consolée dans sa souffrance. Car il est
faux que ne fussent plus ceux qui passaient pour morts :
par la gloire du martyre, en effet, ils s'élevaient jusqu'au
gain de l'éternité. Or la consolation aurait dû être pro-
diguée pour un bien perdu, non pas accru [13].

Chapitre 2

1. Ensuite, à la mort d'Hérode, Joseph est averti par
un ange d'avoir à regagner la Judée avec l'enfant et sa
mère. Et en revenant, comme il avait appris que le fils
d'Hérode, Archélaüs, était roi [a], il eut peur d'y aller, et

---

12. Hilaire suit Cypr., *testim.*, 1, 20 : « Rachel typum Ecclesiae,
quae et sterilis diu mansit. »

13. Lieu commun des défenses du martyre : cf. Cypr., *Fort.*,
13 : « Vita temporalis exstinguitur, sed aeterna repraesentaretur. »

audisset, timuit eo uenire et per angelum monetur ut in
5 Galilaeam transeat et in regionis eius ciuitate Nazareth
inhabitet [b]. Reuerti ergo ad Iudaeam monetur et reuer-
sus timet. Et rursum uisu admonitus transire ad regionem gentium iubetur. Sed aut timere eum qui admonitus
B sit non oportuit aut per angelum deferri admonitio
10 mox mutanda non debuit ; uerum typica ratio seruata
est. Ioseph enim apostolorum habet speciem, quibus
Christus circumferendus est creditus. Hi tamquam
Herode mortuo, id est populo eius in passione Domini
deperdito, Iudaeis praedicare sunt iussi ; missi enim
15 erant ad oues perditas domus Israel [c], sed manente
hereditariae infidelitatis dominatu metuunt et recedunt.
Admoniti per uisum, sancti scilicet Spiritus donum in
gentibus contemplantes ad eas transferunt Christum
Iudaeae missum, sed uitam et salutem gentium nuncu-
20 patum.

2. *In diebus illis uenit Ioannes praedicans in deserto
Iudaeae dicens : Paenitentiam agite ; adpropinquauit*
C *enim regnum caelorum* [d], et cetera. In Ioanne locus, praedicatio, uestitus, cibus est contuendus, atque ita ut
5 meminerimus gestorum ueritatem non idcirco corrumpi,
si gerendis rebus interioris intelligentiae ratio subiecta sit.
Fuerat enim praedicanti et locus opportunior et uestitus
utilior et cibus aptior, sed subest gestis rebus exemplum
et in eo operatio ipsa meditatio est. Nam ad desertam
10 Iudaeam uenitur, desertam Dei frequentatione, non
populi et uacuam sancti Spiritus habitatione, non homi-

LREP (= α) GSTM (= β)

2, 1 *post* Ioannes *add.* baptista S β′ ‖ 2 adpropinquabit S β′ ‖ 7
fuerant *Era. Cou.* ‖ 9 *post* nam *add.* et β *edd.* ‖ 10 uenit β *Bad. Cou.*

---

b. Cf. Matth. 2, 22-23
c. Cf. Matth. 15, 24
d. Matth. 3, 1-2

---

1. Rapprocher TERT., *apol.*, 21, 25 : « Discipuli uero diffusi per
orbem... »

il est averti par un ange d'avoir à passer en Galilée et
d'habiter dans une ville de ce pays, Nazareth [b]. Ainsi il
reçoit l'avertissement de revenir en Judée et, revenu, il
a peur. Et, de nouveau avisé par un songe, il a ordre
de passer au pays des païens. Cependant il n'aurait pas
dû avoir peur, puisqu'il avait reçu un avis, ou l'avis qui
devait ensuite être modifié n'aurait pas dû être apporté
par un ange. Mais une raison typologique a été observée.
Joseph figure les apôtres, auxquels le Christ a été confié
pour être porté partout [1]. Comme Hérode passait pour
mort, c'est-à-dire comme son peuple s'était perdu à
l'occasion de la passion du Seigneur, ils ont reçu l'ordre
de prêcher aux Juifs. Ils avaient été envoyés en effet aux
brebis perdues de la maison d'Israël [c], mais, comme
subsiste la domination de l'incroyance héréditaire, ils
craignent et se retirent. Avertis par un songe, c'est-à-dire
contemplant chez les païens le don du Saint-Esprit [2], ils
font passer à ces derniers le Christ qui était envoyé à la
Judée, mais était appelé vie et salut des païens.

2. *En ces jours là vint Jean, qui prêchait dans le désert
de Judée en disant : Faites pénitence, car le Royaume des
cieux est devenu proche* [d], etc. Chez Jean il faut examiner
le lieu, la prédication, le vêtement, la nourriture, en se
rappelant que la vérité des faits n'est pas compromise, si
la raison d'une intelligibilité intérieure est sous-jacente à
l'accomplissement des faits. Il aurait pu y avoir pour sa
prédication un lieu plus favorable, un vêtement plus
commode, une nourriture plus appropriée, mais sous les
faits il y a un exemple, dans le cadre duquel l'acte accompli
est en lui-même une préparation. Sa venue, en effet, a
lieu dans la Judée du désert, désertée par la présence de
Dieu, non par celle du peuple, et vide de l'habitation du
Saint-Esprit [3], non des hommes, en sorte que le lieu de

---

2. Le songe comme manifestation de l'Esprit-Saint est une thèse
de TERT., *anim.*, 47, 2, où elle est illustrée par la prophétie de Joël
(2, 28-31) sur l'Esprit qui se répandra « sur toute chair ».
3. L'Esprit-Saint habite en nous : cf. *Rom.* 8, 9.11 ; *I Cor.* 3, 16.
Même interprétation du désert en 11, 4, 4-5.

num, ut praedicationis locus eorum quibus praedicatio
erat missa solitudinem protestaretur. Paenitentiam
quoque regno caelorum propinquante pronuntiat, per
925 A quam est reditus ab errore et recursus a crimine et post
uitiorum pudorem professio desinendi, ut deserta
Iudaea meminisset eum se susceptram, in quo caelorum est regnum, non uacuam deinceps futuram, si se a
ueteribus uitiis paenitentiae confessione purgasset. Pilis
20 etiam camelorum uestis adtexta peregrinum propheticae
istius praedicationis habitum designat, cum exuuiis
immundarum pecudum, quibus pares existimamur,
Christi praedicator induitur ; fitque sanctificatum habitu
prophetali, quidquid in nobis uel inutile fuerat ante uel
25 sordidum. Zonae autem praecinctio efficax in omne opus
bonum est apparatus, ut ad omne ministerium Christi
uoluntate simus accincti. In esum etiam eliguntur lo-
B custae fugaces hominum et ad omnem aduentum nostri
sensum euolantes, nos scilicet qui ab omni sermone et
30 congressu prophetarum ipsis quibusdam corporum salti-
bus efferebamur. Voluntate uagi, operibus inutiles, uerbis
queruli, sede peregrini nunc sumus sanctorum alimonia et satietas prophetarum electi simul cum melle
siluestri, dulcissimum ex nobis cibum non ex alueariis
35 legis, sed ex truncis siluestrium arborum praebituri.

3. Tali igitur Ioannes habitu praedicans uenientes
Pharisaeos et Sadducaeos ad baptismum *progenies* nuncupat *uiperarum* ; *fructum* ut *dignum paenitentiae*

LREP (= α) GSTM (= β)
24 in *om.* L P ‖ 29 euolantes : a- O Q *Bad.* uol- E uolit- R P ‖
31 uoluntate : -tatis L² E P uoluntatis cingulo *Bad.* ‖ *ante* operibus *et ante* uerbis *add.* in β *Bad.* ‖ 32 sede : fide P *Cou.*

---

4. Aspects de la pénitence repris du *De paenitentia* de TERTUL-
LIEN : thème du retour inspiré de l'enfant prodigue (8, 8), pro-
messe de renoncer aux vices (6, 19), thème de la honte du péché
(10, 1), thème de l'aveu (9, 2).

cette prédication attestait l'abandon où étaient ceux auxquels la prédication avait été adressée. Comme le Royaume des cieux est proche, il lance aussi un appel au repentir, grâce auquel on revient de son erreur, on se détourne de sa faute et on s'engage à renoncer aux vices après en avoir rougi [4], car il voulait que la Judée déserte se souvînt qu'elle devait recevoir celui en qui se trouve le Royaume des cieux, pour n'être plus vide après cela, à la condition qu'elle se fût purifiée de ses vices anciens par la confession du repentir. Le manteau tissé avec des poils même de chameau indique la physionomie exotique de cette prédication prophétique : c'est avec des dépouilles de bêtes impures, auxquelles nous passons pour être semblables [5], que le prédicateur du Christ se fait un vêtement, et tout ce qui en nous avait été auparavant ou inutile ou ignoble est rendu saint par la tenue de prophète. S'entourer d'une ceinture est une disposition efficace pour que nous accomplissions tout bien [6], en ce sens que nous ayons notre volonté ceinte pour toute forme de service du Christ. Pour nourriture aussi il choisit les sauterelles qui fuient devant l'homme et qui s'envolent chaque fois qu'elles nous voient arriver : c'est nous, quand nous nous détournions de toute parole des prophètes et de tout commerce avec eux en nous laissant justement emporter par les sauts de nos corps. Avec une volonté vagabonde, des œuvres inefficaces, une parole plaintive, une demeure d'étrangers, nous sommes à présent ce qui fait la nourriture des saints et l'assouvissement des prophètes, étant choisis en même temps que le miel sauvage pour fournir, venant de nous, le mets le plus doux, tiré non des alvéoles de la Loi, mais de nos troncs d'arbres sauvages.

3. Prêchant donc dans cette tenue, Jean traite les Pharisiens et les Sadducéens qui viennent au baptême de *race de vipères* : il les exhorte à produire un *fruit méritoire*

---

5. La « comparaison » des hommes avec les animaux est justifiée par TERT., *anim.*, 32, 8 et pratiquée par NOVATIAN., *cib. Iud.*, 3. Le chameau est classé parmi les animaux « impurs » par *Lév.* 11, 4.

6. Explication suggérée par une formule classique comme « accingere omnes operi » (VERG., *Aen.* 2, 235).

faciant monet neue *Abraham patrem* habere se glo-
5 rientur, quia ex lapidibus Deus potens est Abrahae filios
C excitare[e]. Non enim successio carnis quaeritur, sed fidei
hereditas. Dignitas igitur originis in operum consistit
exemplis et prosapiae gloria fidei imitatione retinetur.
Diabolus infidelis, Abraham fidelis ; nam ille in hominis
10 transgressione fuit perfidus, hic uero iustificatus ex fide
est. Igitur uniuscuiusque mores atque uita propinqui-
tate cognationis acquiritur, ut qui fideles sunt Abrahae
926 A propago per fidem sint, qui autem infideles sunt, in
diaboli progeniem infidelitate mutentur, quando et
15 Pharisaei uiperarum natio nuncupantur et gloriatio
sanctificati parentis inhibetur et ex saxis ac rupibus
Abrahae filii excitantur[e'] et ut operantes dignos fructus
paenitentiae sint admonentur, ut qui diabolum patrem
habere coeperant cum eis qui de lapidibus excitarentur
20 rursum Abrahae filii per fidem fiant.

4. Securis uero radicibus arborum adposita[f] testatur
ius praesentis in Christo potestatis infructuosarum arborum caede et concrematione significans inutilis perfidiae
excidium conflagrationi iudicii praeparari. Et quia legis
5 opus esset iam inefficax ad salutem et Ioannes baptizandis
B in paenitentiam nuntius exstitisset — prophetarum enim
officium erat a peccatis reuocare, Christi uero proprium
saluare credentes —, se quidem baptizare in paenitentiam dicit[g], sed fortiorem esse uenturum, cuius ferendo-

LREP (= α) GSTM (= β)

3, 6-7 non enim successio — hereditas *om.* L R P ‖ 11 mores :
mors α ‖ 11-12 propinquitatem L G T M *edd.* ‖ 12 acquirit L G T M
edd. ‖ 13 sint : sunt R E P S ‖ 14 progeniem : -nie L E P pro-
pagine R ‖ 16 *post* parentis *add.* eis *edd.* ‖ 17 dignos fructus : digno
fructu L S dignos fructu P ‖ **4,** 1-2 testatur — potestatis *om.* β
Bad. ‖ 3 significat S T M ‖ 4 conflagratione β ‖ 5 *ante* iam *add.* et
R E ‖ 8 se : si G S

e. Cf. Matth. 3, 7-9
e'. Cf. Matth. 3, 9
f. Matth. 3, 10

de repentir et à ne pas se glorifier d'*avoir Abraham pour
père*, car Dieu est capable avec des pierres de faire
surgir des fils à Abraham [e]. Ce qui est recherché, en
effet, n'est pas sa descendance charnelle, mais l'héritage
de sa foi. Donc le prestige de sa descendance consiste dans
le caractère exemplaire de ses actions et la gloire de sa
race est conservée par l'imitation de sa foi. Le diable est
sans foi, Abraham a la foi. Le premier, en effet, a montré
sa mauvaise foi lors de la désobéissance de l'homme, tandis que le second a été justifié par la foi [7]. Donc on acquiert
les mœurs et le genre de vie de l'un ou de l'autre par
l'affinité d'une parenté qui fait que ceux qui ont la foi
sont la descendance d'Abraham par la foi et que ceux
qui ne l'ont pas sont changés en race du diable par l'incroyance, puisque les Pharisiens sont appelés race de
vipères, que se glorifier d'avoir un père saint leur est
interdit, que des pierres et des rochers surgissent des fils
à Abraham [e'] et qu'ils sont invités à produire des fruits
méritoires de repentir, en sorte que ceux qui avaient eu
d'abord le diable pour père redeviennent fils d'Abraham
par la foi avec ceux qui surgiraient des pierres.

4. La cognée placée à la racine des arbres [f] témoigne
du droit de puissance qui agit dans le Christ, car elle
indique que, par l'abattage et la combustion des arbres
stériles, la ruine de l'incroyance inefficace se prépare en
vue de la conflagration du jugement. Et sous prétexte
que l'œuvre de la Loi était maintenant inutile pour le
salut et qu'il s'était présenté comme messager à ceux
qui devaient être baptisés en vue du repentir — le
devoir des prophètes consistait à détourner des péchés,
alors qu'il appartenait au Christ de sauver les croyants —,
Jean dit qu'il baptise en vue du repentir [g], mais qu'un

g. Cf. Matth. 3, 11

---

7. Sur les thèmes pauliniens de la justification d'Abraham par
la foi (*Rom.* 4, 9) et de la filiation d'Abraham par la foi (*Gal.* 3, 7)
se greffe une *synkrisis*, inspirée des chap. 5 et 6 du *De patientia* de
TERTULLIEN, entre Abraham croyant et le diable incroyant.

10 rum calceamentorum sit indignus officio, apostolis cir-
cumferendae praedicationis gloriam derelinquens, quibus
speciosis pedibus pacem Dei erat debitum nuntiare [h].
Salutis igitur nostrae et iudicii tempus designat in
Domino dicens : *Baptizabit uos in Spiritu sancto et igni* [i],
15 quia baptizatis in Spiritu sancto reliquum sit consummari igne iudicii, *habens uentilabrum in manu et pur-*
gabit aream suam et congregabit triticum suum in
horreum, paleas autem comburet igni inexstinguibili [j].
C Ventilabri opus est ab infructuosis fructuosa discernere.
20 Quod in manu Domini sit arbitrium indicat potestatis
triticum suum, perfectos scilicet credentium fructus,
horreis recondendum, paleas uero inutilium atque infruc-
tuosorum hominum inanitatem igne iudicii concremantis.
5. *Tunc uenit Iesus a Galilaea in Iordanem ad Ioan-*
927 A *nem ut baptizaretur ab eo* [k], et reliqua. Erat in Iesu
Christo homo totus atque ideo in famulatum Spiritus
corpus adsumptum omne in se sacramentum nostrae
5 salutis expleuit. Ad Ioannem igitur uenit ex muliere
natus [l], constitutus sub lege et per Verbum caro
factus [m]. Ipse quidem lauacri egens non erat, quia de
eo dictum est : *Peccatum non fecit* [n] ; et ubi peccatum
non est, remissio quoque eius est otiosa. Sed adsumptum
10 ab eo creationis nostrae fuerat et corpus et nomen, atque
ita non ille necessitatem habuit abluendi, sed per illum

LREP (= α) GSTM (= β)
14 *post* dicens *add.* ipse S β' *add.* ille *edd.* ‖ baptizauit L G ‖
igne S β' *edd.* ‖ 16 et *om.* T M *edd.* ‖ 16-17 purgabit : mundabit α ‖
20 sit : situm α ‖ 22 recondentis L R P *Gil²*. ‖ *post* uero *add.* id est
edd. ‖ 23 igni P G *Cou.* ‖ concremandas S² O Q *Bad.* ‖ 5, 1 in Galilaeam P G S T M *Bad.* ‖ in : ad T M ‖ 2-3 Christo Iesu P T M *Gil.²*

---

h. Cf. Rom. 10, 15
i. Matth. 3, 11
j. Matth. 3, 12
k. Matth. 3, 13
l. Cf. Gal. 4, 4

plus fort viendra, dont il n'est pas digne de se charger de porter les chaussures, laissant aux apôtres la gloire de porter partout la prédication, car il leur était réservé d'annoncer de leurs beaux pieds la paix de Dieu [h]. Il fait donc allusion à l'heure de notre salut et de notre jugement, lorsqu'il dit à propos du Seigneur : *Il vous baptisera dans l'Esprit-Saint et le feu* [i] — parce qu'à ceux qui sont baptisés dans l'Esprit-Saint il reste à être consommés par le feu du jugement [8] —, *tenant le van dans la main, il purifiera son aire, il recueillera son blé dans le grenier et consumera la paille au feu qui ne s'éteint pas* [j]. L'œuvre du van consiste à séparer ce qui est fécond de ce qui ne l'est pas. Placé dans la main du Seigneur, il indique le verdict de sa puissance qui calcine par le feu du jugement le grain qui doit s'engranger pour être à elle — ce sont les fruits des croyants à l'état d'achèvement — et les pailles, d'autre part, inanité des hommes insignifiants et stériles [9].

5. *Alors Jésus vint de la Galilée au Jourdain trouver Jean, pour être baptisé par lui* [k], et la suite. Il y avait en Jésus-Christ totalement un homme et, de ce fait, le corps qu'il avait pris pour servir l'Esprit a accompli en lui tout le mystère de notre salut. Il vint donc trouver Jean, étant né d'une femme [l], soumis à la Loi et par le Verbe fait chair [m]. Lui-même n'avait pas besoin du baptême, car il a été dit de lui : *Il n'a pas commis le péché* [n]. Et là où le péché n'existe pas, sa rémission est du même coup superflue. Cependant, il avait pris le corps et le nom de notre être créé, et ainsi même il ne lui était pas nécessaire d'être baptisé, mais par lui, dans les eaux du baptême, devait

m. Cf. Jn 1, 14
n. I Pierre 2, 22

8. L'explication se rattache à la thèse exposée dans TERT., *bapt.*, 10, 7, selon laquelle la foi, qui est devenue faible après le baptême « dans l'eau », « est baptisée dans le feu pour le jugement ».
9. Cette opposition reprend le double effet du « feu du jugement » décrit par TERT., *apol.*, 48, 13. Pour l'interprétation des images empruntées ici à la nature, cf. CYPR., *eleem.*, 8 ; *unit. eccl.*, 9 ; *epist.*, 59, 7, 3 ; TERT., *praescr.*, 3, 9.

in aquis ablutionis nostrae erat sanctificanda purgatio.
Denique et a Ioanne baptizari prohibetur ut Deus et
ita in se fieri oportere ut homo edocet. Erat enim per
B eum omnis implenda iustitia per quem solum lex poterat impleri. Atque ita et prophetae testimonio [o] lauacro
non eget et exempli sui auctoritate humanae salutis
sacramenta consummat hominem et adsumptione sanc-
tificans et lauacro.

6. Ordo etiam in eo arcani caelestis exprimitur. Nam
baptizato eo, reseratis caelorum aditibus, Spiritus
sanctus emittitur et specie columbae uisibilis agnoscitur
et istius modi paternae pietatis unctione perfunditur.
5 Vox deinde de caelis ita loquitur : *Filius meus es tu,
ego hodie genui te* [p]. Filius Dei auditu conspectuque
monstratur plebique infidae et prophetis inoboedienti
testimonium de Domino suo mittitur et contempla-
tionis et uocis, ac simul ut ex eis quae consumma-
C bantur in Christo cognosceremus post aquae lauacrum
et de caelestibus portis sanctum in nos Spiritum inuo-
lare et caelestis nos gloriae unctione perfundi et paternae uocis adoptione Dei filios fieri, cum ita dispositi in
nos sacramenti imaginem ipsis rerum effectibus ueritas
15 praefigurauerit.

3

1. *Tunc Iesus ductus est in desertum ab Spiritu, ut*
928 A *temptaretur a diabolo* [a]. Et in desertum traductio et

LREP (= α) GSTM (= β)
6, 8 et : *om.* R P ad L
III (IIII P) tunc L R P T M : tunc E G S CANON (CAPVT
Cou.) III tunc *edd.* ‖ **1,** 2 *post* diabolo *add.* et reliqua β *edd.*

o. Cf. Matth. 3, 15
p. Lc 3, 22

être sanctifiée notre purification. C'est pourquoi, tout en étant dissuadé par Jean de se faire donner le baptême en tant que Dieu, il lui enseigne que cela doit avoir lieu pour lui en tant qu'il est homme. Il fallait, en effet, que toute justice s'accomplît par celui qui seul pouvait accomplir la Loi. Et ainsi, d'une part, d'après le témoignage du prophète °, il n'a pas besoin du baptême, mais d'autre part, par la confirmation de son exemple, il réalise pleinement les mystères du salut humain, sanctifiant l'homme par son incarnation et son baptême.

6. L'économie du mystère céleste est aussi exprimée en lui. En effet, après qu'il eut été baptisé, les entrées des cieux s'ouvrant, l'Esprit-Saint est envoyé, est reconnu visible sous l'aspect d'une colombe et baigne dans cette sorte d'onction de l'amour du Père. Ensuite une voix des cieux s'exprime ainsi : *Tu es mon Fils ; aujourd'hui je t'ai engendré* ᵖ. Il est désigné par la voix et par la vue comme le Fils de Dieu, et au peuple infidèle et rebelle aux prophètes est donné de la part de son Seigneur le témoignage d'une vision et d'une parole, et cela pour que nous apprenions en même temps que, d'après ce qui se réalisait pleinement dans le Christ, le Saint-Esprit, après le baptême et depuis les portes des cieux, vole sur nous, que nous baignons dans l'onction de la gloire céleste et que nous devenons fils de Dieu par l'adoption de la voix du Père, car la vérité a préfiguré, dans la réalité même des faits, l'image du mystère ainsi préparé pour nous ¹⁰.

Chapitre 3

1. *Alors Jésus fut conduit au désert par l'Esprit pour y être tenté par le diable* ᵃ. Le passage au désert, le jeûne

a. Matth. 4, 1

10. Commentaire d'ensemble de ce chapitre dans notre article : « La scène évangélique du Baptême de Jésus... », p. 68-73.

quadraginta dierum ieiunium et post ieiunium fames
et Satanae temptatio et responsio Domini magni cae-
5 lestisque consilii effectibus plena sunt. Nam quod in
desertum ductus est, significatur libertas Spiritus sancti
hominem suum iam diabolo offerentis et permittentis
temptandi et adsumendi occasionem, quam non nisi
datam temptator habuisset. Erat igitur in diabolo de
10 metu suspicio, non de suspicione cognitio. Mouebatur
B enim quadraginta dierum ieiunio : sciebat totidem diebus
aquas abyssi effusas [b], exploratam repromissionis terram [c], Moysi legem a Deo scriptam [d], annorum quoque,
quibus plebs in eremo uita angelorum habituque mansit [e],
15 hunc numerum expletum fuisse. Igitur istius temporis
metu in temptando eo quem hominem contuebatur,
sumpsit temeritatem. Adam enim pellexerat et in mortem fallendo traduxerat. Sed ita dignum nequitia eius
et scelere erat, ut in eo cuius morte et calamitatibus
20 gloriabatur homine uinceretur et qui Dei beneficia
homini inuidisset ante temptationem Deum in homine
intelligere non posset. Temptatur igitur statim post baptismum Dominus, temptatione sua indicans in sanctificatis nobis maxime diaboli temptamenta grassari, quia
C uictoria ei est magis exoptata de sanctis.

2. Non cibum etiam hominum esuriit, sed salutem ;
nam post quadraginta dies, non in quadraginta diebus
esuriit, Moyse et Elia in eodem ieiunii tempore non esurientibus [f]. Igitur cum esuriit Dominus, non inediae

LREP (= α) GSTM (= β)
4-5 caelestisque : caelestique L   et caelesti R   caelestis P ‖ 8 et
adsumendi : adsumendique S   adsumendi G T M ‖ 12 abyssis
T M ‖ 15 fuisse expletum T M *Cou.* ‖ 17 morte L R ‖ 18 nequitiae
E T M ‖ 19 et[1] *om.* T M ‖ 21 hominem L R ‖ 2, 1 hominum *om.* R
‖ 2 *post* in (*om.* G) XL diebus esuriit (-rit G) *transp.* (l. 10) sed quam
utique in eo sentiens *usque ad* (l. 13) pertimescebat ; *post* pertimescebat *transp.* (l. 3) Moyse et Elia *usque ad* (l. 9) recognouisset (-sce-
ret T M -scet G) β

b. Cf. Gen. **7, 17**

de quarante jours, la faim après le jeûne, la tentation par Satan et la réponse du Seigneur sont pleins de la réalisation d'un grand dessein céleste. Le fait d'avoir été conduit au désert indique la liberté de l'Esprit-Saint, qui livre son humanité désormais au diable et qui accorde à celui-ci l'occasion de le tenter et de se l'adjoindre, occasion que le tentateur n'aurait pas eue, si elle ne lui avait pas été donnée. Il y avait donc chez le diable un soupçon né de la crainte, non une connaissance née du soupçon. Il était frappé, en effet, d'un jeûne de quarante jours : il savait que c'était le nombre des jours pendant lesquels les eaux de l'abîme s'étaient déversées [b], la terre promise avait été parcourue [c], la Loi avait été écrite par Dieu pour Moïse [d] et aussi que les années durant lesquelles le peuple était resté au désert à vivre et à se comporter comme les anges [e] avaient atteint ce chiffre. Ainsi, par crainte de ce laps de temps, en tentant celui qu'il voyait comme un homme, il prit le parti de la témérité. Il avait en effet séduit Adam et l'avait mené à la mort en le trompant. Mais, dans ces conditions, il convenait à sa perversité et à son crime qu'il fût vaincu dans l'homme, dont la mort et les malheurs faisaient sa gloire, et que celui qui avait envié à l'homme les bienfaits de Dieu ne pût comprendre Dieu dans l'homme avant la Tentation. Le Seigneur est donc tenté aussitôt après le Baptême, indiquant par sa tentation que les tentatives du diable nous visent de préférence quand nous sommes sanctifiés, parce qu'une victoire remportée sur les saints est pour lui plus désirable.

2. Ce n'est plus de la nourriture des hommes, mais de leur salut qu'il eut faim. Car c'est à la suite de quarante jours, non dans l'espace de quarante jours qu'il eut faim, Moïse et Élie durant le même temps de jeûne n'ayant pas eu faim [f]. Ainsi, quand le Seigneur connut la faim,

c. Cf. Nombr. 13, 25
d. Cf. Ex. 24, 18
e. Cf. Ex. 16, 35
f. Cf. Ex. 34, 28 ; III Rois, 19, 8

Hilaire de Poitiers. I.   8

5 subrepsit operatio, sed uirtus illa quadraginta dierum
929 A non mota ieiunio naturae suae hominem dereliquit. Non
enim erat a Deo diabolus, sed a carne uincendus ; quam
utique temptare ausus non fuisset, nisi in ea per esuritionis infirmitatem quae sunt hominis recognouisset.
10 Quam utique in eo sentiens ita exorsus est : *Si filius
Dei es* ᵍ. Anceps sermo est *si filius Dei es*. Licet esurientem uideret, quadraginta tamen dierum in eo ieiunium
pertimescebat. Qua rerum ratione indicat post quadraginta dierum conuersationem, quibus post passionem
15 in saeculo erat commoraturus, esuritionem se humanae
salutis habiturum. Quo in tempore exspectatum Deo
patri munus hominem quem adsumpserat reportauit.

B   3. Contuendum itaque nunc illud est, quibus tandem
interrogationibus usus sit. Ait : *Si filius Dei es, dic ut
lapides isti panes fiant* ʰ. Fallax diabolus et ad tradu-
cendum artifex callidissimus posse omnia Christum sciebat
5 et esuritionem in homine ex ipso ieiunii tempore sentiebat
ignarus quidnam esuriretur. Eam ergo in temptando
condicionem operis proposuit, per quam et in Deo ex
mutatione lapidum in panes uirtutem potestatis agnosceret
et in homine oblectamento cibi patientiam esuritionis
10 illuderet. Sed Dominus non panem potius quam salutem
hominum esuriens ait : *Non in pane solo uiuet homo* ⁱ, quia

LREP (= α) GSTM (= β)
5 uirtus X W Z : uultus L β   uult ut E   uelut R P ‖ illa : ille
S² illud R   illo P ‖ 6 mota : -tus P S²   -tae T M ‖ 7 quam :
quem T M ‖ 8 temptare : et euitare L R P ‖ non *om.* L R P ‖ 10
orsus L E *edd.* ‖ **3,** 6 temptando : ca ntando L R ‖ 8 demutatione
β *edd.* ‖ 11 uiuit E P S T M *edd.*

---

g. Matth. 4, 3
h. Matth. 4, 3
i. Matth. 4, 4

---

1. Nous adoptons non sans hésitation, après les autres éditeurs,
la leçon *uirtus* des mss tardifs du xiiiᵉ s. (*X W Z*), leçon qu'ils
tiennent peut-être de *A*, justement lacunaire en cet endroit. La
leçon *uultus* des mss *L G S T M* n'est recevable que si l'on soumet

ce ne fut pas l'action du manque de nourriture qui se
fit sentir furtivement, mais cette vertu [1] qui n'avait pas
été touchée par le jeûne de quarante jours abandonna
l'homme à sa nature. Le diable, en effet, devait être
vaincu non par Dieu, mais par la chair, et il n'eût
pas osé la tenter malgré tout, s'il n'avait reconnu, chez
elle, ce qui est propre à l'homme dans la faiblesse de la
faim. C'est elle du moins qu'il discernait chez Jésus,
quand il commença par ces mots : *Si tu es Fils de Dieu* [g].
Cette parole : *Si tu es Fils de Dieu* est ambiguë. Même en
voyant sa faim, il redoutait chez lui le jeûne de quarante
jours : dans ce calcul il y a l'indication qu'après un séjour
de quarante jours, durant lesquels il demeurerait dans
le monde après sa passion, il aurait faim du salut de
l'homme. A ce moment-là, il ramena l'homme qu'il avait
assumé, pour en faire à Dieu son Père l'hommage attendu.

3. Il faut donc examiner maintenant à quelles stipu-
lations en fin de compte il eut recours. Il dit : *Si tu es Fils
de Dieu, dis que ces pierres deviennent des pains* [h]. Le
diable, trompeur et maître consommé dans l'art de détourner, savait que le Christ avait tout pouvoir et il se rendait
compte de la faim qui dans l'homme était due à la durée
même du jeûne, sans qu'il sût de quoi il avait faim. En
le tentant, il lui proposa donc l'exécution d'une clause
qui lui ferait reconnaître en Dieu la vertu de sa puissance
par le changement des pierres en pains, et dans l'homme
tromperait la résistance à la faim par l'attirance de la
nourriture. Mais le Seigneur, qui avait faim moins de
pain que du salut de l'homme, dit : *L'homme ne vivra pas
seulement avec du pain* [i], parce que lui-même, non seule-

---

la phrase à une construction exagérément compliquée, à laquelle
nous nous sommes risqué dans notre article : « L'*argumentatio*
d'Hilaire de Poitiers dans l'*exemplum* de la Tentation de Jésus
(*in Matthaeum* 3, 1-5) », p. 301. *Virtus illa... non mota* est une locution parallèle à *indefessa illa uirtus* (*Dei*) de *in psalm.*, 131, 9 ;
uirtus fait couple avec *operatio* comme dans *in Matth.* 9, 7 et Tert.,
bapt. 2, 3. *Virtus illa* est cette *uirtus corporis* qui, selon *trin.*, 10, 23,
a permis au Christ de marcher sur les eaux, d'être exposé à la
douleur sans la ressentir : cf. R. Favre, « La communication des
idiomes... », t. 17, p. 495.

ipse non solum homo, sed et Deus, licet usque in tempta-
C tionis diem cibo hominis abstineret, Dei tamen Spiritu
alebatur, ostendens non in pane hoc solitario, sed in
15 Verbo Dei alimoniam aeternitatis esse sperandam.

4. Sequens etiam interrogatio talis est, cum eum in
summum templi sustulisset : *Si filius Dei es, mitte te
deorsum* [j], et cetera. Laborat temptatione Dominum
de excelsis ad inferiora deducere et positum in templi
5 summo, id est super leges et prophetas eminentem, in
930 A humilibus continere. Sciebat quidem et ministeria angelorum prompta esse Dei filio neque in lapidem posse
offensionis incidere quippe super aspidem et basiliscum
ambulaturum et concalcaturum leonem et draconem [k].
10 De his enim quae in se dicta sunt tacuit, sed superiora
memorando uult quoquo modo oboedientiam elicere
temptato relaturus hinc gloriam, si sibi Dominus maiestatis licet per confidentiam paruisset. Sed nulla diabolo
contigit tantae fraudis occasio, idipsum Domino tem-
15 pore posteriore testante, cum dicit : *Venit princeps huius
saeculi et non inuenit in me quidquam* [l]. Digna igitur hanc
eius petulantiam Domini est secuta responsio : *Non temp-
tabis Deum et Dominum tuum* [m]. Diaboli conatus et
B temptamenta contundens et Deum se protestatur et
20 Dominum docens a fidelibus abesse oportere iactantiam,
quia, cum omnia possibilia Deo sint, nihil tamen in
temptationem eius audendum sit.

5. Sed iam tertio tota diabolicae potestatis commouetur ambitio. Constituto igitur Domino in monte excelso
uniuersa orbis terrarum regna eorumque gloriam obtulit,

LREP (= α) GSTM (= β)
4, 3 cetera : reliqua β *edd.* ‖ 9 calcaturum R *Gil.*[2] ‖ 12 temptato
relaturus : temptator elaturus E   temptator laturus T M ‖ **19**
contundens : contemnens R E P

j. Matth. 4, 6
k. Cf. Ps. 90, 12-13

ment homme, mais aussi Dieu, tout en s'abstenant d'une nourriture humaine jusqu'au jour de la Tentation, se nourrissait cependant de l'Esprit de Dieu, montrant qu'il faut espérer trouver la nourriture de l'éternité non dans ce pain pris pour lui seul, mais dans la Parole de Dieu.

4. Suit encore cette stipulation, quand il l'eut placé au faîte du temple : *Si tu es Fils de Dieu, jette-toi en bas* [i], etc. Il s'efforce par la tentation de faire descendre le Seigneur des hauteurs vers les régions inférieures et de retenir dans les réalités basses celui qui s'était placé au sommet du temple, c'est-à-dire qui s'élevait au-dessus de la Loi et des prophètes. Il savait du moins que le service des anges était à la disposition du Fils de Dieu, qui ne pouvait tomber sur la pierre d'achoppement : ne devait-il pas marcher sur l'aspic et le basilic et fouler le lion et le dragon [k] ? Sur ces paroles qui ont été prononcées à son sujet, le diable en effet ne dit rien, mais, rappelant celles qui précèdent, il veut à tout prix arracher à celui qu'il a tenté son obéissance, pour en tirer gloire, au cas où le Seigneur de majesté lui obéirait, encore qu'il le ferait avec assurance. Mais le diable n'a pas eu la chance de trouver l'occasion d'une telle imposture, le Seigneur portant témoignage de cet échec même ensuite par ces mots : *Le prince de ce monde est venu et n'a rien trouvé contre moi* [l]. Aussi l'effronterie du diable est-elle suivie ici de cette réponse qu'elle méritait de la part du Seigneur : *Tu ne tenteras pas ton Dieu et Seigneur* [m]. Brisant les efforts et les tentatives du diable, il s'affirme comme Dieu et Seigneur, enseignant que l'arrogance ne doit pas avoir de place chez les croyants, parce que, si tout est possible à Dieu, il ne faut rien risquer cependant pour le tenter.

5. Mais, la troisième fois, c'est désormais toute l'ambition de la puissance du diable qui s'agite. Ayant donc placé le Seigneur sur une haute montagne, il lui offrit tous les royaumes de la terre et leur gloire, à la condition

l. Jn 14, 30
m. Matth. 4, 7

si modo adoraretur ipse [n]. Iam gemina responsio opi-
5 nionem suspicionis excesserat. Cibo Adam pellexerat et
de paradisi gloria in peccati locum, id est in regionem
uetitae arboris, deduxerat, tertio diuini nominis ambitione corruperat diis futurum similem pollicendo. Igitur
C aduersus Dominum tota iam saeculi potestate pugnatur
10 et creatori suo possessio huius uniuersitatis offertur, ut
tenens ordinem fraudis antiquae, quem neque cibo
pellexerat nec loco mouerat, nunc uel ambitione cor-
rumperet. Sed responsio Domini dignum de superioribus gradum fecit. Ait enim : *Vade Satana. Scriptum*
15 *est enim : Dominum Deum tuum adorabis et illi soli*
seruies [o]. Temeritatis tantae congruum exitum tulit,
cum et criminum suorum in Satana nomen audiuit et
931 A Dominum Deum suum adorandum in homine cognouit.
Praebuit etiam huius responsionis effectu magnum
20 nobis Dominus exemplum ut, contempta humanae
potestatis gloria et saeculi ambitione postposita, solum
meminissemus Deum et Dominum adorandum, quia
omnis saeculi honor diaboli 'sit negotium. Post hanc
ergo diaboli fugam angeli Christo ministrant [p], osten-
25 dens uicto a nobis calcatoque diaboli capite et angelorum ministeria et uirtutum in nos caelestium officia
non defutura.

6. *Cum audisset autem Iesus, quod Ioannes traditus*
esset, secessit in Galilaeam [q]. Transitus in Capharnaum
et prophetia Esaiae [r] rei gestae ordo est. In piscatorum
B uero electione [s] ex hominum arte futuri eorum officii

LREP (= α) GSTM (= β)
5, 4 ipsa E S ‖ responsione R P *Era Gil.*[2] ‖ 20 contemplata α ‖
24 ostendentes T M *edd.* ‖ 25 a nobis uicto *edd.* ‖ 6, 2 transitus :
traditus β ‖ 3 prophetae β *Bad.* ‖ 4 allectione L S T[1] M *Bad.*

n. Cf. Matth. 4, 8
o. Matth. 4, 10
p. Cf. Matth. 4, 11
q. Matth. 4, 12
r. Cf. Matth. 4, 14-16

seulement que lui-même fût adoré [n]. Déjà une double
réponse avait eu raison de l'opinion qu'il s'était faite
par conjecture. Il avait séduit Adam par la nourriture
et l'avait détourné de la gloire du paradis pour l'amener
au lieu du péché, c'est-à-dire dans la région de l'arbre
défendu. En troisième lieu, il l'avait suborné par l'ambition d'un titre divin en lui promettant qu'il serait semblable à des dieux. Ainsi, contre le Seigneur a lieu maintenant l'assaut de toute la puissance du siècle et la possession de cet univers est offerte à son propre créateur,
de façon que, le déroulement de l'imposture antique étant
respecté, celui que la nourriture n'avait pas séduit et
n'avait pas entraîné fût suborné maintenant par l'ambition elle-même. Mais la réponse du Seigneur a marqué
comme il convenait un progrès par rapport à ce qui précède. Il dit en effet : *Va-t'en, Satan, car il est écrit : Tu
adoreras le Seigneur ton Dieu et ne serviras que lui seul* [o].
Il obtint le résultat conforme à une si grande témérité,
lorsqu'il entendit que ses fautes étaient désignées dans le
mot Satan et qu'il sut que le Seigneur son Dieu devait
être adoré dans un homme. Par l'efficacité d'une telle
réponse, le Seigneur nous a également donné un grand
exemple, pour que, ayant repoussé la gloire de la puissance humaine et refoulé l'ambition du monde, nous nous
souvenions que seul le Seigneur Dieu doit être adoré,
parce que tout honneur du monde est l'affaire du diable.
Quand donc après cette fuite du diable, les anges servent
le Christ [p], cela nous montre que, si nous vainquons et
écrasons la tête du diable, le service des anges et l'office
des vertus célestes ne seront pas défaillants envers nous [2].

6. *Comme Jésus avait appris que Jean avait été livré, il
se retira en Galilée* [q]. Le passage à Capharnaüm et la
prophétie d'Isaïe [r] sont dans l'ordre des faits. Le choix
des pêcheurs [s] montre l'activité ̗de leur charge future

s. Cf. Matth. 4, 18-22

2. Un commentaire d'ensemble de la majeure partie de ce chapitre figure dans notre article : « L'*argumentatio* d'Hilaire de Poitiers dans l'*exemplum* de la Tentation de Jésus ».

5 opus proditur, ut piscibus e mari, ita hominibus deinceps a saeculo in locum superiorem, id est in lumen caelestis habitaculi, protrahendis. Quibus et artem et
patrias et domos relinquentibus, docemur Christum
secuturi et saecularis uitae sollicitudine et paternae
10 domus consuetudine non teneri. In quattuor uero primum apostolis eligendis praeter rerum fidem, quia et
ita gestum est, futurorum euangelistarum numerus
praefiguratur. Galilaeam igitur circuit et in synagogis
praedicat regni euangelium et omnium aegritudinum
15 infirmitates [t] medendo factis ipse se profert, ut, quem
in prophetarum uoluminibus legere erant soliti, prae-
sentem operibus contuerentur.

4

C   **1.** Congregatis igitur plurimis turbis, montem cons-
cendit et docet, in paternae scilicet maiestatis positus
celsitudine caelestis uitae praecepta constituit. Non
enim aeternitatis instituta nisi in aeternitate positus
5 tradidisset. Denique ita scriptum est : *Aperuit os suum
et docebat eos* [a]. Locutum eum fuisse promptius erat
dicere. Sed quia in gloria paternae maiestatis insti-
terat et aeternitatem docebat, idcirco ad motum Spiritus eloquentis oboedisse ostenditur humani oris officium.
D   **2.** *Beati pauperes spiritu, quoniam ipsorum est regnum*
932 A *caelorum* [b]. Exemplo Dominus docuerat humanae ambi-

LREP (= α) GSTM (= β)
13 praefigurabatur α ‖ 15 infirmitatibus T M
IIII (V P) congregatis P T M : congregatis L R E G S   CANON
(CAPVT *Cou.*) IV congregatis *edd.* ‖ **1**, 1 pluribus β *edd.* ‖ 2 positum G S ‖ **2**, 1 beati : IIII L b.

t. Cf. Matth. 4, 23-24
a. Matth. 5, 2
b. Matth. 5, 3

découlant de leur métier d'homme, les hommes, comme les poissons tirés de la mer, devant émerger du siècle en un lieu supérieur, c'est-à-dire à la lumière du séjour des cieux [3]. En abandonnant métier, patrie, maison, ils nous apprennent, si nous voulons suivre le Christ, à ne pas être retenus ni par l'inquiétude de la vie dans le siècle ni par l'attachement à la maison paternelle. Le choix de quatre apôtres au début, à côté de la véracité des faits, puisque cela également s'est bien passé ainsi, préfigure le nombre des évangélistes à venir. Il parcourt donc la Galilée, prêche l'Évangile du Royaume dans les synagogues et, en guérissant les infirmités de toute espèce de maladies [t], il se révèle en personne par des actes, de façon que les Juifs voient sous leurs yeux dans ses œuvres celui qui était habituellement pour eux un sujet de lecture dans les rouleaux des prophètes.

Chapitre 4

1. Ayant donc rassemblé de très nombreuses foules, il gravit la montagne et enseigne, c'est-à-dire se plaçant sur la hauteur de la majesté du Père, il fixe les préceptes de la vie céleste. Car il n'aurait pas transmis les principes de l'éternité, s'il ne s'était établi dans l'éternité. C'est pourquoi il est écrit : *Il ouvrit la bouche et les enseignait* [a]. Il eût été plus simple de dire qu'il prit la parole. Mais comme il s'était placé dans la gloire de la majesté du Père et qu'il enseignait l'éternité, pour cette raison l'office rempli par sa bouche humaine est présenté comme ayant obéi à la motion des paroles de l'Esprit [1].

2. *Bienheureux les pauvres en esprit, car le Royaume des cieux est à eux* [b]. Le Seigneur avait enseigné par son

---

3. La comparaison des hommes et des poissons en référence à l'*ichtus* Jésus-Christ, « lumière du séjour des cieux », vient de TERT., *bapt.*, 1, 3. Même exégèse *infra*, 13, 9.

1. Souvenir de *Act.* 2, 4 : « Spiritus sanctus dabat eloqui illis. »

tionis gloriam relinquendam, dicens : *Dominum Deum tuum adorabis et illi soli seruies* [c]. Et cum se per prophetas
5 populum humilem et ad uerba sua trementem [d] praemo-
nuisset esse lecturum, in spiritus humilitate perfectae
beatitudinis posuit exordium. Igitur humilia spirantes,
id est se homines recordantes in caelestis regni posses-
sione constituit, conscios sibi ex sordentibus ac tenuis-
10 simis se principiis coalitos in hanc formam perfecti corporis procreari et in hunc sentiendi, contuendi, iudicandi, agendi sensum, Deo profectum ministrante, pro-
cedere ; nihil cuiquam suum esse, nihil proprium, sed
cunctis dono parentis unius eadem et ueniendi in uitam
15 tribui primordia et utendi ea substantiam ministrari ;
B ac nos optimi illius qui nobis sit ista largitus exemplo
perfunctae in nos bonitatis eius esse aemulos, ut boni
omnibus simus, communia omnia omnibus existimemus,
nulla nos nec saecularis fastus insolentia nec opum cupi-
20 ditas nec inanis gloriae ambitio corrumpat, sed subiecti
Deo simus et de communione uiuendi in omnes communis uitae caritate teneamur, magnum etiam in eo quod
nati sumus, diuinae bonitatis futurum profectum exis-
timantes, cuius praemium atque honor praesentis uitae
25 operibus sit merendum, atque ita per hanc spiritus
humilitatem qua de Deo nobis meminerimus et indulta
omnia et deinceps potiora speranda, caelorum regnum
erit nostrum.

LREP (= α) GSTM (= β)
5 praemonuit β *Bad.* ∥ 6 electurum P *Cou.* ∥ 7 sperantes E P T M ∥
8 *post* se *add.* esse *Cou.* ∥ 9 constituti β *Bad. Cou.* ∥ conscios : -ii
R S T M -iis L G ∥ 10 eam G S ∥ 18 omnibus omnia β ∥ 24 honor :
onus G S ∥ 25 merendus β *edd.*

---

c. Matth. 4, 10
d. Cf. Is. 66, 2

---

2. L'explication vient de l'étymologie *homo ex humo* et du jeu

exemple qu'il fallait renoncer à la gloire de l'ambition humaine, lorsqu'il disait : *Tu adoreras le Seigneur ton Dieu et ne serviras que lui seul* [c]. Et comme il avait annoncé par les prophètes qu'il choisirait un peuple humble et tremblant à ses paroles [d], il plaça dans l'humilité de l'esprit le point de départ de la béatitude parfaite. Il a ainsi établi dans la possession du Royaume des cieux ceux qui ont l'esprit d'humilité, c'est-à-dire qui se souviennent d'être des hommes [2], conscients d'être formés de la réunion de principes vils et très chétifs pour être engendrés à cette condition d'un corps parfait [3] et d'avancer, Dieu favorisant leur progrès, vers ce sens de la pensée, de la réflexion, du jugement et de l'action ; conscients que rien n'est à eux, rien ne leur est propre, mais qu'à tous le don du Père unique a accordé les mêmes conditions initiales pour venir à la vie et offert les mêmes moyens d'en jouir et qu'à l'exemple de l'être très bon qui nous a fait ces largesses, nous devons être les émules de la bonté dont il nous a donné la preuve, en étant bons pour tous et en considérant que tout est commun à tous, en ne nous laissant corrompre ni par l'impudence de la morgue du siècle ni par le désir de l'opulence ni par l'ambition d'une vaine gloire, mais en étant soumis à Dieu et, à partir d'une commune existence, en nous liant par une vie commune d'amour envers tous, dans la pensée qu'il y aura dans la nature même où nous sommes nés matière à d'amples développements pour la bonté divine, dont nous devons mériter la récompense et la gloire par les actions de notre vie présente. Et ainsi, par cette humilité d'esprit qui nous rappelle que nous tenons de Dieu tous les biens qui nous ont été accordés et ceux, meilleurs, qui sont à espérer par la suite, le Royaume des cieux sera à nous.

de mots entre *homo* et *humilitas,* l'un et l'autre se trouvant dans TERT., *apol.,* 18, 2 et 21, 15.

3. On reconnaît ici une thèse fondamentale de l'anthropologie du *De anima,* 37, 5 de TERTULLIEN : cf. le commentaire *ad loc.* de J.-H. WASZINK, *Q. S. Fl. Tertulliani De anima,* Amsterdam 1947, p. 430-431.

C　**3.** *Beati mites, quoniam ipsi hereditabunt terram* [e].
Mitibus terrae hereditatem pollicetur, id est eius corporis quod ipse Dominus adsumpsit habitaculum. Quia
per mansuetudinem mentis nostrae habitauerit Christus
5 in nobis, nos quoque gloria clarificati eius corporis
uestiemur [f].

4. *Beati lugentes, quoniam ipsi consolabuntur* [g]. Lugen-
tibus aeternae consolationis solacia repromittit. Non
orbitates aut contumelias aut damna maerentibus, sed
peccata uetera flentibus et criminum quibus obsordes-
5 cimus conscientia aerumnosis haec sedula in caelo
consolatio praeparatur.

5. *Beati qui esuriunt et sitiunt iustitiam, quoniam ipsi*
D *saturabuntur* [h]. Sitientibus et esurientibus iustitiam
beatitudinem tribuit, significans extensam in Dei doctrinam sanctorum auiditatem bonis perfectae in caelo
5 satietatis expleri.

933 A　**6.** *Beati misericordes, quoniam ipsis miserebitur Deus* [i].
Misericordibus misericordiae munera praeparat. In tantum enim Deus beneuolentiae nostrae in omnes delec-
tatur adfectu, ut misericordiam suam sit misericordibus
5 praestiturus.

7. *Beati mundo corde, quoniam ipsi Deum uidebunt* [j].
Mundis corde conspectum Dei spondet — nihil enim
pollutum et sordidum ad occursum diuinae claritatis
insistit et ad conspectum Dei acies obsoletae mentis
5 hebetatur —, eos scilicet uisui et occursui Dei esse

LREP (= α) GSTM (= β)

3, 3 quod : quo G S ‖ **6,** 1 quoniam : quia β P *edd. plures* ‖ miserebitur : -retur P misericordiam praestabit β *Bad.* ‖ 4 *post* sit *add.*
solis β *edd.* ‖ 5 praestaturus L R P *edd. plures* ‖ **7,** 1 Deum ipsi
L R P *edd.* ‖ 2 spondit L R S ‖ 4 insistet α ‖ obsoletae : -litae S ob-
solet ac L　subsoleta T M ‖ mentis : eminus T M ‖ 5 *ante* uisui *add.*
et *edd.*

---

e. Matth. 5, 4
f. Cf. I Cor. 15, 40. 53

3. *Bienheureux les doux, car ils auront la terre en héritage* [e]. Aux doux il promet l'héritage de la terre, c'est-à-dire l'habitation de ce corps que le Seigneur lui-même a pris pour domicile. Parce que le Christ aura habité en nous par la douceur de notre esprit, nous serons revêtus à notre tour de l'éclat de son corps glorifié [f].

4. *Bienheureux ceux qui pleurent, car ils seront consolés* [g]. A ceux qui pleurent il promet les apaisements d'une consolation éternelle ; ce n'est pas si nous déplorons des deuils, des affronts ou des préjudices, mais c'est si nous pleurons nos péchés anciens et sommes affligés par la conscience des crimes dont nous sommes souillés, que cette consolation prévenante nous est préparée dans le ciel.

5. *Bienheureux ceux qui ont faim et soif de la justice, car ils seront rassasiés* [h]. A ceux qui ont faim et soif de la justice il accorde la béatitude, en indiquant que l'avidité des saints qui s'étend à la science de Dieu est comblée par les biens d'une satisfaction parfaite au ciel.

6. *Bienheureux les miséricordieux, car Dieu leur fera miséricorde* [i]. Aux miséricordieux il prépare les dons de la miséricorde. Dieu en effet prend tant de plaisir à nos dispositions bienveillantes à l'égard de tous qu'il accordera sa miséricorde aux miséricordieux.

7. *Bienheureux ceux qui ont le cœur pur, car ils verront Dieu* [j]. A ceux qui ont le cœur pur — car ce qui est impur et sale ne s'attache pas à la rencontre de la splendeur divine et à la vue de Dieu le regard de l'esprit souillé s'émousse [4] — il promet la vue de Dieu, c'est-à-dire la faculté de supporter la vision et la rencontre de Dieu à

g. Matth. 5, 5
h. Matth. 5, 6
i. Matth. 5, 7
j. Matth. 5, 8

---

4. Ces formules rappellent des textes célèbres de CICÉRON sur la contemplation, source de bonheur, obtenue par le « regard de l'esprit », lequel s'émousse s'il est souillé par des impuretés : *leg.*, 1, 60 ; *Tusc.*, 1, 73 ; *Hortensius*, fragm. 97 Müller.

patientes, quibus per animi nitorem ac uitae puritatem potestas sit contuendi. Non enim nisi spiritu perfecti et immortalitate immutati [k], quod solis mundis corde dispositum est, hoc quod in Deo est immortale cernemus.

B 8. *Beati pacifici, quoniam filii Dei uocabuntur* [1]. Pacificorum beatitudo adoptionis est merces, ut filii Dei maneant ; parens enim omnium Deus unus est. Neque aliter transire in nuncupationem familiae eius licebit,
5 nisi obliuione earum rerum adsumpta, quibus possimus offendi, fraterna inuicem caritatis pace uiuamus.

933 A 9. *Beati qui persecutionem patiuntur propter iusti-tiam* [m], et cetera. Perfecta ad postremum eos beatitudine muneratur, quibus omnia pro Christo pati pronus adfectus est, qui ipse iustitia est [n]. His igitur et regnum
5 reseruatur et merces in caelo copiosa promittitur [o], qui in contemptu saeculi pauperes spiritu et damnis rerum praesentium iacturisque probrosi et aduersus maledicta hominum caelestis iustitiae confessores ac deinceps gloriosi promissorum Dei martyres omnem uitae usum
10 testimonio aeternitatis eius impenderint.

10. *Vos estis sal terrae. Quod si sal infatuatum fuerit, ad nihilum ualet id quod sallietur* [p]. Sal, ut arbitror, terrae nullum est : quomodo ergo apostolos sal terrae nuncupauit ? sed proprietas est quaerenda dictorum,
5 quam et apostolorum officium et ipsius salis natura
B monstrabit. Sal est in se uno continens aquae et ignis elementum et hoc ex duobus est unum. Hic igitur in

LREP (= α) GSTM (= β)
6 patentes *Bad. Cou.* ‖ 7 contuenda G S ‖ 8 immortalitate : iam mortalitate E β *Bad.* ‖ 9 cernimus T M ‖ **8**, 5 possemus S T M *Cou.* ‖ 6 fraterna : -nae G T M *edd.* paternae S ‖ **9**, 2 cetera : reliqua β *edd.* ‖ 5 seruatur T M ‖ 7 iacturisque : iacturis T M ‖ **10**, 1 infatuatum fuerit : euanuerit α ‖ 6 sal est *om.* L R P *Bad.*

k. Cf. I Cor. 15, 51-53
l. Matth. 5, 9
m. Matth. 5, 10

ceux que l'éclat de l'âme et la pureté de la vie a rendus capables de le contempler. Car ce n'est que si nous sommes parfaits dans l'Esprit et sommes changés par l'immortalité [k], sort qui n'est destiné qu'à ceux qui ont le cœur pur, que nous verrons ce qui en Dieu est immortel.

8. *Bienheureux les pacifiques, car ils seront appelés fils de Dieu* [l]. La récompense des pacifiques est le bonheur d'une adoption qui les fait demeurer fils de Dieu. Car Dieu est l'unique père de tous et l'on ne pourra accéder au titre de membre de sa famille qu'en prenant sur nous d'oublier les motifs que nous pourrions avoir d'être offensés, pour vivre dans la paix fraternelle d'un amour mutuel.

9. *Bienheureux ceux qui souffrent persécution pour la justice* [m], etc. Pour terminer, il donne la récompense du bonheur parfait à ceux dont la volonté est disposée à tout souffrir pour le Christ, qui est la justice même [n]. C'est donc à eux que le Royaume est réservé, qu'une récompense abondante dans le ciel est promise [o], car au milieu du mépris du siècle, pauvres en esprit, déshonorés par les dommages et les pertes subis dans le monde présent, confesseurs de la justice céleste face aux injures des hommes et à la suite de cela glorieux martyrs des promesses de Dieu, ils auront entièrement consacré l'usage de la vie à attester son éternité.

10. *Vous êtes le sel de la terre. Si le sel s'est affadi, il ne sert à rien qu'on sale* [p]. Le sel, à ce que je crois, n'appartient pas à la terre. Comment donc les apôtres ont-ils été appelés sel de la terre ? Mais il faut chercher la propriété des termes, propriété que feront apparaître la fonction des apôtres et la nature du sel lui-même. Le sel est un élément qui contient réunis en lui de l'eau et du feu, et qui de ces deux substances fait une chose unique [5]. Par là,

n. Cf. I Cor. 1, 30
o. Cf. Matth. 5, 12
p. Matth. 5, 13

5. Caractéristique signalée par Plin., *nat.*, 31, 7 (39), 73.

unum usum humani generis effectus incorruptionem
corporibus quibus fuerit adspersus impertit et ad omnem
10 sensum conditi saporis aptissimus est. Apostoli autem
sunt rerum caelestium praedicatores et aeternitatis uelut
satores immortalitatem omnibus corporibus, quibus
eorum sermo adspersus fuerit, conserentes atque
(Ioannes superius testis est) sacramento aquae ignisque
935 A perfecti. Merito igitur sal terrae sunt nuncupati per
doctrinae uirtutem salliendi modo aeternitati corpora
reseruantes. Sed natura salis semper eadem est nec
immutari unquam potest. Verum quia conuersioni homo
subiacet et solus beatus qui usque in finem in omnibus
20 Dei operibus permanserit ^q, ideo eos sal terrae nuncu-
patos monet in traditae sibi potestatis uirtute persistere,
ne infatuati nihil salliant et ipsi sensu accepti saporis
amisso uiuificare corrupta non possint et proiecti de
Ecclesiae promptuariis cum his quos sallierint pedibus
25 incedentium proterantur.

11. *Vos estis lumen mundi* ^r. Natura luminis est ut
lucem quocumque circumferatur emittat illatumque
B aedibus tenebras interimat, luce dominante. Igitur mun-

LREP (= α) GSTM (= β)
8 unum : omnem β *Bad.* ‖ 9 asparsus β ‖ 13 conferentes E S *Bad.* ‖
atque : aquae S O Q   atquin L R P   et quidem E   atque ut *Gil.*[2] ‖
14 sacramenti β *Bad.* ‖ aquae : atque R   *om.* S T M ‖ 15 nuncupati
sunt *Cou.* ‖ 16 uirtutem doctrinae T M *Cou.* ‖ 17 seruantes T M ‖
natura salis : naturalis L R P ‖ 19 in[1] : ad β *edd.*

---

q. Cf. I Tim. 2, 15
r. Matth. 5, 14

---

6. Cf. encore Plin., *nat.*, 31, 9 (45), 98.
7. La formule est adaptée de *I Cor.* 15, 38 et 53.
8. Cf. *supra*, *Matth.* 3, 11, cité dans *in Matth.* 2, 4, 14. Le « mystère de l'eau » correspond à la partie de *Matth.* 3, 11 : *Baptizabit
uos in Spiritu sancto*, car par l'eau le Christ baptise dans l'Esprit,
comme l'a expliqué Tert., *bapt.*, 8, 3.

produit pour ne servir qu'à l'humanité, il communique l'incorruptibilité aux corps qui en auront été saupoudrés et il est très apte à procurer toute espèce de sensation d'assaisonnement [6]. Or les apôtres sont les prédicateurs des choses célestes et comme les semeurs d'éternité, donnant la semence d'immortalité [7] à tous les corps qui auront été saupoudrés de leur parole et — précisément Jean en a porté plus haut témoignage — devenus parfaits par le mystère de l'eau et du feu [8]. Ainsi méritent-ils d'être appelés sel de la terre, gardant, grâce à la vertu de leur enseignement, les corps pour l'éternité par une sorte de salaison. Cependant la nature du sel est toujours la même et ne peut jamais se modifier. Mais comme l'homme est soumis au changement [9] et qu'il n'est heureux que s'il a persévéré jusqu'à la fin [q] dans toutes les œuvres de Dieu, ceux qu'il a appelés sel de la terre, il les invite à demeurer dans la vertu de la puissance qu'il leur a transmise, de peur qu'en s'affadissant ils ne salent rien, que même, ayant perdu le sens de la saveur reçue, ils ne puissent faire vivre ce qui est gâté [10] et que, rejetés des resserres de l'Église [11] avec ceux qu'ils ont salés, ils ne soient foulés au pied par ceux qui y pénètrent [12].

11. *Vous êtes la lumière du monde* [r]. La nature de la lulumière est de rayonner le jour partout où elle circule et, quand elle est projetée dans une maison, de dissiper les ténèbres, puisque le jour y règne. Ainsi le monde qui se

9. *Topos* classique : cf. Cic., *nat. deor.*, 3, 30 : « Omne corpus mutabile est. »

10. *Gradatio* du type de celles de *infra* 13, 2 et 17, 8, appliquée aux Juifs.

11. Mot du psalmiste (*Ps.* 143, 13), repris *infra*, 26, 5 dans un contexte inspiré de *Matth.* 3, 12 : le bon grain est amassé dans les greniers (*horrea* ou *promptuaria*) de l'Église, qui est une maison accueillante où « le bon grain n'est pas emporté par le vent » (Cypr., *unit. eccl.*, 8-9).

12. Hilaire applique la thématique de *Rom.* 11, 22-23 concernant le Juif et le païen : le premier, s'il persévère dans l'incroyance sera retranché, tandis que le second devenu croyant sera « inséré ». Le sort des apôtres est présenté comme solidaire de celui des Juifs : sortis de la Loi (cf. *infra*, 20, 9), ils avaient vocation de les conduire à la foi (cf. *infra*, 21, 1).

dus extra cognitionem Dei positus obscurabatur igno-
5 rantiae tenebris ; cui per apostolos scientiae lumen inuehitur et cognitio Dei claret et de paruis eorum corpusculis,
quocumque incesserint, lux tenebris ministratur.

12. *Non potest ciuitas abscondi supra montem aedi-
ficata neque accendunt lucernam et ponunt eam sub modio* ^{r'},
et cetera. Ciuitatem carnem quam adsumpserat nun-
cupat, quia, ut ciuitas ex uarietate ac multitudine consis-
5 tit habitantium, ita in eo per naturam suscepti corporis
quaedam uniuersi generis humani congregatio continetur. Atque ita et ille ex nostra in se congregatione fit
C ciuitas et nos per consortium carnis suae sumus ciuitatis
habitatio. Abscondi ergo iam non potest, quia in altitu-
10 dine positus celsitudinis Dei admiratione operum suorum
et contemplandus et intelligendus omnibus efferatur.

13. Sed nec lucerna accenditur recondenda sub modio.
Quid enim fructus clauso impensam luminis continere ?
Verum Synagogam digne Dominus modio comparauit,
936 A quae susceptos fructus intra se tantum receptans cer-
5 tum modum dimensae obseruantiae continebat ; nunc
tamen fructu omni, adueniente se, uacua sit, non tamen
adhuc potens luminis occulendi. Atque ideo iam lucerna
Christi non recondenda sub modio est neque operimento
occulenda Synagogae, sed in ligni passione suspensa
10 lumen aeternum est in Ecclesia habitantibus praebitura.
Pari etiam fulgere apostolos monet lumine, ut admi-

LREP (= α) GSTM (= β)
11, 4 obscurabatur : obscure tenebatur T M ‖ 5-6 inuehitur :
inuenit L P ‖ **12,** 3 cetera : reliqua β *edd.* ‖ **13,** 2 impensa L R P ‖
6 uacuata T M ‖ 7 adhuc potens : adponens S X W Z potens
Bad. ‖ 9 occultanda β *edd.* ‖ ligno T M ‖ 10 est : et L R *om.* E P

---

r'. Matth. 5, 14-15

---

13. Pour cette définition, cf. Sen., *nat.,* 1, 15, 2 : « Ex his fulgo-
ribus... quaedam certo loco permanent et tantum lucis emittunt
ut fugent tenebras ac diem repraesentent. » Influence possible aussi
de Lvcr., 2, 147-155, où se trouve le mot *corpusculum.*

tenait en dehors de la connaissance de Dieu, était assombri par les ténèbres de l'ignorance, mais par les apôtres la lumière du savoir lui est apportée, la connaissance de Dieu luit et, des corpuscules menus de leurs personnes, partout où ils pénètrent, émane le jour procuré aux ténèbres [13].

12. *Une cité construite sur une montagne ne peut être cachée et on n'allume pas une lampe pour la mettre sous le boisseau* [r'], etc. Il appelle cité la chair qu'il avait assumée, parce que, comme une cité consiste en une variété et un grand nombre d'habitants [14], ainsi en lui, la nature du corps qu'il avait pris contient en quelque sorte le rassemblement de tout le genre humain. Et c'est ainsi que notre rassemblement en lui fait qu'il est une cité et que nous, par l'union à sa chair, nous sommes les habitants de la cité. Il ne peut donc plus être caché, car, comme il est placé sur la hauteur de l'élévation de Dieu, l'admiration suscitée par ses œuvres le présente à la contemplation et à l'intelligence de tous.

13. Mais également une lampe n'est pas allumée pour être mise sous le boisseau. Quel bénéfice y a-t-il à tenir dans un objet fermé une dépense de lumière ? Mais le boisseau a servi au Seigneur de comparaison appropriée pour la Synagogue qui, recueillant seulement par devers elle les fruits qu'elle a produits, maintenait fixe la mesure du lot d'observances. Cependant, en fait, à l'avènement du Seigneur, elle était vide de toute espèce de bénéfice, sans être encore capable de cacher la lumière. Et c'est pour cela que la lampe du Christ n'est plus à mettre sous le boisseau ni à cacher sous le couvercle de la Synagogue, mais, suspendue au bois de la Passion, elle doit offrir la lumière éternelle à ceux qui habitent dans l'Église [15]. D'une lumière semblable à leur tour les apôtres sont

---

14. Cf. Cic., *rep.*, 6, 13, 3 : « coetus hominum iure sociati quae ciuitates appellantur. »
15. L'Église-lumière est une métaphore de Cypr., *unit. eccl.*, 5. Pour l'image de la Croix mise en lumière, cf. l'exégèse de Tert., *adu. Marc.*, 3, 18, 7 : le serpent d'airain est figure de la Croix, car, pendu au bois par Moïse, il est offert en spectacle à Israël.

ratione operis eorum Deo laus impertiatur, non quod
ab hominibus oporteat gloriam quaerere, quia omnia
in honorem Dei agenda sunt, sed ut, dissimulantibus
15 licet nobis, opus nostrum his inter quos uiuemus eluceat [s].

14. *Nolite putare quoniam ueni dissoluere legem aut
prophetas : non ueni dissoluere, sed adimplere* [t]. Virtus
et potestas uerborum caelestium grandia in se momenta
complexa sunt. Lex enim operum posita est et omnia in
5 fidem eorum quae in Christo erant reuelanda [u] conclusit,
cuius et doctrina et passio grande et profundum est paternae uoluntatis arbitrium [v]. Lex autem sub uelamento
uerborum spiritalium natiuitatem Domini nostri Iesu
Christi et corporalitatem et passionem et resurrectionem
10 locuta est, atque id ita iam ante tempora saecularia in
aetatis nostrae tempus esse dispositum frequens et pro-
phetica et apostolica auctoritas est. Igitur post ieiunium
dierum quadraginta Satanas tantis suspicionibus anxius
usque ad temptandi erupit audaciam ingens in Iesu perti-
15 mescens caelestis molitionis arcanum. Iesus enim Domino
C nostro nomen ex corpore est. Itaque et corporalitas eius
et passio uoluntas Dei et salus saeculi est ; et ultra humani
sermonis eloquium est Deum ex Deo, Filium ex Patris
substantia atque intra Patris substantiam consistentem,
20 primum in hominem corporatum, dehinc morti hominis
condicione subiectum, postremo post triduum in uitam
a morte redeuntem consociatam Spiritus et substantiae
suae aeternitati materiem ad caelum adsumpti corporis
retulisse.

LREP (= α) GSTM (= β)
13 ab *om.* S β′ ‖ 13-14 *post* omnia *add.* in ordine β *edd. plures* ‖
14 sunt agenda *Cou.* ‖ 14 dissimulantius α ‖ 15 uiuimus β *Era.*
Cou. ‖ 14, 6 cuius : eius L R P ‖ 14 usque : que T *om.* T¹ M ‖
16 nostro : non L T *om.* M ‖ 22 a : ex β

s. Cf. Matth. 5, 16
t. Matth. 5, 17
u. Cf. Gal. 3, 23
v. Cf. Éphés. 1, 5

invités à briller, pour qu'admirant leurs œuvres, on en attribue à Dieu le mérite, non qu'il faille chercher la gloire auprès des hommes, car tout doit être fait en l'honneur de Dieu, mais pour que notre action, même si nous n'y faisons pas attention, brille devant ceux au milieu desquels nous vivrons [s].

14. *Ne pensez pas que je suis venu abolir la Loi et les prophètes : je ne suis pas venu les abolir, mais les accomplir* [t]. La vertu et le pouvoir des mots célestes comportent en eux une valeur sublime. Car la Loi a été établie pour les œuvres et a tout enfermé dans la foi aux révélations qui devaient avoir lieu dans le Christ [u], dont l'enseignement et la passion représentent une décision sublime et profonde de la volonté du Père [v]. Or la Loi, sous le voile des mots spirituels, a parlé de la naissance de notre Seigneur Jésus-Christ, de son incarnation, de sa passion, de sa résurrection ; et qu'ainsi, déjà avant le temps des siècles, cela a été arrêté pour l'âge que nous vivons, les prophètes et les apôtres en sont garants d'une façon répétée. Ainsi, après le jeûne de quarante jours, Satan inquiet de ce qu'il soupçonnait si bien, fit un éclat jusqu'à oser tenter Jésus, redoutant en lui le grand mystère du plan céleste. En effet, Jésus est un nom de notre Seigneur qui lui vient de la chair [16]. Ainsi son incarnation et sa passion sont la volonté de Dieu et le salut du monde, et c'est une chose qui dépasse l'expression de la parole humaine que Dieu né de Dieu, Fils dont l'être vient de la substance du Père et réside dans la substance du Père, d'abord incarné, ensuite soumis à la mort par sa condition humaine, enfin après trois jours revenant de la mort à la vie, il ait ramené au ciel la matière du corps qu'il avait pris en l'associant à l'éternité de l'Esprit et de sa substance [17].

---

16. La source de cette exégèse serait Ps. Cypr., *mont.*, 4 : « Caro dominica a Deo patre Iesu uocita est », selon W. Wille, *Studien zum Matthäuskommentar des Hilarius von Poitiers*, p. 74.

17. Cette séquence se présente comme une sorte de *regula fidei* : cf. Tert., *praescr.*, 13, 1-5 ; *adu. Prax.*, 2, 1 ; *uirg. uel.*, 1, 3. L'Ascension fait corps avec la Résurrection comme dans Tert., *apol.*, 21, 21-23.

937 A   **15.** Ne igitur aliud existimaremus in operibus suis
esse quam contineretur in lege, non soluere legem professus est, sed implere, caelum quidem et terram, maxima,
ut arbitramur, elementa esse soluenda, ceterum ne mini-
5 mum quidem posse esse de mandatis legis infectum ᵂ ;
in ipso enim lex et prophetia omnis impletur. Sub passione et iamiam spiritum traditurus magni huius in se
certus arcani, poto aceto, consummata omnia est professus ˣ ; fidem enim gestorum omnia tum prophetarum
10 dicta sumebant. Itaque ne minima quidem mandatorum Dei nisi cum piaculo Dei constituit esse soluenda ʸ,
futuros minimos, id est nouissimos ac paene nullos denun-
B tians minima soluentes. Nulla autem his minora possunt esse, quae minima sunt. Minimum autem est
15 omnium Domini passio et crucis mors ; quam si quis
tamquam erubescendam non confitebitur, erit mini-
mus, confitenti uero magnae in caelo uocationis gloriam
pollicetur.

16. *Dico autem uobis, quia nisi abundauerit iustitia
uestra plus quam scribarum et Pharisaeorum, non intra-
bitis in regno caelorum* ᶻ. Pulcherrimo ingressu opus
legis coepit excedere, ut non dissolueret eam, sed pro-
5 fectu potiore praecelleret, aditum apostolis in caelum,
nisi iustitiam Pharisaeorum aequitate anteissent, denun-
tians non futurum. Propositis igitur his quae in lege
praescripta sunt, profectu ea, non abolitione transgre-
ditur.

C   **17.** Lex uetuit occidere reatum homicidii seueritate

LREP (= α) GSTM (= β)
15, 2 *post* soluere *add.* se β *edd.* ‖ 3 maxime L *Cou.* ‖ 4-5 ne minimum : neminem β ‖ 8 poto : potu R G   potus P *Cou.* potato
E S² T¹ M ‖ 10 dicta : gesta L P ‖ 18 pollicetur : confitetur β *edd.*
plures ‖ **16,** 3 regnum R E P S T M *edd.* ‖ 5 praecederet L *Cou.*

---

w. Cf. Matth. 5, 17-18
x. Cf. Jn 19, 28-30
y. Cf. Matth. 5, 19

15. Pour qu'on ne croie pas qu'il y a dans ses actions quelque chose d'autre que ce que contenait la Loi, il a déclaré ne pas abolir la Loi, mais l'accomplir ; le ciel et la terre, éléments les plus grands, à ce que nous croyons [18], devaient être détruits, mais même le moindre des commandements de la Loi ne saurait devenir caduc, car en lui s'accomplissent toute la Loi et les prophètes [w]. Au moment de la Passion, à l'heure même où il allait remettre son Esprit, sûr du grand mystère qui était en lui, il but du vinaigre et déclara que tout était consommé [x] ; tout ce qu'avaient dit alors les prophètes obtenait la sanction des faits. Aussi établit-il qu'on ne devait violer aucun commandement de Dieu, même le plus petit [y], à moins d'être coupable envers Dieu, en signifiant à ceux qui violeraient le moindre d'entre eux, qu'ils deviendraient les moindres, c'est-à-dire les derniers qui ne seraient presque rien. Or il ne peut y avoir de choses moindres que celles qui sont les moindres [19], et la chose la moindre de toutes est la passion du Seigneur et la mort de la Croix : ainsi celui qui ne les confessera pas, comme s'il devait en rougir, sera le moindre, mais à celui qui les confessera est promise la gloire d'une grande vocation dans le ciel.

16. *Je vous le dis : Si votre justice n'est pas plus abondante que celle des scribes et des Pharisiens, vous n'entrerez pas dans le Royaume des cieux* [z]. C'est une manière magnifique d'introduire le dépassement de l'œuvre de la Loi, dépassement qui, sans la détruire, soit une supériorité qui fasse progresser en améliorant, que d'annoncer que l'accès au ciel sera donné aux apôtres, à la seule condition qu'ils surpassent les Pharisiens par l'équité. Il expose donc les prescriptions de la Loi, en les outrepassant par une progression, non par une abolition.

17. La Loi a défendu de tuer, et par un jugement

z. Matth. 5, 20

18. Cf. Lvcr. 5, 243-246 : maxima... mundi... membra...
19. Type de définition de grammairien : cf., à propos d'un cas parallèle : Nonivs, *De proprietate sermonum*, I, éd. Lindsay, p. 65 : « Inferum ab imo dictum ; unde inferi quibus inferius nihil. »

iudicii expiatura [a]. Sed male in alterum commotae mentis
adfectio idem in euangeliis habet poenae ; et ex prae-
cepto fidei non minus rea ira est sine ratione suscepta
5 quam in operibus legis homicidium. *Et qui dixerit fratri*
suo Racha, reus erit concilio [b]. Racha uacuitatis oppro-
brium est ; et qui sancto Spiritu plenum conuicio uacuitatis insimulat, fit reus concilio sanctorum contumeliam
Spiritus sancti sanctorum iudicum animaduersione lui-
10 turus. *Qui autem fatuum dixerit, reus erit gehennae ignis* [c].
Piaculi magni periculum est, quem salem Deus nuncu-
938 A pauerit, eum contumelia infatuati sensus lacessere ; et
stultorum intelligentiam sallientem stultae intelligentiae
exasperare maledicto. Istiusmodi igitur aeterni ignis erit
15 pabulum. Ita quidquid lex ne ipsis quidem operibus
damnauit, euangeliorum fides pro contumeliosa tantum uerborum facilitate condemnat.

18. Mutua igitur uniuersos caritate deuinciens nullam
impacificae orationis fieri precem patitur, sed altario
munera offerentes, si recordentur habere se cum fratribus
aliquid simultatum, reconciliatos humana pace reuerti
5 in diuinam pacem iubet in Dei caritatem de caritate
hominum transituros [d].

19. Et quia nullum tempus uacuum adfectu placa-
B bilitatis esse permittit, cito in omni uitae nostrae uiae
reconciliari nos aduersario benignitate praecepit, ne in
reditu gratiae morosi in mortis tempus non inita pace

LREP (= α) GSTM (= β)
17, 2 alterutrum R E P ‖ 8 insimulet L R G S *Bad.* ‖ 9 iudicium
S *PL* ‖ 11 nuncupauerat T M ‖ 15 *ante* ipsis *add.* in T M *Cou.* ‖
16 condemnauit S X W Z ‖ **18,** 4 simulatum L R P ‖ reconciliata
β *edd. plures*

---

a. Cf. Matth. 5, 21
b. Matth. 5, 22
c. Matth. 5, 22
d. Cf. Matth. 5, 23-24

---

20. La définition vient sans doute d'un *Onomasticon* : le *Liber*

sévère elle devait faire expier le crime d'homicide [a]. Mais, dans les Évangiles, un mauvais sentiment qui nous anime contre autrui encourt la même peine et, d'après le précepte de la foi, la colère à laquelle on se livre sans raison n'est pas moins coupable que l'homicide dans les œuvres de la Loi. *Et celui qui aura dit « Racha ! » à son frère sera justiciable du Conseil* [b]. « Racha » est une insulte adressée à l'inconsistance [20] : quand on accuse quelqu'un rempli de l'Esprit-Saint en invectivant contre son inconsistance, on se rend justiciable du conseil des saints, car on doit expier par une réprimande de juges saints l'outrage fait à l'Esprit-Saint. *Qui aura dit « Fou ! » sera passible de la géhenne du feu* [c]. C'est s'exposer à une grave impiété que de blesser celui que Dieu a appelé sel en lui disant, pour l'outrager, qu'il a perdu le sens et d'exaspérer l'intelligence qui donne du sel aux choses insensées [21] en la traitant d'intelligence insensée pour l'insulter. De cette façon donc sera alimenté le feu éternel. Ainsi tout ce que la Loi n'a pas sanctionné, lors même qu'il se serait agi d'actes, la foi des Évangiles le condamne en prenant pour seule mesure la complaisance à calomnier en paroles.

18. Liant ainsi tous les hommes par un amour mutuel, il ne supporte pas qu'on adresse une prière sans esprit de paix, mais il veut que ceux qui apportent des offrandes à l'autel, s'ils se souviennent qu'ils ont un différend avec des frères, se réconcilient par une paix humaine avant de revenir à la paix divine, pour passer de l'amour des hommes à l'amour de Dieu [d].

19. Et parce qu'il ne permet pas qu'un moment se passe sans qu'on éprouve de la clémence, il commanda de hâter sur tout le chemin de notre vie notre réconciliation bienveillante avec l'adversaire, pour éviter qu'à force de traîner pour renouer l'amitié, nous n'arrivions à l'heure

interpretationis nominum hebraicorum de Jérôme (*CC* 72, p. 138) rend *Racha* par *uanus* ; or, il existait déjà avant Jérôme une traduction latine de cet *Onomasticon* : cf. F. Wutz, *Onomastica sacra* (= *Texte und Untersuchungen*, 41), Leipzig 1914, p. 96.

21. Oxymoron inspiré par l'antithèse de *sapientia* et de *stultitia* dans *I Cor.* 1, 21.

5 ueniamus, «nosque aduersarius iudici tradat et iudex
ministro et non exeamus inde, donec reddamus nouissimum quadrantem ᵉ». In praeceptis dominicae orationis remitti nobis peccata nostra oramus exemplo et,
data aduersariis condicione ueniae, ipsius ueniam depre-
10 camur ᶠ. Haec itaque negabitur nobis, si aliis negatura
nobis, nostroque ipsi iudicio rei sumus, si in iudicii
tempus non remissis simultatibus transeamus, aduersario tradente nos iudici, quia manens in eum simultatis
nostrae ira nos arguit. Et quia caritas plurimum pecca-
C torum tegit ᵍ et errorum nostrorum ambitiosa ad Deum
patrona est, nouissimum poenae quadrantem soluemus ʰ,
nisi pretio ipsius aliquantorum criminum culpa redi-
matur. Quid autem a pluribus in hoc capite sensum sit,
non putaui esse tractandum. Hoc enim quod aduer-
20 sario reconciliari beneuolentia iubemur, ad corporis et
spiritus aduersantium sibi concordiam retulerunt, sed
nos ordinem doctrinae tenentes et opus legis euangelicis
profectibus excedentes non putauimus intelligentiae
continuationem oportere conuelli.

20. *Audistis quia dictum est : non moechaberis* ⁱ, et
cetera. Fertur suo cursu ordo praecepti et, praetermissis
D legis operibus, iam in euangeliis adulterio motus tantum
939 A oculi incidentis aequatur et cum fornicationis opere pu-
5 nitur illecebrosa uisus transcurrentis adfectio ʲ.

21. *Quod si oculus tuus dexter scandalizat te, erue et*

LREP (= α) GSTM (= β)
LREP (= α) A (ab IV, 19, 8, usque ad IV, 24, 9) GSTM (= β)
19, 6 *post* ministro *add.* et in carcerem mittamur β *edd.* ‖ 16
patrona : prona S X W Z ‖ 17 ipsi β *Bad.* ‖ 20 iubetur L R ‖ **20,** 1
post dictum est *add.* antiquis P *Cou.*

e. Cf. Matth. 5, 25-26
f. Cf. Matth. 6, 12
g. Cf. I Pierre 4, 8
h. Cf. Matth. 5, 26
i. Matth. 5, 27

de la mort sans avoir fait la paix, que «l'adversaire ne nous
livre au juge, le juge au garde, et que nous ne sortions pas
de là avant d'avoir rendu le dernier sou»[e]. Dans les ins-
tructions de la prière dominicale, il y a une règle pour
demander que nos péchés nous soient remis : nous accor-
dons à nos adversaires la stipulation d'un pardon pour
implorer le pardon stipulé[f]. Aussi nous sera-t-il refusé
si nous le refusons à d'autres, et nous tombons sous le
coup de notre propre jugement, si nous passions à l'heure
du jugement sans avoir renoncé à nos différends, l'adversaire nous livrant au juge, parce que la rancune du différend qui continue de nous opposer au premier nous accuse.
Et si le prix de la charité elle-même ne servait pas à
racheter la faute de crimes assez graves — car la charité
couvre une multitude de péchés[g] et elle est auprès de
Dieu une avocate partiale de nos erreurs —, nous paie-
rons le dernier sou de notre peine[h]. Quant à ce que plusieurs auteurs ont pensé du point traité ici[22], je n'ai pas
cru bon de l'exposer. L'invitation à une réconciliation
bienveillante avec l'adversaire, ils l'ont rapportée à la
concorde du corps et de l'esprit qui se combattent. Mais
observant l'ordre de la doctrine qui nous fait dépasser
l'œuvre de la Loi par les progrès de l'Évangile, nous avons
considéré que la continuité de l'explication ne devait
pas être brisée.

20. *Vous avez appris qu'il a été dit : Tu ne commettras
pas d'adultère*[i], etc. L'instruction dans son déroulement
est portée par son propre cours et comme les œuvres de
la Loi sont dépassées, maintenant le simple mouvement
d'un regard qu'on laisse tomber est assimilé dans les
Évangiles à un adultère et la convoitise avec laquelle
on effleure du regard est punie au titre d'un acte de
fornication[j].

21. *Si ton œil droit te scandalise, arrache-le et jette-le loin*

j. Cf. Matth. 5, 28

22. Allusion à Cypr., *domin. orat.*, 16 et peut-être Tert., *anim.*,
40, 2.

proice abs te [k], et cetera. Fit innocentiae gradus celsior
et profectum fides sumit. Carere enim non solum uitiis
propriis, sed et extrinsecus incidentibus admonemur.
5 Non enim ex causis peccantium membrorum corporis
damna praecepta sunt ; dextro enim oculo non minus
sinister erraret. Certe pes sensum concupiscentiae carens
damno inutilis est, in quem poenae causa non incidet.
Sed quia diuersa inuicem membra, corpus tamen omnes
10 unum sumus, abicere a nobis uel potius eruere propin-
B quitates carissimorum nominum admonemur, si in
illis aliquid tale cernamus, ne in consortium criminis
eorum de familiaritate ueniamus, rectius utilibus et
maxime necessariis tamquam oculi et pedis membris
15 carentes quam usque in societatem gehennae uitiosae
propinquitatis teneamur adfectu. Esset autem abscisio
membrorum utilis [1], si et cordis esse posset exsectio.
Cum enim concupiscentia efficientiae comparetur, damnum corporis otiosum est, relicto uoluntatis instinctu.

22. *Dictum est autem : quicumque dimiserit uxorem*
suam, det illi repudium [m], et cetera. Aequitatem in omnes
concilians manere eam maxime in coniugiorum pace
praecepit legi addens plura, nihil demens. Nec sane
C profectus argui potest. Nam cum lex libertatem dari repudii ex libelli auctoritate tribuisset, nunc marito fides
940 A euangelica non solum uoluntatem pacis indixit, uerum
etiam reatum coactae in adulterium uxoris imposuit, si

LREP (= α) A (ab IV, 19, 8 usque ad IV, 24, 9) GSTM (= β)
21, 2 et cetera *om.* β ‖ 3-4 propriis uitiis β *edd.* ‖ 7 sensu S T M
edd. ‖ 8 non *om.* α ‖ incedet A S ‖ 11 hominum E T M ‖ 17 possit
L β ‖ 18 compararetur A G S *Bad. Era.* ‖ **22,** 1 et cetera *om.* β ‖
3 reconcilians R E P ‖ 5 dandi β *edd.*

k. Matth. 5, 29
l. Cf. Matth. 5, 30
m. Matth. 5, 31

23. La formule s'explique par une théorie du péché qui remonte

de toi [k], etc. Un degré plus élevé de pureté se présente et la foi réalise un progrès. En effet, nous sommes engagés à éviter non seulement nos vices personnels, mais encore ceux qui nous atteignent du dehors. Car ce n'est pas parce que nos membres sont rendus responsables de péchés que sont prescrits des sévices envers nos corps : aussi bien l'œil gauche pouvait pécher autant que l'œil droit. Assurément, le pied qui n'a pas conscience de sa concupiscence subit pour rien un sévice, quand la responsabilité du châtiment ne lui incombera pas. Mais parce que, tout en étant des membres opposés entre eux, nous sommes tous un seul corps, nous sommes engagés à rejeter loin de nous ou plutôt à arracher nos liens avec les noms les plus chers, pour ne pas en venir de l'amitié à une complicité criminelle avec eux, si nous voyions en eux un danger de ce genre, car il vaudrait mieux être privés des membres utiles et les plus nécessaires, comme ceux de la vue et de la marche, que d'être liés par le sentiment d'un lien pernicieux qui aille jusqu'au partage de la géhenne. Et il ne servirait de retrancher des membres que si le cœur aussi pouvait être amputé [1]. Car si l'impulsion de la volonté demeurait, puisque la concupiscence est assimilée à une activité [23], il serait vain de sévir contre le corps.

22. *Il a été dit : Quiconque répudie sa femme doit lui signifier le divorce* [m], etc. S'il fait de l'équité une disposition valable pour tous [24], il a prescrit de l'observer surtout dans la paix entre époux, en ajoutant plusieurs choses à la Loi, sans rien lui ôter. Et l'on ne saurait incriminer un progrès. Car alors que la Loi avait accordé la faculté de signifier le divorce sous la garantie d'un billet, aujourd'hui la foi évangélique non seulement a ordonné au mari d'avoir des sentiments de paix, mais encore lui a imputé la faute d'avoir réduit sa femme à l'adultère, si, sous la contrainte de la séparation, elle

à Tertullien : cf. dans *paen.*, 3, 11 : « Quid quod uoluntas facti origo est ? »

24.*Topos* classique : cf. Cic., *parad.*, 4, 28 : « aequitatis... uincla ciuitatis. »

alii ex discessionis necessitate nubenda sit, nullam aliam
10 causam desinendi a coniugio praescribens quam quae
uirum prostitutae uxoris societate polluerit.

23. *Iterum audistis quia dictum est antiquis : Non
periurabis* [n], et cetera. Lex poenam posuerat periurio,
ut fraudulentiam mentium sacramenti religio contineret simulque plebs rudis atque insolens frequentem
5 de Deo suo mentionem haberet familiaritate iurandi.
Fides uero sacramenti consuetudinem remouet uitae
nostrae negotia in ueritate constituens et, abiecto fallendi adfectu, simplicitatem loquendi audiendique prae-
B scribens, ut quod erat esset, non esset autem quod non
10 erat, quia inter « est » et « non », patens esset autem
materia fallendi *et quod ultra est, id omne de malo est* [o].
Quod enim est, suum est ut semper sit, quod uero non
est, naturae est ut non sit. Ergo in fidei simplicitate
uiuentibus iurandi religio opus non est, cum quibus
15 semper quod est, est, quod non est, non, et per haec
eorum et opus et sermo omnis in uero est.

24. *Neque per caelum iurabis, quia sedes Dei est* [p], et
cetera. Non solum nos reddere Deo sacramenta non
patitur, quia omnis Dei ueritas dicti factique nostri
simplicitate retinenda est, sed superstitionem contumaciae
5 ueteris condemnat. His enim elementorum nominibus

LREP (= α) A (ab IV, 19, 8 usque ad IV, 24, 9) GSTM (= β)
9 *ante* nullam *add.* malitiae (-am L) L R P ‖ 11 pollueret β *edd.* ‖
23, 2 cetera : reliqua β ‖ 3 mentientium T[1] *Cou.* ‖ 7 et *om. PL* ‖ 9
autem : uero β *edd.* ‖ 12 uero : enim L R ‖ 13 fidei *om. PL* ‖ 14
iurandi religio : i. religione A G S *edd.* iurandum de religione
T M ‖ 15 est[3] *om.* β *edd.* ‖ 16 et opus *om.* A S ‖ **24,** 2 reddere nos
R A G S *Bad.* ‖ Deus A S

n. Matth. 5, 33
o. Cf. Matth. 5, 37
p. Matth. 5, 34

25. Sur ce texte, cf. H. Crouzel, *L'Église primitive face au
divorce* (*Théologie historique*, 13), Paris 1971, p. 255, critiqué par

devrait en épouser un autre, en ne faisant qu'une exception justifiant l'abandon du lien conjugal : la souillure
que provoquerait chez le mari l'union avec une épouse
prostituée [25].

23. *Derechef, vous avez appris qu'il a été dit aux anciens :
Tu ne te parjureras pas* [n], etc. La Loi avait en effet infligé
une peine au parjure, pour que la fourberie des intelligences fût retenue par le respect du serment et qu'en
même temps le peuple grossier et effronté fît fréquemment mention du nom de son Dieu dans sa manière habituelle de jurer. Mais la foi ôte l'habitude du serment,
en établissant dans la vérité les activités de notre vie et
en prescrivant une manière franche de parler et d'écouter, d'où est rejeté le penchant à la tromperie, en sorte
que ce qui est soit et que ce qui n'est pas ne soit pas, parce
que entre être et n'être pas il y a une matière qui donne
prise au mensonge et que *ce qui est en plus, vient tout
entier du Malin* [o]. Ce qui est a la propriété d'être toujours ;
ce qui n'est pas a pour nature de ne pas être. Ainsi ceux
qui vivent dans la simplicité de la foi n'ont pas besoin
du lien du serment, car avec eux ce qui est est toujours [26],
ce qui n'est pas n'est pas ; grâce à quoi, leur action et leur
parole sont toutes dans la vérité.

24. *Et tu ne jureras pas par le ciel, parce que c'est le
trône de Dieu* [p], etc. Non seulement il ne supporte pas que
nous nous acquittions de serments envers Dieu, parce
que toute la vérité de Dieu doit être gardée au moyen de
la simplicité de notre parole et de notre conduite, mais il
condamne la superstition d'une insolence ancienne. Les
Juifs en effet se faisaient un scrupule de jurer par ces noms

P. Nautin, « Divorce et remariage dans la tradition latine », p. 21-
22, auquel a répondu H. Crouzel, « Le remariage après séparation
pour adultère selon les Pères latins », dans *BLE*, 75 (1974), p. 189-
204. On notera, dans ce texte, que l'expression *desino* (*a coniugio*)
n'a pas la valeur juridique dont P. Nautin tire argument : elle
n'apparaît dans aucun texte de jurisconsulte ou de code. Les
termes juridiques sont *dissoluo* ou *dirimo matrimonium* (cf. Marcell., *dig.*, 24, 3, 38 ; Vlp., *dig.*, 24, 2, 11).
    26. Rapprocher la définition de l'être de Dieu dans Tert., *adu.
Herm.*, 12, 4 : « ne pouvoir être autre chose que ce qu'il est toujours ».

C Iudaeis erat religio iurare caeli et terrae, Hierusalem
et capitis sui, quibus in contumeliam Dei sacra-
941 A mento uenerationem deferebant. Quid enim momenti
erat iurare per caelum Dei sedem, iurare per terram sca-
10 bellum pedum eius, iurare per Hierusalem urbem q
breui ob insolentiam et peccata inhabitantium destruen-
dam, cum praesertim in praeformationem Ecclesiae, id
est corporis Christi r, quae magni regis est ciuitas, esset
constituta ? Per caput autem iurare cur uellent ? Num-
15 quid uel capilli unius mutandi facultas esse poterat
iuranti, cum omnibus colorem natura a Deo profecta
suggereret s ? Atque ita haec sacramentorum pignora
plena apud eos piaculi fuisse demonstrat, cum, ignorato aut neglecto opifice suo, religionem operibus imper-
20 tirentur t.

25. *Audistis quia dictum est : Oculum pro oculo, dentem pro dente* u, et cetera. Extensam fidei nostrae in aeter-
B num spem rebus ipsis Dominus uult probari, ut ipsa
dissimulandae iniuriae tolerantia testis iudicii sit futuri.
5 Lex infidelem Israel intra metum metu continebat et
iniuriae uoluntatem iniuriae uicissitudine coercebat.
Fides autem nullius tam grauem dolorem esse patitur
iniuriae, ut ultionem expetat et illatae sibi quisquam
uindex sit contumeliae, quia in iudicio Dei et perpessis
10 iniuriam plus est consolationis et poena seuerior iniu-
riosis. Atque ita non solum ab iniquitatibus nos abesse
euangelia praecipiunt, uerum etiam ulciscendae iniuriae

LREP (= α) A (ab IV, 19, 8 usque ad IV, 24, 9) GSTM (= β)
LREP (= α) GSTM (= β)
6 *post* iurare *add.* et β *edd.* ‖ Hierusalem : et Hierusalem
T M *Cou.* Hierusales L R P ‖ 7 *ante* et *add.* sed T M *Cou.* ‖ 7-8
sacramenti T M ‖ 15 poterit T M ‖ 17 suggerat (-tur T) T M ‖ 19
suo *om.* β *edd. plures* ‖ religione L R P ‖ 25, 2 cetera : reliqua β
edd. ‖ 5 metu *om.* β *edd.*

q. Cf. Matth. 5, 35-36
r. Cf. Col. 1, 18 ; 1, 24

fondamentaux de ciel et de terre, de Jérusalem et de sa propre tête, auxquels ils témoignaient de la vénération par un serment qui était un outrage à Dieu. Quelle efficacité y avait-il à jurer par le ciel, trône de Dieu, à jurer par la terre, escabeau de ses pieds, à jurer par Jérusalem [q], une ville qui ne devait pas tarder à être détruite à cause de l'arrogance et des péchés de ses habitants, étant donné surtout qu'elle avait été établie pour être la préfigure de l'Église, c'est-à-dire du corps du Christ [r], qui est la cité du grand roi ? Et comment vouloir jurer par sa tête ? Est-ce qu'en jurant l'on pouvait changer ne serait-ce qu'un seul de nos cheveux, quand la nature qui vient de Dieu, leur prodiguait à tous leur couleur [s] [27] ? Et ainsi il montre que de tels gages de serment étaient chez eux pleins d'impiété, puisqu'ils vouaient un culte aux œuvres, cependant qu'ils ignoraient ou négligeaient leur créateur [t].

25. *Vous avez appris qu'il a été dit : Œil pour œil, dent pour dent* [u], etc. Le Seigneur veut que l'espérance de notre foi qui tend à l'éternité soit éprouvée par les faits eux-mêmes, en sorte que la patience employée à oublier les injustices porte en elle-même témoignage pour le jugement futur. La Loi usait de la crainte pour maintenir Israël infidèle dans la crainte et réprimait l'inclination à l'injustice par une revanche de l'injustice. Mais la foi ne supporte pas que le ressentiment d'une injustice soit assez grave pour que l'on en demande vengeance et que l'on soit le vengeur de l'affront reçu, parce qu'il y a dans le jugement de Dieu plus de consolation pour ceux qui ont enduré l'injustice et plus de rigueur pour punir ceux qui l'ont commise. Ainsi les Évangiles nous prescrivent non seulement de nous abstenir des iniquités,

s. Cf. Matth. 5, 36
t. Cf. Rom. 1, 25
u. Matth. 5, 38

---

27. Souvenir du thème de diatribe exploité par Tert., *cult. fem.*, 1, 8, 2 sur la couleur qui ne vient pas de la nature, œuvre de Dieu.

exigunt dissimulationem. Nam accepta alapa maxillam
alteram iubemur offerre et mille passibus onus uehentes
15 progredi in spatium passuum ᵛ duum millium iniuriae
C augmento profectum ultionis habituri, ipso uirtutum
caelestium Domino ad incrementum gloriae et maxillas
palmis et flagris scapulas offerente.

26. Non solum autem iudicii humani refugienda esse
arbitria praecipit, uerum etiam cum damni uoluntate
uitanda, ut tunicam nobis uolenti iudicio eruere remit-
tamus et pallium ᵂ et per spem bonorum futurorum
5 saecularem supellectilem contemnentes inanem gentium
cupiditatem et uanitatem infructuosae auaritiae argua-
mus. Omnibus etiam dari quae poposcerint iubet et a
precibus uolentium mutuari os atque animum non
referre ˣ, ut his, quibus indigent, per nostram munificen-
10 tiam expleantur et eorum uel sitim potu uel famem
D cibo uel nuditatem uestitu indulto arceamus ʸ ac sic
bonorum eorum, quibus a Deo indigemus, digni reperia-
mur, cum obtinendi meritum indulgendi consuetudo
conciliet. In officio quoque dispendendae eius quam
942 A accepimus gratiae pronos esse oportere demonstrat, ut
boni gratuiti sit dispensatio gratuita et mutuari uolen-
tibus non negemus quod mutuamur a Deo semper sine
habendi damno impertiendi ministerio functuri.

27. *Audistis quia dictum est : Diliges proximum tuum
et odies inimicum tuum* ᶻ, et cetera. Conclusit omnia
bonitate perfecta. Amari enim lex proximum exigebat
et in inimicum licentiam odii dabat. Diligi uero ini-

LREP (= α) GSTM (= β)
14 passus β *Bad. Cou.* ‖ 18 offerente : -tem L R　efferente G ‖
26, 2 praecepit G S ‖ 3 exuere *edd.* ‖ mittamus β *Bad.* ‖ 4 bonorum :
bonam β *edd. plures* ‖ 14 dispensandae α *Gil.²* ‖ **27,** 2 odibis R ‖
cetera : reliqua β *edd.* ‖ 4 in *om.* R P G S

v. Cf. Matth. 5, 39. 41
w. Cf. Matth. 5, 40
x. Cf. Matth. 5, 42

mais requièrent encore l'oubli de l'injustice à venger.
Nous avons ordre, en effet, recevant un soufflet, de tendre
l'autre joue, et transportant un fardeau pour mille pas,
d'en parcourir deux mille plus avant ᵛ, afin qu'en aug-
mentant le tort subi nous marquions un avantage sur la
vengeance, le Seigneur des vertus célestes présentant de
lui-même, pour augmenter sa gloire, ses joues aux poings
et ses épaules aux fouets.

26. Il prescrit qu'il faut non seulement rompre avec
les arrêts du jugement humain, mais même les éviter en
aspirant aux préjudices, en sorte que, si l'on nous fait
un procès pour nous arracher notre tunique, nous aban-
donnions aussi notre manteau ʷ et qu'en méprisant le
bagage du siècle dans l'espoir des biens à venir, nous
dénoncions le néant de la cupidité des païens et la vanité
de leur convoitise stérile. Il ordonne en outre de donner
à tous ce qu'ils réclament et de ne soustraire ni notre
visage ni notre cœur aux prières de ceux qui veulent nous
emprunter ˣ, en sorte que ceux qui sont dans le besoin
soient rassasiés par notre générosité, que nous écartions
d'eux la soif en leur donnant à boire, la faim en les nour-
rissant, la nudité en leur donnant un vêtement ʸ, et
qu'ainsi nous soyons trouvés dignes des biens que nous
avons besoin d'obtenir de Dieu, car la pratique de la générosité procure le droit de posséder. Il indique en outre la
nécessité d'être spontané dans la charge de dispenser la
faveur que nous avons reçue, en sorte que la dispensation
d'un bien gratuit soit gratuite et qu'à ceux qui veulent
nous emprunter nous ne refusions pas ce que nous emprun-
tons à Dieu, de façon à toujours nous acquitter de la
charge de distribuer sans que la possession nous soit
préjudiciable.

27. *Vous avez appris qu'il a été dit : Tu aimeras ton
prochain et tu haïras ton ennemi* ᶻ, etc. Il a tout enfermé
dans la perfection de la bonté. La Loi, en effet, exigeait
l'amour du prochain et laissait la liberté de haïr l'ennemi.

y. Cf. Matth. 25, 35-36
z. Matth. 5, 43

5 micos fides praecipit ᵃ et petulantes humanarum men
tium motus publicae caritatis frangit adfectu, non
solum iram ab ultione depellens, sed etiam in amorem
mitigans iniuriosi, quia gentium sit amantes amare et
commune sit diligere diligentes ᵇ. Vocat igitur nos in
B Dei ut hereditatem, ita et imitationem bonis et iniustis
Christi sui aduentu in baptismi et Spiritus sacramentis
et solem tribuentis et pluuiam ᶜ. Ita nos ad perfectam
uitam per hanc publicae bonitatis concordiam, quia
nobis in caelo perfectus pater sit imitandus, instituit.

28. *Adtendite iustitiam uestram ne faciatis coram homi-*
nibus ᵈ, et cetera. Omnem curam rerum praesentium
amouet et adtonitos tantum esse in spem futuri iubet
neque sectari uel hominum fauorem ostentatione boni-
5 tatis ᵉ uel iactantiam religionis orationis publicae copia ᶠ,
sed intra conscientiam fidei fructum boni operis continendum, quia humanae laudis consectatio eam tantum
quam ab hominibus exspectet mercedem sit receptura,
C ceterum promerendi Dei exspectatio praemium sit longae
10 patientiae consecutura. Sinistra quoque manus ut ignoret
opus dexterae. Sed numquid istud natura corporis sinit ?
aut intelligentiae sensum manuum ministeria sortiuntur ?
Verum ut in Dei scientia opera nostra consistant, cum

LREP (= α) GSTM (= β)
LREP (= α) A (ab IV, 28, 12 usque ad V, 11, 1) GSTM (= β)
5 fides : Deus α ‖ 11 sacramentis : -ti G -to T M *edd. plures* ‖
14 pater sit perfectus *Cou.* ‖ **28,** 2, cetera : reliqua β ‖ 3 adtonitos :
attentos *edd.* ‖ 8 exspectet : -petet L R -petit P *Cou.* ‖ 11 sinet
G T M *Bad. Era.*

a. Cf. Matth. 5, 44
b. Cf. Matth. 5, 46
c. Cf. Matth. 5, 45
d. Matth. 6, 1
e. Cf. Matth. 6, 2
f. Cf. Matth. 6, 5

28. Sont appliqués ici à la foi les effets que TERT., *patient.*, **6,** 5
attribuait à la patience, qui « a composé la grâce de la foi ».

La foi prescrit d'aimer ses ennemis [a] et par le sentiment
universel de la charité elle brise les mouvements de
violence dans l'esprit de l'homme, non seulement en
empêchant la colère de se venger, mais encore en l'apaisant
jusqu'à nous faire aimer celui qui a tort [28], puisque aimer
ceux qui vous aiment appartient aux païens [b] et que c'est
une chose banale d'avoir de l'affection pour ceux qui vous
en donnent. Il nous appelle donc d'une part à l'héritage
de Dieu, d'autre part aussi à l'imitation de Celui qui
accorde aux bons comme aux coupables, par l'avènement de son Christ, le soleil et la pluie [c] dans les sacre-
ments du Baptême et de l'Esprit [29]. Ainsi il nous forme
à la vie parfaite par ce lien d'une bonté envers tous, pour
la raison que nous avons dans le ciel à imiter un Père qui
est parfait.

28. *Prenez garde de ne pas accomplir votre justice sous
le regard des hommes* etc. [d]. Il écarte tout souci des choses
présentes et nous ordonne d'être tendus seulement vers
l'espoir de l'avenir, de ne pas chercher ou à avoir la
faveur des hommes par un étalage de bonté [e] ou à vanter
notre religion par une profusion de prières en public [f],
mais de garder à l'intérieur de la conscience de la foi le
fruit d'une bonne action, parce que la recherche de la
gloire humaine ne recueillera d'autre récompense que
celle qu'elle attend des hommes, alors que l'attente de
Dieu pour le mériter obtiendra la récompense d'une
longue patience. Il y a aussi que la main gauche ignore
l'action de la main droite. Or la nature de notre corps
le permet-elle ? et les fonctions des mains trouvent-elles
une conscience intelligente ? Mais c'est pour que nos
actions fassent fond sur la connaissance qu'en a Dieu,
tandis que, dans ce que nous faisons, est exclue, sous le

---

29. Aucune indication d'ordre liturgique ne peut être tirée du
pluriel *sacramentis*, dont la raison d'être est d'exprimer la dualité
soleil-pluie ; de la même façon, le singulier *sacramento* (*supra* 4, 10,
14) s'expliquait par la nécessité de souligner l'unité des éléments
dans le sel. Dans un texte postérieur (*in psalm*. 118, 3, 5), Hilaire
établira une distinction entre le baptême et une étape plus avancée
dans la perfection, la réception de l'Esprit.

sub nuncupatione membrorum [g] in his quae geramus
15 eorum quae nostra sunt atque nobiscum sunt conscientia
arceatur.

5

D   1. Clauso quoque cubiculi ostio iubemur orare [a] atque
in omni loco precem fundere edocemur, et sanctorum
oratio inter feras, carceres, flammas et de profundo maris
343 A ac bestiae uentre suscepta est. Ergo non occulta domus,
5 sed cordis nostri cubiculum ingredi et clauso mentis nostrae secreto orare ad Deum non multiloquio, sed conscientia admonemur, quia dictorum uerbis opus omne
praecellat. De orationis autem sacramento necessitate
nos commentandi Cyprianus uir sanctae memoriae libe-
10 rauit. Quamquam et Tertullianus hinc uolumen aptissi-
mum scripserit, sed consequens error hominis detraxit
scriptis probabilibus auctoritatem.
    2. *Cum autem ieiunatis, nolite fieri sicut hypocritae*
tristes : exterminant enim facies suas, ut pareant hominibus
ieiunantes [b]. Ieiuniorum profectum docet extra iactantiam confecti corporis esse oportere neque de iniuriae
B ostentatione fauorem gentium consectandum, sed omne
ieiunium in sanctae operationis decore ponendum. Oleum
enim fructum misericordiae esse caelestis et prophe-

LREP (= α) A (ab IV, 28, 12 usque ad V, 11, 1) GSTM (= β)
V clauso *scripsi* : clauso T M   cluso A G S   CANON (CAPVT
Cou.) V clauso *edd.* ‖ 1, 1 atquin L R P ‖ 8 praecellat : p. V (VI P)
L R P T M ‖ 9 commendandi L A S ‖ 2, 3 *post* ieiunantes *add.* et
cetera L R T M *edd.*

---

g. Cf. Matth. 6, 3
a. Cf. Matth. 6, 6
b. Matth. 6, 16

---

1. L'énumération des supplices des martyrs, désignés par « saints »
(cf. H. DELEHAYE, *Sanctus* [*Subsidia hagiographica*, 17], Bruxelles

nom de membres [g], la conscience de ce que nous avons à nous et avec nous.

Chapitre 5

1. C'est dans une chambre fermée même que nous avons ordre de prier [a], et pourtant nous sommes instruits à répandre en tout lieu notre prière et les saints ont entrepris de prier au milieu des bêtes, des cachots, des flammes, des profondeurs de la mer et du ventre du monstre [1]. Ainsi, nous sommes engagés à entrer non dans les parties cachées d'une maison, mais dans la chambre de notre cœur et à prier Dieu dans le secret fermé de notre esprit non avec beaucoup de paroles, mais avec la conscience de notre conduite, parce que toute espèce d'action vaut mieux que les mots que nous disons. Sur la doctrine sacrée de la prière, Cyprien, homme de sainte mémoire, nous a dispensés de l'obligation de faire un commentaire. Bien que Tertullien, de la manière la plus compétente, ait écrit à ce sujet aussi un volume, l'hérésie ultérieure de l'homme a ôté à ses ouvrages recommandables leur autorité [2].

2. *Quand vous jeûnez, ne devenez pas tristes comme les hypocrites : ils creusent leur visage pour paraître jeûner devant les hommes* [b]. Il nous apprend que le profit du jeûne doit exclure l'orgueil d'avoir un corps exténué et qu'il faut non pas chercher la faveur des païens dans l'étalage de mauvais traitements, mais faire de chaque jeûne le beau décor d'une action sainte [3]. Car l'huile est le fruit de la miséricorde selon le mot céleste du pro-

---

1927, p. 50-51) se clôt par une allusion au supplice de Jonas. Même rapprochement du monstre de Jonas et des persécuteurs dans TERT., *resurr.*, 32, 3-4 ; cf. Y.-M. DUVAL, *Le Livre de Jonas dans la littérature chrétienne grecque et latine*, 1, p. 166.

2. Sur ce jugement cf. notre *Hilaire de Poitiers...*, p. 211-223.

3. Nos jeûnes n'ont d'efficacité que s'ils sont accompagnés d'aumônes, enseigne CYPR., *eleem.*, 5.

ticus sermo est [c]. Ergo bonitatis operibus caput nostrum,
id est uitae nostrae sensus, ornandus est, quia intelli-
10 gentia omnis in capite est sordesque in facie abluendae,
ne quid sit horroris ex uitiis, sed magis gratia candoris
sit in occursu atque ita nos in splendorem bonae conscientiae elutos et in gratiam misericordis operis deli-
butos Deo ieiunia nostra commendent. Ceterum fugientes
15 in ieiuniis hominum conscientiam unctis capitibus et ridi-
culi magis erimus et cogniti.

3. *Nolite thesaurizare uobis thesauros in terra* [d], et cetera.
C Praetermissa igitur humanae gloriae et opulentiae sollicitudine, omnem placendi Deo curam sumi oportere
demonstrat, quia humanam laudem uel corporum uitia
5 uel obtrectatio inuidentium corrumpat et hic thesaurus pecuniae aut detrimento sit periculosus aut furto.
Ceterum laus caelestis aeterna est nec subrepentis furto
subtrahenda nec tinea aut rubigine inuidiae exedenda [e],
corde nostro sedem thesauri utram sit secutus habituro [f]
10 et intelligentiae nostrae lumine aut cum pecunia damnosa futuro aut cum Deo sempiterno.

944 A 4. *Lucerna corporis tui est oculus tuus* [g]. Continens
sensus est. De oculi enim officio lumen cordis expressit.
Quod si simplex et lucidum manebit, claritatem aeterni
luminis corpori tribuet et splendorem originis suae corrup-
5 tioni carnis infundet. Si autem obscurum peccatis et
uoluntate erit nequam, uitiis mentis natura corporis
subiacebit. Et si lumen quod in nobis est tenebrosum sit [h],

LREP (= α) A (ab IV, 28, 12 usque ad V, 11, 1) GTSM (= β)
9-10 intelligentiae A G S ‖ 3, 1 cetera : reliqua β *edd.* ‖ 9 secutum
T M *Cou.* ‖ 10 damnosa : -so L R β -se S² ‖ 4, 2 *post* enim *add.*
luminis S T M *Cou.*

c. Cf. Ps. 44, 8
d. Matth. 6, 19
e. Cf. Matth. 6, 20
f. Cf. Matth. 6, 21
g. Matth. 6, 22

phète ᶜ. Ainsi notre tête, c'est-à-dire la conscience de notre vie, doit être ornée des œuvres de bonté, parce que toute intelligence est dans la tête et que les impuretés doivent être lavées sur le visage, pour que nous ne fassions pas horreur par nos vices, mais pour que dans notre abord il y ait plutôt l'agrément de l'innocence et qu'ainsi nettoyés pour faire resplendir notre conscience droite et oints pour rendre agréable notre œuvre de miséricorde, nous soyons recommandés à Dieu par nos jeûnes. D'ailleurs, dans les jeûnes, en évitant le soupçon des hommes par nos têtes parfumées, nous serons plus plaisants et mieux appréciés ⁴.

3. *Ne vous amassez pas de trésors sur la terre* ᵈ, etc. Négligeant le souci de la gloire et de la richesse humaines, il montre que tout notre soin doit être employé à plaire à Dieu, parce que la gloire humaine est gâtée par les vices du corps ou la haine des envieux et qu'un trésor d'argent court ici-bas le risque d'être endommagé ou dérobé. Mais la gloire céleste est éternelle et ne doit pas être soustraite par un vol furtif ou dévorée par la teigne ou la rouille de l'envie ᵉ, le siège de notre cœur devant être l'un ou l'autre des deux emplacements recherchés pour son trésor et la lumière de notre intelligence devant être soit avec l'argent cause de ruine, soit avec Dieu éternel.

4. *La lumière de ton corps est ton œil* ᵍ. Le sens se suit. C'est d'après la fonction de l'œil qu'il a représenté la lumière du cœur. Si elle reste simple et claire, elle procurera au corps la clarté de la lumière éternelle et répandra l'éclat de sa source sur la corruption de la chair. Si elle est obscurcie par des péchés et pervertie par la volonté, la nature du corps sera assujettie aux vices de l'âme. Et si la lumière qui est en nous était ténèbres ʰ, que doivent

h. Cf. Matth. 6, 23

4. Ces traits correspondent à ceux que Tᴇʀᴛ., *ieiun.*, 9, 2-3, note chez Daniel et ses compagnons : ils étaient « plus beaux » (*formosiores*), et Dieu les a reconnus ; cf. la citation de *Dan.* 10, 12 : *exauditum est uerbum tuum.*

quantas necesse est ipsarum tenebras esse tenebrarum,
quia iam periculose soleat animi generositati terrenae
10 carnis uitiosa origo dominari longeque magis peccata
corporum ingrauescere, si etiam cupiditatibus adiuuen-
tur animorum, ex eoque fieri praeter naturam suam
B corpora nostra tenebrosa, si in illis mentium lumen
exstinctum sit ; quod si per simplicitatem spiritus reti-
15 nuerimus, lumine suo necesse est et corpus illuminet.

5. *Nemo potest duobus dominis seruire*[i]. Duorum dominorum infidele seruitium est nec par eiusdem potest
esse ad saeculum atque ad Deum cura. In alterum
necesse est odium sit, in alterum amor, quia idem opus
5 diuersae dominorum non conueniat uoluntati nec pauperes spiritu Deo placentes ambitiosae saeculi huius
possint apti esse iactantiae.

6. *Ideo dico uobis : Ne cogitetis in corde uestro quid
manducetis neque corpori uestro quid uestiatis. Nonne*
C *anima uestra pluris est quam esca et corpus pluris est quam
uestimentum* [j] ? Contemptum saeculi et fiduciam futu-
5 rorum toto superiore sermone praeceperat. Nam cum ad
iniuriam pronos iubet esse et ad damnum uoluntarios et
ad ultionem negligentes et ad diligendum promiscuos
et ad humanam gloriam incuriosos, confirmari nos in
spem bonorum aeternorum laborat. Plures enim et amor
10 praesentium et desperatio futurorum incertos facit et
aut illecebris capit aut infidelitate confundit. Ergo
regnum caelorum, quod prophetae nuntiauerunt, Ioannes
945 A praedicauit, Dominus noster in se esse positum est professus, uult sine aliqua incertae uoluntatis ambiguitate
15 sperari ; alioquin iustificatio ex fide nulla est, si fides

LREP (= α) A (ab IV, 28, 12 usque ad V, 11, 1) GSTM (= β)
9 solet β *Bad.* ‖ 13 illius L A S ‖ 5, 1 *post* seruire *add.* et cetera
L R A G S ‖ duum L A G S *edd.* ‖ 6, 3 plus (*bis*) A S T M ‖ 13-14
professus est A S

i. Matth. 6, 24
j. Matth. 6, 25

être les ténèbres des ténèbres elles-mêmes, parce que
déjà l'origine perverse de la chair terrestre exerce sur la
noblesse de l'âme une domination dangereuse et que les
péchés du corps deviennent beaucoup plus lourds, s'ils
sont encore soutenus par les passions de l'âme ? C'est ce
qui fait nécessairement que nos corps deviennent téné-
breux au-delà de ce que comporte leur nature, si la
lumière de la pensée s'est éteinte en eux. Mais si nous
l'avons conservée par la simplicité de l'esprit, sa lumière
ne peut qu'illuminer aussi le corps [5].

5. *Nul ne peut servir deux maîtres* [1]. La soumission à
deux maîtres est déloyale et le même homme ne peut
avoir un souci égal pour le siècle et pour Dieu. Il faut
qu'il ait de la haine pour l'un et de l'amour pour l'autre,
parce que les mêmes œuvres ne sauraient convenir à des
maîtres aux volontés divergentes et que les pauvres en
esprit, agréables à Dieu, ne sauraient s'adapter à l'osten-
tation ambitieuse de ce monde.

6. *Voilà pourquoi je vous dis : ne songez pas dans votre
cœur à ce que vous mangerez, ni pour votre corps à ce que
vous lui donnerez comme vêtement. Votre vie ne vaut-elle
pas plus que la nourriture et le corps plus que le vêtement* [1] ?
Dans tout le développement précédent il avait prescrit
le mépris du siècle et la confiance dans l'avenir. Quand il
nous ordonne en effet d'être prêts à l'injustice, volon-
taires pour perdre, négligents pour nous venger, sans
préférence pour aimer, sans souci pour la gloire humaine,
il se préoccupe de nous encourager à l'espérance des biens à
venir. L'amour des biens présents et le manque d'espérance
au sujet des biens à venir font que beaucoup d'hommes
sont incertains et séduits par des satisfactions ou troublés par l'incroyance. Donc le Royaume des cieux, que
les prophètes ont annoncé, que Jean a prêché, dont
notre Seigneur a déclaré qu'il était en lui, ne veut pas
être attendu dans l'équivoque d'une volonté incertaine,
sans quoi, si la foi devenait elle-même équivoque, il ne

5. Le péché, comme la pureté de la volonté, « se communiquent »
au corps d'après Tert., *bapt.*, 4, 5.

ipsa fiat ambigua. Igitur curam nullam esse uestitus et
cibi praecipit dicens et escis animam et cibo corpus esse
pretiosius.

7. Et quidem pulchrum est praesentium rerum contemptu curam tantum diuinis rebus impendere, sed
altius sermo descendit et in caelestis dicti intelligentiam
uerbis subiecta ratio extenditur. Thesaurum Dominus
5 condi iussit in caelo et ex oculi lumine corpori quoque
splendorem spopondit et dominis duobus neminem
placere posse testatus est et post haec ait : *Ideo dico
uobis, ne cogitetis in corde uestro quid manducetis neque
B corpori uestro, quid induatis* ʲ′. Quae consequuntur non
10 satis propositionibus congruunt. Numquid et unius
domini seruus non possit circa uestem esse cibumque
sollicitus ? Numquid per aduersam ualetudinem hebe-
tato oculi lumine obscurabitur corpus ? aut quod corporis lumen esse possit ex oculo ? Numquid thesauri-
15 zare in caelis sola nuditas ac fames poterit ?

946 A 8. Sed quia corruptus circa futurorum curam infidelium sensus est calumniantium quae in resurrectione corporum species sit futura, quae in substantia aeternitatis alimonia et cum ex difficultatibus quaestionum
5 inutilium quaedam utendarum praesentium uoluptatum
ratio quaesita est, inutili metu circa Dei reuerentiam
demorantes in saeculi gaudia transeunt atque ita est ut
duobus dominis unius infidele seruitium sit. Igitur ex
summo pietatis adfectu grauissimo diffidentiae periculo
10 ante praedicto ita admonet : *Nonne anima pluris est*

LREP (= α) A (ab IV, 28, 12 usque ad V, 11, 1) GSTM (= β)
7, 15 ac : aut T M *Cou.* ‖ 8, 3 substantiam L R P *Cou.* ‖ 4 ali-
moniae L R P ‖ 6 est : sit L R P ‖ 10 plus AS

ʲ′. Matth. 6, 25

6. Les mêmes questions sont évoquées *infra*, 23, 4 (cf. n. 16). Sur
l'inutilité de ces « questions », cf. Tert., *praescr.*, 9, 4.

saurait y avoir de justification par la foi. Le Seigneur prescrit donc de n'avoir aucun souci du vêtement ou de la nourriture, en disant que l'âme est plus précieuse que les aliments et le corps que la nourriture.

7. Et il est assurément beau que le mépris des choses présentes nous porte à appliquer nos soins exclusivement aux choses divines, mais le propos va plus en profondeur et une raison sous-jacente aux mots atteint à l'intelligence de la phrase céleste. Le Seigneur a invité à déposer au ciel un trésor, il a promis la splendeur venant de la lumière de l'œil pour le corps aussi, et il a affirmé que nul ne pouvait plaire à deux maîtres. Après cela, il a dit : *Aussi je vous le dis, ne songez pas dans votre cœur à ce que vous mangerez, ni pour votre corps à ce que vous lui donnerez comme vêtement* ⁵'. Aux thèses proposées ne s'accordent pas très bien les conséquences. Est-ce que le serviteur même d'un seul maître ne pourrait pas être inquiet du vêtement et de la nourriture ? Est-ce parce qu'on se porte mal, l'éclat de l'œil s'émoussant, que le corps sera obscurci ? Et le corps pourrait-il posséder une lumière venant de l'œil ? Est-ce que seules la nudité et la faim pourront amasser des trésors aux cieux ?

8. Mais parce que l'opinion de ceux qui manquent de foi au sujet du souci des biens à venir est faussée par leurs chicanes sur la question de l'aspect des corps à la Résurrection et celle de leur nourriture dans leur substance d'éternité et, comme ils ont cherché dans les difficultés de questions inutiles ⁶ une raison à l'usage des plaisirs du temps présent, tout en restant dans une crainte stérile relative au respect dû à Dieu, ils passent du côté des joies du siècle ⁷. Et c'est ainsi que deux maîtres ont une domesticité qui est infidèle à l'un d'eux. Aussi, mû par un intense sentiment d'affection, il leur annonce le très grave danger de l'incroyance ⁸ et leur fait cette remontrance : *L'âme ne vaut-elle pas plus que la nourriture et le*

---

7. Cf. *I Cor.* 15, 32 : « Si les morts ne ressuscitent pas, mangeons et buvons. »

8. Tert., *resurr.*, 2, 2 explique que les doutes des « nouveaux Sadducéens » s'expliquent par un refus de croire à l'Incarnation.

quam esca et corpus pluris est quam uestimentum **k** ? In
dictis Dei ueritas est et rerum creandarum efficientia
omnis in uerbo est. Ita nec quod spopondit ambiguum
B est nec inefficax quod locutus est. Nihil est quod non in
15 substantia sua et creatione corporeum sit et omnium
siue in caelo siue in terra siue uisibilium siue inuisibilium
elementa formata sunt. Nam et animarum species siue
obtinentium corpora siue corporibus exsulantium cor-
947 A poream tamen naturae suae substantiam sortiuntur, quia
20 omne quod creatum est in aliquo sit necesse est. Atque
ideo ineptiam inutilissimae quaestionis Deus arguens non
patitur, anima et corpore in aeternitatis substantia
collocandis, spem nostram futuri in resurrectione cibi
et uestitus sollicitudine demorari, ne tanto pretiosa
25 reddenti, corpus scilicet atque animam contumelia in
non efficiendis leuioribus inferatur.

9. *Respicite uolatilia caeli, quoniam non serunt neque
congregant in horrea ; et pater uester caelestis pascit illa.
Nonne uos magis pluris estis illis* l *?* Sub nomine uolu-
crum exemplo nos immundorum spirituum adhortatur,
5 quibus sine aliquo negotio quaerendi et congregandi
B uiuendi tamen tribuitur de aeterni consilii potestate
substantia. Atque ut ad immundos istud spiritus referri
oporteret, adiecit : *Nonne uos magis pluris estis illis ?* de
comparationis praestantia discrimen nequitiae et sanc-
10 titatis ostendens.

10. *Quis autem uestrum potest adicere ad staturam suam
cubitum unum ? Et de uestimento quid solliciti estis* m *?*
Fidem uitalis substantiae nostrae de documento spiritum firmauit, opinionem autem habitus futuri iudicio

LREP (= α) A (ab IV, 28, 12 usque ad V, 11, 1) GTSM (= β)
21 inertiam β *Bad.* ‖ 24 tanta T M ‖ **9**, 3 illis *om. PL* ‖ 8 oportere
monstraret *Cou.* ‖ 9 praestantia : distantia A S

---

k. Matth. 6, 25
l. Matth. 6, 26
m. Matth. 6, 27-28

corps plus que le vêtement [k] ? Les mots de Dieu ont en eux la vérité et toute son action de création est dans sa parole. Ainsi ni ce qu'il a assuré n'est équivoque ni ce qu'il a dit n'est inefficace. Il n'est rien qui ne soit corporel dans sa substance et son état créé, et les éléments de toutes les choses qui sont au ciel ou sur la terre, visibles ou invisibles, ont été constitués. Même les âmes comme espèce, qu'elles détiennent un corps ou soient sorties d'un corps, possèdent cependant une substance corporelle propre à leur état naturel [9], parce que tout ce qui est créé, est nécessairement dans un objet. Et Dieu, accusant pour cette raison la sottise d'une question parfaitement inutile, n'admet pas que, l'âme et le corps devant être placés dans leur substance d'éternité, notre espérance s'attarde au souci de la nourriture et du vêtement que nous aurons dans la Résurrection, pour qu'à celui qui restitue des choses d'un si grand prix, à savoir le corps et l'âme, ne soit pas infligé le reproche de ne pas réaliser des actions plus banales.

9. *Regardez les oiseaux du ciel, comment ni ils ne sèment ni ils n'amassent dans les greniers, et votre Père céleste les nourrit. Ne valez-vous pas plus qu'eux* [1] ? Il prend pour nous exhorter l'exemple des esprits impurs sous le nom d'oiseaux, auxquels, sans qu'ils aient à se préoccuper d'acquérir et d'amasser, est accordée cependant, pour vivre, la subsistance qui émane de la puissance de la sagesse éternelle. Et pour qu'il faille rapporter ce trait aux esprits impurs, il ajouta : *Ne valez-vous pas plus qu'eux ?*, montrant, à partir de l'avantage marqué dans une comparaison, la différence entre la perversité et la sainteté.

10. *D'ailleurs, qui d'entre vous peut ajouter une coudée à sa taille ? Et du vêtement pourquoi êtes-vous inquiets* [m] ? La leçon tirée des esprits a servi à fortifier la confiance dans notre substance vitale ; pour ce qui est de la con-

---

9. La corporéité de l'âme, sa genèse à partir d'éléments sont des thèses héritées de Tert., *anim.*, 5, 6 ; 36, 2, et d'origine stoïcienne (cf. Cic., *fin.*, 4, 36).

5 communis intelligentiae dereliquit. Cum enim uniuersorum corporum quae uitam hauserint diuersitatem in
unum consummatum uirum perfectumque [n] sit excitatu-
rus solusque potens sit ad uniuscuiusque proceritatem
cubitum unum et alterum tertiumue praestare, de uestitu,

C id est de specie corporum, cum quanta eius contumelia
ambigimus qui, ut aequalem atque uniformem omnem
hominem efficiat, tantum mensurae est humanis corporibus additurus.

948 A **11.** *Considerate lilia agri quomodo crescunt ; non laborant neque neunt. Dico autem uobis, quoniam nec Salomon
in omni gloria sua coopertus est sicut unum ex istis* [n'], *et
cetera.* Lilia non laborant neque neunt, et Salomon coo-

5 pertus eorum gloria non fuit, propheta magnus et merito
dilectae sapientiae Deo carus. Sed lilia nascuntur potius
quam operiuntur. Coopertio autem uelamentum est
corporis, non corpus ipsum. Quod si ad sensum humanae
intelligentiae res refertur, colorem lilii uelamenti candor

10 potuerat aemulari. Sed lilia non laborantia neque neuntia
significari intelligendae sunt angelorum caelestium clari-
tates, quibus extra humanae scientiae eruditionem suique
operis mercedem a Deo gloriae candor indutus est, ne
quid ex proprio labore aut arte existimarentur habuisse.

B Et cum in resurrectione similes homines angelis erunt [o],
sperare nos caelestis gloriae uoluit operimentum exemplo angelicae claritatis. Est autem in natura istius germinis ut aptissime caelestibus angelorum substantiis

LREP (= α) A (ab IV, 28, 12 usque ad V, 11, 1) GSTM (= β)
LREP (= α) GSTM (= β)

10, 6 hauserint : auxerint L R A S *Bad. Era.* ‖ 11 ambigemus β
Bad. ‖ 12 est : sit β *edd.* ‖ **11,** 2 nent R P S T M *edd.* ‖ 3-4 et cetera
om. L P G ‖ nent R P S T M *edd.* ‖ 9 res *om.* β *Bad. Cou.* ‖ 10
nentia R P S T M *edd.* ‖ 11 significare T M ‖ intelligenda β *edd.* ‖
sunt : s. ut G S *Bad.* ‖ 13 indultus β *edd. plures Cou.* ‖ 15 homines :
omnes β *Bad.*

n. Cf. Éphés. 4, 13
n'. Matth. 6, 28-29

ception de notre état futur, il l'a laissée à l'appréciation d'une intelligence commune. Puisque, en effet, il doit ranimer la variété de tous les corps qui ont puisé la vie pour réaliser l'homme unique, achevé et parfait, et qu'il est seul capable d'ajouter à la taille d'un chacun une, deux ou trois coudées, combien, en étant incertains au sujet du vêtement, c'est-à-dire de l'aspect des corps, nous outrageons celui qui doit augmenter assez la taille des corps humains pour rendre tous les hommes égaux et uniformes !

11. *Considérez les lis des champs, de quelle manière ils croissent. Ils ne travaillent ni ne filent. Je vous dis que même Salomon, dans toute sa gloire, n'a pas été vêtu comme l'un d'eux* [n], etc. Les lis ni ne travaillent ni ne filent et Salomon n'a pas été vêtu de leur gloire, lui le grand prophète, que le mérite d'une sagesse qu'il aimait rendait cher à Dieu. Mais les lis [10] poussent plutôt qu'ils sont couverts. Et une couverture est un habillement du corps, non le corps lui-même. Si l'on s'en rapporte à ce que perçoit une intelligence humaine, c'est avec la couleur du lis qu'aurait pu rivaliser la splendeur d'un habillement. Mais par lis qui ne travaillent ni ne filent il faut comprendre qu'est désigné l'éclat des anges célestes, auxquels Dieu a fait revêtir la splendeur de la gloire, mais non pas à cause de la connaissance d'une science humaine ou comme salaire de leur ouvrage, de façon qu'on ne leur attribue rien qui vienne d'un travail ou d'un art personnel. Et comme dans la Résurrection les hommes seront semblables aux anges [o], il a voulu que nous espérions être revêtus de la gloire céleste à l'exemple de l'éclat des anges. Or il y a la matière d'une comparaison très appropriée à la substance céleste des anges dans la nature de la plante

o. Cf. Matth. 22, 30

---

10. Les détails sur le lis sont empruntés à Plin., *nat.*, 21, 5 (11) ; les détails relatifs aux anges viennent de divers textes de Tertullien : *orat.*, 3, 3 pour leur éclat ; *carn.*, 6, 10 pour l'origine propre de leur corps. La comparaison entre une graine et le corps « spirituel » est développée dans Tert., *resurr.*, 52, d'après *I Cor.* 15, 36-38.

comparetur. Hoc enim efflorescens, cum a stirpe deten-
20 tae humi radicis auellitur, naturae suae uirtutem, licet
aruisse putetur, occultat et, redeunte tempore, rursum
lilii sui honore uestitur. Ex se enim efflorescit ac redditur et quod est nec radici potest debere nec terrae,
cum ille qui se subeat succus ex se sit. Atque ita annuae
25 licet huius uiriditatis exemplo, uirtutem caelestis substantiae aemulatur, dum ex eo tantum quod intra se
acceptum habeat alatur in florem. Ideo ergo lilia non
laborant neque neunt, quia uirtutes angelorum ex ea
C quam adeptae sunt originis suae sorte ut sint semper
30 accipiunt.

12. *Si enim fenum agri, quod hodie est et cras in ignem
mittitur, Deus sic uestit, quanto magis uos modicae fidei* [p] ?

949 A Fidei nostrae inuiolabilem confidentiam exemplorum
auctoritate confirmat, ut tanto maioris periculi res sit
5 ambigere, quanto impensiore cura omnem occasionem
infidelitatis abstulerit. Fenum non idcirco nascitur ut
detur igni neque ideo uestiendi eius peculiaris Deo cura
est ut cremetur, sed sub feni nomine nuncupatas esse a
Deo gentes crebro inuenimus. Germen autem illud est
10 quod, uirtutis suae flore dilapso, ad calorem solis arescit.
Igitur requies nulla gentibus neque mortis, ut uolunt,
compendio quies dabitur, sed corporalis et ipsis aeternitas destinatur, ut ignis aeterni in ipsis sit aeterna materies et in uniuersis sempiternis exerceatur ultio sempi-
15 terna. Si igitur gentibus idcirco tantum indulgetur

LREP (= α) GSTM (= β)
19 enim : igitur β ‖ 25 *post* uirtutem *add.* suae T M *Cou.* ‖ 26
dum : cum β *edd.* ‖ 28 nent R P S T M *edd.* ‖ 30 accipiant T M *Gil.*[2] ‖
12, 2 modicae : minimae T M ‖ 13 destinabitur β *edd.*

---

p. Matth. 6, 30

---

11. Cf. *supra*, 2, 4, 18. Même exégèse à propos du roseau : *infra*,
11, 4 ; 33, 3.

évoquée ici. Quand, en effet, étant en fleur, elle est détachée du pied de sa racine retenue en terre, elle cache la vertu de sa nature, alors même qu'on la croit desséchée, et, quand l'époque est revenue, elle se vêt à nouveau de l'honneur de son lis. Car c'est d'elle-même qu'elle tire sa fleur et se reproduit, et ce qu'elle est, elle ne saurait le devoir ni à sa racine ni à la terre, pour autant que la sève qui monte en elle vient d'elle. Et ainsi, par l'exemple de ce verdissement annuel, elle rivalise avec la vertu de la substance céleste, puisque c'est seulement de ce qu'elle a mis en dépôt à l'intérieur d'elle-même qu'elle se nourrit pour produire sa fleur. Si donc les lis ni ne travaillent ni ne filent, c'est parce que les vertus des anges reçoivent de la condition d'origine qu'elles ont obtenue au départ la garantie d'exister toujours.

12. *Si en effet le foin des champs qui existe aujourd'hui et qui demain est envoyé au feu, est vêtu ainsi par Dieu, combien est-ce plus vrai pour vous, hommes de peu de foi* [p] ! Le poids des exemples fortifie l'assurance inébranlable de notre foi, en sorte que le doute est une chose d'autant plus dangereuse qu'il a mis un soin plus empressé à supprimer toute occasion d'incroyance. Le foin ne pousse pas pour être livré au feu et si Dieu prend spécialement soin de le vêtir, ce n'est pas pour qu'il soit brûlé, mais, sous le nom de foin, nous avons souvent constaté que Dieu désignait les païens [11]. Or c'est une plante qui, une fois fanée la fleur de sa vitalité, sèche à la chaleur du soleil. Ainsi il n'y aura pas de repos pour les païens et le gain de la mort, comme ils prétendent [12], ne leur donnera pas la paix, mais une éternité physique leur est réservée à eux aussi, pour qu'ils offrent en leur personne une matière éternelle au feu éternel et qu'un châtiment sans fin s'exerce sur un ensemble de choses sans fin. Si donc

12. *Vt uolunt*, dans l'usage classique (ainsi Cic., *Tusc.*, 1, 82 ; 3, 13) sert à introduire une réflexion d'adversaires, ici *compendium mortis* qui se lit chez Amm., 16, 12, 5, mais à travers laquelle est visée une opinion de *gentiles* comme celle de Cic., *Tusc.*, 1, 97 : « siue... mors ei somno similis est qui... placatissimam quietem adfert, di boni, quid lucri est emori ! »

aeternitas corporalis, ut mox igni iudicii destinentur,
B quam profanum est sanctos de gloria aeternitatis ambigere, cum iniquis aeternitatis opus praestetur ad poenam ! Omnem igitur exspectationem nostram in fide
20 repromissionum et uirtutis suae potestate exigit collo-
cari, ut, cura rerum quibus indigemus omissa, ab eo
potius omnia, a quo ipsi uitale exordium sumimus, expetamus regnumque Dei uitae nostrae stipendiis quaera-
mus ꟼ. Et haec recte perfecteque uiuentium merces est,
25 ut in nouam caelestemque substantiam ex hac corruptibilis corporis materie transferantur et corruptio terrena
caelesti incorruptione mutetur. Gentium igitur est
infidelitatis istius cura angi ʳ, quibus saeculi amore deten-
tis et corporis gaudiis occupatis nullum per fidem et
30 confessionem Dei in caeleste regnum iter quaeritur et
optatur.
C   13. *Nolite ergo solliciti esse de crastino. Crastinus enim
dies sollicitus erit sibi ipse. Sufficit diei malitia sua* ˢ.
Commune iudicium est diem esse labentium temporum
cursum luce solis illuminatum, quem nox interiecta discri-
5 minat et interuentu suo diei diem subrogat ; futuri autem
temporis significantia continetur in crastino. Ergo de
futuro sollicitos nos esse Deus uetuit. Incuria autem sollicitudinis relaxatae, non neglegentiae, sed fidei est. Cur
enim solliciti simus in crastino, cum crastinus dies sibi
10 ipse sollicitus sit ? Ergo anxietatem nostram ipsa pro
nobis dies sollicita depellit. Sed sollicitudo, ut arbitror,
proprius est hominis adfectus ; hanc enim excitat aut

LREP (= α) GSTM (= β)
22 sumpsimus *Cou.* ‖ expetamus : -pectamus R P G   -pectemus
Cou. ‖ 26 materia R P M ‖ 13, 2 ipsi E S T M

q. Cf. Matth. 6, 33
r. Cf. Matth. 6, 32
s. Matth. 6, 34

une éternité physique est accordée aux païens à seule fin qu'ils soient destinés ensuite au feu du jugement, combien il est sacrilège que des saints doutent de la gloire éternelle, puisque le châtiment des impies est assuré pour l'éternité ! Ainsi il réclame que nous mettions toute notre espérance dans la foi en ses promesses et en la puissance de sa vertu, pour que, sans avoir le souci des biens dont nous manquons, nous préférions tout demander à celui dont nous tenons l'origine de notre vie personnelle et que nous cherchions le Royaume de Dieu par le service de notre vie q. Et le salaire de ceux qui mènent une vie droite et parfaite, c'est d'être transférés de la matière de ce corps corruptible dans la substance nouvelle des cieux et de changer la corruption terrestre contre l'incorruptibilité céleste. C'est donc aux païens qu'il appartient d'être tourmentés par le souci de ce manque de foi r, eux qui, retenus par l'amour du siècle et accaparés par les joies du corps, ne cherchent ni ne souhaitent trouver dans la foi et la confession de Dieu un chemin vers le Royaume des cieux.

13. *Ne soyez donc pas inquiets du lendemain. Demain sera inquiet de lui-même. Sa méchanceté lui suffit* s. On juge généralement le jour comme le laps de temps pendant lequel la lumière du soleil nous éclaire et que l'intervalle de la nuit tombante interrompt en s'intercalant, de façon qu'un jour succède à un jour [13]. D'autre part, dans le lendemain est contenue l'idée du temps à venir [14]. Ainsi, c'est de l'avenir que Dieu nous a défendu d'être inquiets. Et la relâche des soucis par indifférence est le fait non de la négligence, mais de la foi. Pourquoi, en effet, serions-nous inquiets du lendemain, puisque le jour de demain est inquiet de lui-même ? Ainsi le jour inquiet personnellement à notre place dissipe notre tourment. Mais l'inquiétude, à ce que je crois, est un sentiment propre à l'homme, car elle est

---

13. Cf. Pavl., *dig.*, 2, 12, 8 : « More Romano dies a media nocte incipit et sequentis noctis media parte finitur. »
14. D'après la définition des *grammatici* ; cf. Serv., *gramm.* (éd. Keil, 4, p. 414, l. 14) : « cras uero aduerbium futurum. »

curae aut metus aut doloris anxietas. Dies uero cursus
D est temporis et sola prouidentiam consecuta sollicitu-
15 dinis recipiunt adfectum. Constituetur ergo dies esse
animal quod et caueat et prospiciat et curet, cui et malitia propria sufficiat neque extrinsecus accidenti sit
950 A cumulanda peccato. Sed natura rei non capit diei depu-
tare mentis adfectum. Ergo et quod sibi ipsa sollicita
20 est et quod ei malitia sua sufficit et quod inhibemur solliciti esse de crastino, totum sub dicti caelestis significantia continetur. Iubemur igitur non ambigere de futuris ;
satis enim uitae nostrae malitia et dierum quibus uiuimus peccata sufficiunt, ut circa haec purganda et prome-
25 renda omnis uitae nostrae meditatio laborque uersetur,
ne etiam de futurorum diffidentia inexpiabilis irreligio-
sitas contrahatur, cum, cessante cura nostra, ipsa in
officio suo quae sunt futura sollicita sint et nobis aeternae claritatis profectus, Dei procurante bonitate, iam
30 non sollicitis praeparetur.
B   **14.** *Nolite iudicare, ne iudicemini. Quo enim iudicio*
iudicaueritis, iudicabitur de uobis [t]. Omne iudicii officium penitus Deus submouet nec ullum omnino suscipi
patitur. Sed compugnare propositis subsequentia exis-
5 timantur, cum dicit : *Quo iudicio iudicaueritis, iudica-*
bitur de uobis. Sed superius ait : *Nolite iudicare, ne iudi-*
cemini. Numquid boni iudicii arbitrium suscipi non
oportebit ? Atquin profitetur pro condicione iudicii
iudicandos et uniuersis genere quo mensi sunt metien-
10 dum. Ergo numquam bene iudicabitur, si omnino non

LREP (= α) A (ab V, 13, 13 usque ad VII, 4, 8) GSTM (= β)
14 prouidentia E A G S *Bad.* ‖ 19 et *om.* β *Bad.* ‖ 21 dictis P *Cou.*
‖ 24 et *om.* A S ‖ **14,** 1 *ante* nolite *add.* VII P ‖ 3 submouit L R P

---

t. Matth. 7, 1-2

---

15. Schéma classique ; cf. Cic., *Tusc.*, 4, 16 : « Subiciuntur...

provoquée par le tourment du souci, de la crainte ou de la douleur [15]. Le jour, d'autre part, est un laps de temps, et seul ce qui dispose de prévoyance est sujet à l'inquiétude. On supposera donc que le jour est un être vivant capable de prendre garde, de prévoir, de se soucier, auquel sa méchanceté propre suffise sans qu'elle doive être portée à son comble par le péché survenu en sus. Mais la nature des choses n'admet pas que soit attribuée au jour une disposition d'esprit. Donc, dans le fait que le jour est inquiet de lui-même, que sa méchanceté lui suffit, qu'il nous est interdit d'être inquiets du lendemain, il y a tout le contenu représenté par la signification des mots célestes. Nous avons ainsi ordre de ne pas douter des biens à venir, parce que la méchanceté de notre vie est assez grande et les péchés des jours où nous vivons suffisent pour faire que la préoccupation et l'effort de notre vie soient entièrement consacrés à purifier et à racheter ces péchés, afin d'éviter qu'en perdant confiance dans les biens à venir, nous ne nous rendions en outre coupables d'une impiété inexpiable, tandis que, si le souci de nous-mêmes n'existe plus, ce qui doit venir a dans sa fonction de se préoccuper de lui-même et le progrès de la gloire éternelle, procuré par la bonté de Dieu, nous est ménagé, alors que nous ne nous en préoccupons plus.

14. *Ne jugez pas pour ne pas être jugés. Car du jugement dont vous aurez jugé on vous jugera* [t]. Dieu supprime radicalement toute espèce de fonction du jugement et n'admet en aucun cas qu'on en prononce un. Mais il ne semble pas y avoir d'accord entre le principe posé et la suite où il dit : *Du jugement dont vous aurez jugé on vous jugera*, alors que avant il a dit : *Ne jugez pas pour ne pas être jugés*. Est-ce que le verdict d'un bon jugement ne devra pas être admis ? Et pourtant il reconnaît que nous devons être jugés en fonction de notre jugement et que tous doivent être mesurés de la manière dont ils ont mesuré. Ainsi il n'y aura plus de bon jugement, s'il ne

aegritudini... angor, ... dolor..., sollicitudo..., sub metum autem subiecta sunt. »

erit iudicandum. Sed iamdudum, ut superius cognoscitur, nihil in uerbis Dei leue aut inane tractatur
omnisque hic ultra sensum gentilium aurium sermo est.
Iudicari enim de sponsionibus suis uetuit, quia ut iudicia
C ex incertis rebus inter homines sumuntur, ita et hoc iudicium aduersum Deum ex sentiendi atque opinandi
ambiguitate suscipitur, quod penitus repellit a nobis,
ut constans potius fides retineatur, quia non sicut in
rebus ceteris peccatum sit perperam iudicasse, sed in his
20 rebus tantummodo de Deo iudicium initum esse sit
criminis.

15. *Quid autem uides festucam in oculo fratris tui et
trabem in oculo tuo non uides* u *?* et cetera. In consequentibus docuit solam in Spiritum blasphemiam extra
ueniam futuram, ceteris omnibus Deo indulgentiam lar-
5 giente. Peccatum autem in Spiritum est Deo uirtutis
potestatem negare et Christo substantiam adimere aeter-
D nitatis, per quem, quia in hominem Deus uenit, homo
rursum fiet in Deum. Ergo quantum inter festucam et
trabem discriminis est, tantum ostendit peccatum in
10 Spiritum condicionem ceterorum criminum excedere, ut,
cum infideles delicta corporis aliis exprobrent, onus pec-
951 A cati quo de promissis Dei ambigant in se ante non uideant trabem in oculo tamquam in mentis acie insidentem. Fit enim saepe ut adsumamus nobis arguendi
15 alios auctoritatem sine ullo propriae emendationis exemplo et medendae caecitatis alienae iactantiam praefera-
mus ipsi in tenebris corrupti luminis constituti, cum

LREP (= α) A (ab V, 13, 13 usque ad VII, 4, 8,) GSTM (= β)
17 quodque R P ‖ 20 initium P A S T M *Gil.*² ‖ 15, 2 cetera :
reliqua β *edd.* ‖ 3 spiritu R P A G S ‖ 4 largientem L A S ‖ 5 spiritu
R P A ‖ 10 spiritu R P ‖ 12 quo : quod L R G ‖ 13 *post* uideant *add.*
infidelitatis P *Cou.* ‖ trabem : trabe P T M *Cou.* *om.* L R G S
Bad. ‖ oculo : oculorumque L R   oculo utrumque (-aque S) A G S
oculo utroque *Bad.* ‖ insidente L β *Bad. Cou.* ‖ 15 aliquos β *Bad.*

---

u. Matth. 7, 3

faut pas du tout juger. Mais c'est un fait qu'on remarque déjà plus haut [16] que rien n'est traité à la légère ou en vain dans les paroles de Dieu, et ici tout le développement dépasse l'entendement des oreilles païennes. Dieu en effet a défendu qu'on soit juge de ses promesses, parce que, si les jugements entre hommes sont fondés sur des incertitudes [17], de même aussi c'est d'un doute du sentiment et de l'opinion que procède ce jugement porté contre Dieu qui repousse radicalement loin de nous l'idée de garder de préférence une foi solide, car, à la différence des autres domaines, où il y a péché quand on a jugé de travers, ici, le seul fait de porter un jugement sur Dieu est une faute.

15. *Pourquoi vois-tu la paille dans l'œil de ton frère et ne vois-tu pas la poutre dans ton œil* [u] *?* etc. Dans ce qui suit, le Seigneur nous a appris que seul le blasphème contre l'Esprit sera exclu du pardon, alors que Dieu accorde la remise de toutes les autres fautes. Or le péché contre l'Esprit, c'est refuser à Dieu la puissance de la vertu et ôter la substance d'éternité au Christ [18], par qui, Dieu étant venu dans l'homme, l'homme à son tour passera à la condition de Dieu. Ainsi toute la différence qui sépare la paille de la poutre montre combien le péché contre l'Esprit déborde le cas des autres chefs d'accusation, en ce sens que les incroyants qui blâment chez autrui les fautes du corps ne voient pas d'abord en eux le poids du péché qui leur fait douter des promesses de Dieu, poutre dans l'œil posée en quelque sorte sur le regard de l'esprit. Il arrive en effet souvent que nous nous arrogions assez d'autorité pour accuser autrui sans donner l'exemple d'un redressement personnel et que nous nous vantions ostensiblement de guérir l'aveuglement d'autrui, quand nous sommes nous-mêmes placés dans les ténèbres d'un regard vicié, alors qu'il est difficile à

---

16. Cf. *supra* 4, 14
17. Définition héritée de l'usage classique : cf. Tac., *ann.*, 6, 22 : « Mihi... in incerto iudicium est... »
18. Thèse développée *infra*, 12, 18.

difficile quemquam sit praestare quod egeat et optimum sit exemplo potius docere quam dictis. Cura ergo
20 propriae adhibenda est caecitati, quia ex natura rerum
est non prius aliquem purgandae de oculo fratris festucae
idoneum effici posse doctorem quam de mentis suae
lumine trabem perfidiae grauantis eiecerit [v].

6

1. *Nolite dare sanctum canibus neque miseritis marga-
ritas uestras ante porcos* [a], et cetera. Praeceptis et promissis Dei nihil pretiosius sanctiusque est, quae sanctificatis nobis immortalitatis thesaurum largiantur. Horum
5 igitur sacramenta atque uirtutes neque in gentes efferre
neque cum haereticis conferre permittimur. Canes enim
de oblatrandi aduersus Deum rabie gentes sunt nun-
cupatae. Porcorum uero haereticis est nomen, quia,
quamuis ungulae bifidae sint, acceptam tamen Dei
10 cognitionem non ruminando disponant. Ergo et concor-
porationem Verbi Dei et passionis mysterium et uirtutem
C resurrectionis non promiscue tractare nos conuenit
neque imperite incurioseque proferre, ne ignorantiam
nostram, si perfectae scientiae desit instructio, prote-
15 rant atque conculcent et infirmitatem in Deo passionis
irrideant conuersique in nos contradictionum aculeis
imperitiam nostram fidemque disrumpant.

LREP (= α) A (ab V, 13, 13 usque ad VII, 4, 8) GSTM (= β) .
19 erga *PL* ‖ 20 caecitatique L E P ‖ 24 grauantes R A S *PL*
  VI nolite L M : nolite R E P A G S   CANON (CAPVT T *Cou.*)
VI nolite T *edd.* ‖ 1, 2 cetera : reliqua β *Cou.* ‖ 4 largiuntur β *edd.* ‖
10 disponunt P *edd.* ‖ incorporationem *Bad.* ‖ 15 *post* proterant
add. hi L R

---

v. Cf. Matth. 7, 4
a. Matth. 7, 6

quelqu'un d'offrir ce dont il manque et que la meilleure façon d'enseigner est de le faire par l'exemple plutôt que par des mots. Il faut donc appliquer ses soins à son propre aveuglement, parce qu'il est dans la nature des choses qu'on ne saurait devenir un maître capable de débarrasser l'œil d'un frère de sa paille avant d'avoir rejeté de la lumière de son propre esprit la poutre du manque de foi qui l'appesantit [v].

Chapitre 6

1. *Ne donnez pas aux chiens ce qui est saint et ne jetez pas vos perles devant les porcs* [a], etc. Rien n'est plus précieux ni plus saint que les préceptes et les promesses de Dieu pour nous prodiguer, quand nous sommes devenus saints, le trésor de l'immortalité. Aussi ne sommes-nous pas libres d'en livrer aux païens les mystères et la vertu ni d'en discuter avec les hérétiques. Les chiens, en effet, du fait de la rage à aboyer contre Dieu, sont l'appellation des païens [1]. Porcs est, d'autre part, le nom des hérétiques, parce que, tout en ayant des ongles fendus en deux, ils arrangent sans ruminer la connaissance de Dieu [2] qu'ils ont reçue. Donc il ne convient pas que nous exposions confusément l'incarnation du Verbe de Dieu, le mystère de sa passion, la vertu de sa résurrection ni que nous les présentions sans compétence ni soin, de peur que, s'il nous manquait la formation d'une science parfaite [3], ils ne broient et n'écrasent notre ignorance et qu'ils ne rient de voir en Dieu la faiblesse de la Passion, enfin que se retournant contre nous, ils ne brisent avec les pointes de leurs contradictions l'incompétence de notre foi.

---

1. Cypr., *Demetr.*, 1, représente le païen Demetrianus « aboyant et faisant du vacarme contre Dieu ».
2. Ces caractéristiques (non ruminants, ongles fendus) viennent de l'Écriture (*Lév.* 11, 3 ; *Deut.* 14, 6). Novatian., *cib. Iud.*, 3, leur donne un sens figuré : l'un des deux traits sans l'autre convient aux *haeretici*, le second aux *fideles*.
3. Allusion à la *sapientia... inter perfectos* de *I Cor.* 2, 6.

2. Sed in his quae ignorabimus uia nobis consequendae
ueritatis aperitur quam obtinere in sola precum mora
est. Vt igitur sentiamus credamusque omnia et nullo
ambiguae uoluntatis differamur incerto, orandum est,
5 quaerendum est, pulsandum est [b], oratione misericordia,
inquisitione profectum, temptamento aditum reperturi.
D Quin etiam ad spem obtinendi exemplo humani adfectus
docemur. Nam cum nos, filiis piscem panemue poscen-
tibus, non serpentem simus aut lapidem reddituri [c],
10 quanto magis nobis optimus ac praestantissimus pater
Deus orantibus perfectae fidei munera largietur [d] neque
952 A sit pro uitae cibo lapidem duritiae gentilis aut pro baptismi conseruatione serpentem ueneni haeretici praestiturus ! Consummauit deinde omnia bonitatis exemplo
15 uniuersos amoris mutui pace coniungens, in eo legis et
prophetarum mandata constituens, ut uniuersorum in
nos bonitatem optantes ipsi omnibus boni simus [e].

3. *Intrate per angustam portam. Quam lata et spatiosa
uia, quae ducit ad perditionem* [f] ! Arduum in caelum iter
homini est et aditus angustus ac tenuis [g], ceterum perdi-
tionis uia lata est. Hanc plures obtinent, illam porro
5 pauci inueniunt. Paucis enim damna rerum praesentium
cara sunt, quibus cupiditates et animi uincere et corporis
frangere et exposita totis saeculi uiribus illecebrarum
B omnium lenocinia praeterire maximum caelestis spei

LREP (= α) A (ab V, 13, 13 usque ad VII, 4, 8) GSTM (= β)
   2, 5 quaerendum est *om.* L R P ‖ orationem L A S ‖ misericordiam O Q *edd.* ‖ 6 profectum : -tu (mentis *add.* E) E β -to P ‖
testamento L R P ‖ 16 contuens L R P ‖ **3**, 1 post lata *add.* est
T M ‖ 3 hominis L P *Cou.*

---

b. Cf. Matth. 7, 7
c. Cf. Matth. 7, 9-10
d. Cf. Matth. 7, 11
e. Cf. Matth. 7, 12
f. Matth, 7, 13
g. Cf. Matth. 7, 14

2. Mais dans les matières que nous ignorons, s'ouvre devant nous, pour atteindre la vérité, une voie qu'il n'y a moyen de suivre qu'en prolongeant les supplications [4]. Pour concevoir et croire toutes choses sans être remis à plus tard par l'incertitude d'une volonté douteuse, il faut prier, chercher, frapper [b], afin de trouver par la prière des preuves de miséricorde, par la recherche un progrès, par le tâtonnement une issue. Bien mieux, pour avoir l'espoir de les obtenir, nous sommes instruits par l'exemple des sentiments humains. Si, en effet, à nos fils qui nous demandent un poisson ou du pain, nous n'allons pas donner un serpent ou une pierre [c], combien plus Dieu, qui est excellemment et éminemment un père, accordera-t-il à nos prières les faveurs d'une foi parfaite et ne saurait vouloir offrir la pierre de la dureté païenne à la place de la nourriture de la vie [d] et le serpent venimeux de l'hérésie à la place du salut du baptême [5]. Il a tout rassemblé ensuite dans une leçon de bonté qui unisse tous les hommes dans la bienveillance d'un amour mutuel, en faisant consister les commandements de la Loi et des prophètes dans l'obligation d'être nous-mêmes bons pour tous, si nous souhaitons que tous soient bons pour nous [e].

3. *Entrez par la porte étroite. Quelle est large et spacieuse la voie qui conduit à la perdition* [f] *!* Le chemin qui conduit au ciel est abrupt pour l'homme et son accès est étroit et mince [g], tandis que la voie de la perdition est large. C'est celle qu'on occupe le plus, l'autre par contre, il n'y en a pas beaucoup qui la trouvent. Car peu nombreux sont ceux qui ont à cœur de perdre quelque chose du présent et pour lesquels vaincre les passions de l'âme, briser celles du corps, laisser de côté l'attrait de toutes les séductions mises sous nos yeux par toutes les puissances du siècle représente le plus grand bénéfice pour

4. Pour le lien qui rattache la découverte de la voie de la vérité à la prière, cf. Cypr., *domin. orat.*, 1-2.
5. L'opposition entre le serpent et l'eau salutaire du baptême s'inspire peut-être de cette remarque de Tert., *bapt.*, 1, 2 : « Vipères, aspics, basilics recherchent d'ordinaire les lieux arides et sans eau » (trad. F. Refoulé).

lucrum est. Illis autem quibus solum bonum est scor-
10 tari, comessari, ambire, insolescere, fastidire, odisse,
diripere, plurimus est frequentantium iter tale comitatus.

4. Et quia paucorum esset uiam angustam inuenire,
fraudulentiam eorum qui eam quaerere mentirentur
exponit : *Adtendite a pseudoprophetis qui ueniunt ad uos
in uestimentis ouium* [h], et cetera. Blandimenta uerborum
5 et mansuetudinis simulationem admonet fructu operationis expendi oportere, ut non qualem quis se uerbis
referat [i], sed qualem se rebus efficiat exspectemus, quia
multis uestitu ouium rabies lupina contegitur. Ergo ut
spinae uuas, ut tribuli ficus non generant, ut iniquae
C arbores utilia poma non efferunt [j], ita ne in istis quidem
consistere docet boni operis effectum et idcirco omnes
cognoscendos esse de fructibus. Regnum enim caelorum
sola uerborum officia non obtinent neque qui dixerit :
Domine, Domine [k], coheres illius erit [l]. Quid enim meriti
15 est Domino dicere : *Domine ?* Numquid Dominus non
erit, nisi fuerit dictus a nobis ? Et quae officii sanctitas
est nominis nuncupatio, cum caelestis regni iter oboe-
dientia potius uoluntatis Dei, non nuncupatio repertura
sit ?

5. *Multi mihi dicent in illa die : Domine Domine,
nonne in nomine tuo prophetauimus* [m] ? et cetera. Etiam

LREP (= α) A (ab V, 13, 13 usque ad VII, 4, 8) GTSM (= β)
11 frequentatum *PL* ‖ **4**, 2 *post* eam *add.* se β *edd.* ‖ 3 *post*
exponit *add.* dicens *edd.* ‖ 4 cetera : reliqua β ‖ 6 se *om.* β *Bad.* ‖ 7
spectemus A G S *edd.* ‖ 8 multis : in m. S² T M *edd.* a m. P ‖ 9 *post*
generant *add.* et *edd.* ‖ 10 afferunt T M *edd.* ‖ 12 enim *om.* α ‖ 14
heres β *edd.* ‖ 15 domine domine T M *edd. plures Cou.* ‖ 18 Dei non :
quam Dei ¦R quam Domini P *om.* S Dei S² non Dei *Cou.* ‖
5, 2 in tuo nomine L R A G *edd.* ‖ cetera : reliqua β ¦*edd.*

---

h. Matth. 7, 15
i. Cf. Matth. 7, 16
j. Cf. Matth. 7, 18
k. Matth. 7, 21
l. Cf. Éphés. 5, 5

l'espérance du ciel. Mais ceux pour lesquels il n'y a d'autre bien que la débauche, la bonne chère, la brigue, l'arrogance, le dédain, la haine et le vol ont une escorte très nombreuse de vices qui peuplent ce chemin [6].

4. Et parce que peu nombreux étaient ceux qui trouvent la voie étroite, il expose la fourberie de ceux qui feignent de la chercher : *Méfiez-vous des faux prophètes qui viennent à vous dans des tenues de brebis* [h], etc. Il fait remarquer que les mots flatteurs et la douceur feinte doivent être jugés au fruit des actes, en sorte que nous n'attendions pas de quelqu'un qu'il soit tel qu'il se dépeint en paroles [i], mais tel qu'il se comporte en actes, parce que beaucoup d'hommes ont la rage du loup cachée sous un vêtement de brebis. Ainsi, comme les épines ne produisent pas de raisin, ni les ronces de figue, comme les arbres mauvais ne portent pas de fruits comestibles [j], il nous apprend que chez de tels hommes non plus il n'y a pas place pour la réalisation d'une bonne action et que, de ce fait, c'est à ses fruits qu'il faut reconnaître un chacun. On ne gagne pas, en effet, le Royaume des cieux par le seul office des mots, et ce n'est pas celui qui aura dit : *Seigneur, Seigneur* [k] qui en héritera avec lui [l]. Quel mérite y a-t-il, en effet, de dire au Seigneur : *Seigneur* ? Est-ce qu'il n'y aura pas de Seigneur, si nous ne le nommons pas [7] ? Et est-ce un devoir sacré que d'appeler un nom, puisque c'est plutôt l'obéissance à la volonté de Dieu, non l'appel de son nom qui fera trouver le chemin du Royaume des cieux ?

5. *Beaucoup me diront ce jour-là : Seigneur, Seigneur, n'est-ce pas en ton nom que nous avons prophétisé* [m] *?* etc.

m. Matth. 7, 22

---

6. L'énumération des vices aura son application *infra*, 27, 2, dans le portrait du mauvais évêque qui suit, comme ici, l'exposé des qualités correspondantes. La source de ce morceau de diatribe est peut-être CYPR., *laps.*, 6.

7. La question se relie à un argument de l'apologétique : Dieu est vrai dans la mesure où nos sens ne le contiennent pas (TERT., *apol.*, 17, 2).

D nunc pseudoprophetarum fraudulentiam et hypocri-
tarum simulamenta condemnat, qui gloriam sibi ex
5 uerbi uirtute praesumunt in doctrinae prophetia et
daemoniorum fuga et istiusmodi operum uirtutibus
atque hinc sibi regnum caelorum pollicentur, quasi
uero eorum aliquid proprium sit quae loquuntur aut
953 A faciunt et non omnia uirtus Dei inuocata perficiat, cum
10 doctrinae scientiam lectio adferat, daemoniorum fugam
Christi nomen exagitet ; de nostro igitur est beata illa
aeternitas promerenda praestandumque est aliquid ex
proprio, ut bonum uelimus, malum omne uitemus
totoque adfectu praeceptis caelestibus obtemperemus
15 ac talibus officiis cogniti Deo simus agamusque potius
quod uult quam quod potest gloriemur, repudians eos
ac repellens quos a cognitione sua opera iniquitatis
auerterint.

6. *Omnis ergo qui audit uerba mea et facit, similabo*
eum uiro sapienti qui aedificauit domum suam super
petram n, et reliqua. Sensus est superioribus iunctus.
Obiurgans enim pseudoprophetarum iactantiam et hypo-
B critarum figmenta per comparationis exemplum perfectae in se fidei hominem exponit quod is qui uerba sua
et audiat et faciat super petram sit aedificatus et fundamento stabili firmoque consistat eumque incidentium
tempestatum impetu non posse dissolui (in petra se
10 ipsum Dominus significat ualidum excelsi aedificii
fundamentum), eum autem qui ex se in sublime opus
excreuerit moueri non posse uel pluuiis uel fluminibus
uel uento º (in pluuiis blandarum et sensim illabentium

L REP (= α) A (ab V, 13, 13 usque ad VII, 4, 8) GTSM (= β)
10 fuga L R P *edd. plures* ‖ 13 ut *om.* T M ‖ uelimus : malimus
T M ‖ **6, 1** similabo eum : similem aestimabo L P β similem eum
aestimabo R *Gil.*² ‖ 2 aedificat A G T M *Bad.* ‖ 3 et reliqua *om.* α
‖ 4 subiurgans T M ‖ 7 audiat (-et G) et faciat : -dit et -cit R E *Bad.*
-dit et -ciat L P -dit et -ciet A S ‖ 8 consistat eumque *om.* β *Bad.* ‖
9 possit T M *Bad.* ‖ 10 significans *Cou.* ‖ excelsi *om. PL* ‖ 11 eum : cum
E A S T M *Cou.* ‖ 12 possit T M *Cou.* ‖ pluuiis : flu- T M *om.* L R P

Il condamne encore à présent la fourberie des pseudo-
prophètes et les faux-semblants des hypocrites, qui
trouvent dans la puissance de la parole de quoi s'attribuer
une gloire dans la prophétie de la doctrine, l'expulsion des
démons et les actes miraculeux de cette espèce, et de là se
promettent le Royaume des cieux — comme si vraiment
ce qu'ils disent ou ce qu'ils font était une chose propre à
eux et comme si la vertu de Dieu ne réalisait pas tout,
quand elle est invoquée —, alors que c'est la lecture qui
donne la science de la doctrine [8] et le nom du Christ qui
provoque l'expulsion des démons ; nous avons donc à
mériter à nos dépens cette éternité bienheureuse et à
engager quelque chose de nous-mêmes pour vouloir le bien,
éviter tout mal, obéir de tout cœur aux préceptes célestes
et remplir tous ces devoirs pour être connus de Dieu et faire
ce dont il a le désir, plutôt que de nous glorifier de ce
dont il a le pouvoir, lui qui repousse et écarte ceux que
les œuvres d'iniquité ont empêchés de le connaître.

6. *Ainsi tout homme qui entend mes paroles et les accomplit, je le jugerai semblable à un homme sage qui a bâti sa
maison sur la pierre* [n], et la suite. L'idée est liée à ce qui
précède. Blâmant, en effet, la vantardise des faux prophètes et les feintes des hypocrites, il décrit l'homme de
la foi parfaite en lui par l'exemple d'une comparaison,
selon laquelle celui qui entend et accomplit ses paroles est
édifié sur la pierre et s'appuie sur un fondement stable et
solide, et comment il ne saurait être disloqué par l'assaut
des tempêtes qui s'abattent, comment d'autre part,
sur la pierre par laquelle se désigne le Seigneur comme
le fondement puissant d'un édifice élevé, celui qui s'est
dressé, à partir de lui, en une construction vers les hauteurs ne saurait être ébranlé ni par les pluies ni par les
fleuves ni par le vent [o] (par pluies il désigne les attraits

n. Matth. 7, 24
o. Cf. Matth. 7, 25

---

8. Dans la *Vita Cypriani*, 2, la lecture des « saintes lettres » est
le moyen de déboucher sur la « lumière de la sagesse spirituelle ».

uoluptatum illecebras significat, quibus primum fides
15 rimis patentibus immadescit) ; postquam torrentium
procursus (id est grauiorum cupiditatum motus incurrit)
atque exinde tota uentorum uis circumflantium desaeuiat,
uniuersus scilicet diabolicae potestatis spiritus inferatur,
C sed fundamento petrae homo aedificatus insistet [p] nec
20 moueri loco suo poterit. Stultus uero haec audita dissi-
mulans, tamquam super arenam opus aedificationis
impenderit, infideliter stat cito pluuiis illabentibus
subruendus et fluminibus propellendus et uentis diffe-
rendus, secundum naturam super quas aedificatus est
25 arenarum cum graui ruinae suae strage soluendus [q].

7. Atque ita superiorum comparationum exemplo
Dominus nos uoluit et efficere quae iussit et credere
quae spopondit. Consummatis igitur omnibus, turbae
mirabantur doctrinam eius [r], quia se non Scribarum et
5 Pharisaeorum more docuisset [s]. In uerborum enim uirtutibus effectus potestatum metiebantur.

7

1. *Et descendente eo de monte, secutae sunt eum turbae
multae. Et ecce leprosus quidam ueniens adorabat eum
dicens : Domine, si uis, potes me mundare* [a], et cetera. In

LREP (= α) A (ab V, 13, 13 usque ad VII, 4, 8,) GSTM (= β)
15 postquam : p. quas T M *Cou.* p. quae *Bad.* ‖ 17 desae-
uit P *Cou.* ‖ 18 infertur P *Cou.* ‖ 19 insistit A S ‖ 23 subluendus β
Bad. Cou. ‖ **7, 1** comparationum : conturbationum β *Bad.* ‖ 4 mi-
rantur E T M ‖ qua *PL* ‖ 6 effectum T M

VII et descendente L M : VIII et descendente P CANON
(CAPVT T *Cou.*) VII et descendente T *edd.* et descendente R E G S
‖ **1,** 3 cetera : reliqua β *Cou.*

---

p. Cf. Matth. 7, 25
q. Cf. Matth. 7, 26. 27
r. Cf. Matth. 7, 28
s. Cf. Matth. 7, 29

des plaisirs flatteurs qui pénètrent insensiblement et, pour commencer, amollissent la foi en y ouvrant des fissures [9] ; après quoi le déferlement du cours des torrents (c'est le mouvement des passions les plus pesantes qui l'assaille) et à sa suite toute la violence des vents soufflant partout ont beau se déchaîner, c'est-à-dire l'attaque de tout le souffle de la puissance diabolique s'abattre, l'homme bâti sur la fondation de la pierre s'y tiendra [p] et ne pourra pas en être délogé. Mais l'insensé, négligeant ces paroles qu'il a entendues, comme un ouvrage bâti en surplomb sur du sable, se tient mal assuré, prêt à être rapidement arraché par des pluies qui le pénètrent, à être emporté par des fleuves, à être arraché par les vents, à être disloqué, à l'instar de la nature des sables sur lesquels il a été édifié, dans le lourd amoncellement de ses ruines [q].

7. Et ainsi, par l'exemple des comparaisons qui précèdent, le Seigneur a voulu et que nous exécutions ce qu'il a ordonné et que nous croyions ce qu'il a promis. Tout étant donc achevé, les foules admiraient son enseignement [r], du fait qu'il ne les enseignait pas à la manière des scribes et des Pharisiens [s]. Car dans la vertu des mots on mesurait l'efficacité de leur pouvoir.

Chapitre 7

1. *Et alors qu'il descendait de la montagne, des foules nombreuses le suivirent. Et voici qu'un lépreux vint et se prosternait devant lui en disant : Seigneur, si tu veux, tu peux me guérir* [a], *etc.* En commençant l'exposé [1], nous

a. Matth. 8, 1-2

---

9. Cette interprétation de la pluie procède, semble-t-il, à la fois du développement de Tert., *bapt.*, 5, 4 sur les eaux « homicides » et de métaphores cicéroniennes sur l'action insinuante du plaisir : cf. *fin.*, 1, 39 : « si ea sola uoluptas esset... quae *illaberetur* ».

1. Cf. *supra*, 2, 2.

exordio sermonis admonuimus, ne quis forte existi-
B maret aliquid rerum gestarum fidei detrahendum, si res
ipsas profectus rerum consequentium continere in se
doceremus. Nihil enim ueritati detrahit imitationem
ueritas consecuta. Toto igitur superiore sermone Dominus fidei praecepta tradiderat, legem excesserat iam
10 inutilem atque inefficacem excedendo significans. Mandatorum obseruantiam exegerat, promissorum suorum
spem fidissimam imperauerat ; quid igitur post haec
primum gesserit, contuendum est.

2. Adest leprosus, emundari se rogat, purgatur Verbi
potestate cum tactu [b], iubetur silere, sed tamen ostendere se sacerdoti et munus quod Moyses in testimonium
C fieri praecepit offerre [c]. Curatio igitur audientis et cre-
5 dentis turbae et cum Domino de monte uenientis in
leproso ostenditur, quae uitiosa labe corporis contami-
nata auditaque regni caelorum praedicatione curari se
rogat. Contactu corporis uisitatur, Verbi uirtute curatur et ut salus haec non offerretur potius quam quaere-
10 retur, silentium imperatur et ostendere se sacerdotibus
iubetur, ut praenuntiatus in lege factis et operibus
cernatur et in quo lex infirmabatur, in eo Verbi uirtus
955 A intelligeretur praemium quoque receptae salutis qui
purgatus est Deo offerat, sed ut donum illud non sit ex
15 auibus, sed ut homo ipse a sordibus peccati corporis
emundatus in sacrificium Dei transeat, quia quod Moyses
in lege praeceperit testimonium sit, non effectus.

3. *Post haec autem cum introisset Capharnaum, acces-*

LREP (= α) A (ab V, 13, 13 usque ad VII, 4, 8) GSTM (= β)
11 *post* exegerat *add.* ante β *edd.* ‖ 12 quod *Ver. PL* ‖ **2,** 4
oboedientis β *Bad.* ‖ 5 *post* uenientis *add.* adoratio β *Bad.* ‖ 8 cum
tactu P A S T M *Cou.* ‖ 12 uerbi *om.* β *Bad.* ‖ **3,** 1 intrasset α

---

b. Cf. Matth. 8, 3
c. Cf. Matth. 8, 4

avions averti de ne pas considérer que l'on dût ôter
quelque chose à la vérité des faits, si nous enseignions
que les événements eux-mêmes contiennent en eux le
développement des faits suivants. Rien n'est ôté à la
vérité, quand c'est la vérité qui imite [2]. Ainsi, dans
tous les propos antérieurs, le Seigneur avait livré les
préceptes de la foi et dépassé la Loi, en indiquant par ce
dépassement qu'elle était désormais inutile et inefficace. Il
avait répudié l'observation des commandements, réclamé
l'espoir le plus confiant dans ses promesses [3]. Ce qu'il a
donc fait d'abord après cela, voilà ce qu'il faut examiner.

2. Le lépreux est là, demande à être guéri, est purifié
par la puissance du Verbe accompagnée d'un attouchement [b], reçoit l'ordre de se taire, mais cependant de se
montrer au prêtre et de présenter l'offrande que Moïse a
prescrit de faire en signe d'attestation [c]. Dans le lépreux
est présentée la guérison de la foule qui entend, croit et
descend de la montagne avec le Seigneur : souillée par
une tare pernicieuse du corps et entendant la prédication
du Royaume des cieux, elle demande à être guérie ; dans
son corps elle est visitée par un attouchement, elle est
guérie par la vertu du Verbe, et, pour que ce salut soit
moins offert que demandé, le silence est commandé et
ordre lui est donné de se montrer aux prêtres, afin qu'on
voie par des actes et des œuvres celui qui était annoncé
d'avance dans la Loi et que chez l'homme où la Loi se
trouvait débile, on discerne la vertu du Verbe, afin aussi
que l'homme qui est purifié offre à Dieu le prix du salut
recouvré, sans que ce don soit fait en oiseaux [4], mais de
telle sorte que l'homme lui-même, lavé des souillures de
son péché physique, soit converti en sacrifice pour Dieu,
car ce que Moïse a prescrit dans la Loi était un témoignage, non une réalisation.

3. *Après cela, comme il était entré à Capharnaüm, un*

2. Sur l'opposition classique entre *ueritas* et *imitatio*, cf. *infra*,
24, n. 13.
3. Cf. *supra*, 4, 20-28.
4. C'est l'« offrande prescrite par Moïse » (cf. *Lév.* 14, 4) évoquée
dans *Matth.* 8, 4.

*sit ad eum quidam tribunus rogans eum et dicens : Puer
meus iacet in domo paralyticus* [d], et cetera. Sequitur
emundationem leprosi paralytici pueri curatio. Sed quid
5 istud est, quod non dignum se tribunus pueri dominus
profitetur esse, ut Christus domum eius introeat, puerum
uideat et praesens praesenti opem adferat, seque habere
milites, iubere quod uelit et in potestate posito parere sibi
B plurimos, similiter et Dominum curationem uerbo posse
10 praestare [e] ? De tribuno posuisse me satis sit principem
esse gentium crediturarum. Quis hic princeps sit cui
subiecti sunt plures, qui uolet scire, Moysi in Deuterono-
mio canticum [f] et Salomonis librum Ecclesiasticum [g],
ubi de dispersione gentium quaedam locuti sunt, legat ;
15 nobis tantum de puero tractatus sit.

4. Succedit igitur in hoc puero post paralytici sani-
tatem curationi populi de monte descendentis salus
gentium. Iacebat enim puer dissolutus in domo humili,
corruptibili et ingressu eius, cuius tamen egens erat,
5 saluatoris indigna. Et tribunus scit puerum uerbo
posse sanari, quia salus gentium omnis ex fide est et in
C praeceptis Domini uita est uniuersorum. Igitur iacentes
in saeculo et peccatorum morbis dissolutae gentes exis-
timandae sunt, omnibus undique artubus fluidis et ad
10 consistendi officium ingrediendique corruptis. Quarum
salutis sacramentum in tribuni puero expletur, non
tamen ingressuro domum Christo. Licet enim in saeculo
demoratus sit, uitia tamen saeculi et peccata non adiit.

LREP (= α) A (ab V, 13, 13 usque ad VII, 4, 8) GSTM (= β)
LREP (= α) GSTM (= β)
　2 *post* dicens *add.* Domine A S ‖ 3 et cetera *om.* β ‖ 9 Domino L R ‖
12 sint L A G S ‖ uolet : uult A S ‖ 4, 1 igitur : deinde β *edd.* ‖
paralytici : leprosi E　paralysis *Cou.* ‖ 2 curatio A S *edd. plures* ‖
9 fluuidis L S T ‖ 12 licet enim : licet L R G S　quia licet *Bad.*

---

d. Matth. 8, 5-6
e. Cf. Matth. 8, 8-9
f. Cf. Deut. 32, 43
g. Cf. Sir. 48, 16

tribun l'aborda et le pria en disant : Mon serviteur est couché à la maison, paralysé [d], etc. La guérison du serviteur paralysé suit la purification du lépreux. Mais que signifie le fait que le tribun maître du serviteur reconnaisse qu'il n'est pas digne de laisser le Christ entrer dans sa maison, voir le serviteur et, étant présent, lui porter secours sous ses yeux, reconnaisse qu'il a des soldats, leur commande ce qu'il veut et qu'étant investi d'un pouvoir, il se fait obéir d'un grand nombre de gens, que de la même façon aussi le Seigneur peut par sa parole offrir la guérison [e] ? Au sujet du tribun, on peut se contenter d'admettre qu'il est le chef des nations appelées à croire. Qui est ce chef capable d'avoir beaucoup d'hommes soumis à lui, qui voudra le savoir n'a qu'à lire le cantique de Moïse dans le Deutéronome [f] et le livre de l'Ecclésiastique de Salomon [g], qui ont parlé de la dispersion des nations. Pour nous, contentons-nous de traiter du serviteur.

4. Ainsi, dans ce serviteur, c'est, après le rétablissement du paralysé, le salut des païens qui prend la place de la guérison du peuple descendant de la montagne. Le serviteur était couché, brisé, dans une maison humble, corruptible, qui n'était pas digne de laisser entrer celui dont elle avait pourtant besoin, le Sauveur. Et le tribun sait que son serviteur peut être guéri par une parole, parce que le salut des païens procède tout entier de la foi et que la vie pour tous les hommes se trouve dans les commandements du Seigneur. Il faut donc se représenter les païens couchés dans le siècle, brisés par les maladies des péchés, tous les membres énervés de toute part et endommagés pour remplir leur office, la station droite et la marche [5]. Le mystère de leur salut est accompli dans le serviteur du tribun, sans que cependant le Christ doive entrer dans la maison, car, bien qu'il fût demeuré dans le siècle, il ne s'est pas exposé aux vices et aux péchés du siècle.

---

5. Sur les malades, image des païens, cf. *infra*, 9, 10 ; 15, 4 ; Tert., *pudic.*, 9, 13-15.

5. Miratus deinde fidem ait : *Non inueni tantam fidem in Israel* [h]. Non erat tribunus iste de gentibus ; et quomodo in Israel fides talis non est reperta, cum qui crederet esset Israelita ? Sed ut similitudinem futuri haec

5 ipsa ueritas aemularetur, idcirco uerbi ratio subiecta

D est tantam fidem, quanta gentium est, in Israel non reperiendam et cum Abraham et Isaac et Iacob in regno caelorum ex ultimis gentibus quieturos [i]. Perfecta quidem est in puero secundum credentis fidem ueritas

956 A sanitatis, sed praesentium efficientia etiam futurorum imagini proficere monstratur, quando, et tribuno credente et puero saluato, nec talis in Israel fides reperta est et regni caelorum consortium cum Abraham gentibus destinatur.

6. *Cum uenisset Iesus in domum Petri, uidit socrum eius iacentem et febricitantem* [j]. In socru Petri uitiosa infidelitatis aestimatur adfectio, cui adiacet libertas uoluntatis, quae nos quadam sibi coniugii societate

5 coniungit. Ergo ingressu Domini in Petri domum, id est in corpore, curatur infidelitas peccatorum calore exaestuans et uitiorum aegra dominatu. Mox deinde sanata

B officii famulatu ministrat [k]. Nam primus credidit et apostolatus est princeps, et quod in eo ante languebat,

10 Dei Verbo inualescens ministerio tamquam publicae salutis operatum est. Recte autem hanc ex socru Petri

---

LREP (= α) GSTM (= β)
5, 3 est non L R P β ‖ 13 consortibus... gentium S β′ ‖ 6, 2 *post* febricitantem *add.* et reliqua *edd.* ‖ 5 domum : -mo M -mu R P *Cou.* ‖ 7 sanata : saluata T M ‖ 9 apostolatus : -tu R in -tum S ‖ 10 ministerio : -um E -a P ‖ 11 salutis : sanitatis T M ‖ operatum est : -tus est L R P -tur E

---

h. Matth. 8, 10
i. Cf. Matth. 8, 11
j. Matth. 8, 14
k. Cf. Matth. 8, 15

5. S'étonnant de sa foi, il dit : *Je n'ai pas trouvé tant de foi en Israël* [h]. Ce tribun n'appartenait pas aux païens. Comment en Israël n'a-t-on pas trouvé une telle foi, puisque celui qui croyait était Israélite ? Mais pour que ce fait réel même reproduise la ressemblance de l'avenir, il y a une raison sous-jacente aux mots, qui explique qu'une foi aussi grande que celle des païens ne devait pas être trouvée en Israël et qu'on viendrait des nations les plus lointaines pour reposer avec Abraham, Isaac et Jacob dans le Royaume des cieux [i]. La réalité de la guérison chez le serviteur est assurément accomplie conformément à la foi de celui qui y croyait, mais l'action des faits présents paraît aussi servir à l'image de l'avenir, puisque, eu égard au tribun croyant et à son serviteur sauvé, une telle foi n'a pas été trouvée en Israël et que la compagnie d'Abraham est réservée aux païens dans le Royaume des cieux.

6. *Comme Jésus était venu dans la maison de Pierre, il vit sa belle-mère couchée avec de la fièvre* [j]. Dans la belle-mère de Pierre, on mesure la perversité de l'incroyance, à laquelle s'adjoint la liberté de la volonté qui nous unit à elle par une sorte de lien conjugal. Ainsi, quand le Seigneur entre dans la maison de Pierre, c'est-à-dire qu'il est dans son corps, est guérie l'incroyance qui respire la chaleur des péchés et qui souffre de la domination des vices. Ensuite, bientôt guérie, elle accomplit sa fonction de service [k]. Car il fut le premier à croire et il a le primat de la fonction apostolique [6] et ce qui en lui était malade auparavant, fortifié par le Verbe de Dieu, agit en étant au service en quelque sorte du salut général. De l'heu-

---

6. Le lien entre la confession de Césarée (*Matth.* 16, 16-18) et la primauté de Pierre a été mis en valeur par Cypr., *epist.*, 71, 3 : « Petrus quem primum Dominus elegit et super quem aedificauit ecclesiam suam. » Ce *primatus* (*ibid.*) se reflète dans la notion *de Petri... ecclesia principalis* (Cypr., *epist.*, 59, 14). De cette dernière formule on rapprochera celle d'Hilaire : *princeps apostolatus.* Sur la primauté de Pierre dans l'ecclésiologie définie par Cyprien, cf. P. Batiffol, *Cathedra Petri*, Paris 1938, p. 178-181 ; U. Wickert, « *Sacramentum unitatis* » (= *Beihefte zur ZNTW*, 41), Berlin 1971, p. 108-118.

similitudinem ad adfectionem infidelitatis aptari loco qui
de nuru et socru consequitur tractabimus. Nunc autem
ideo infidelitas socrus Petri nuncupabitur, quia, usque
15 dum credit, uoluntatis suae seruitio detinebatur.

7. *Vespere autem facto obtulerunt ei multos daemonia
habentes et eiciebat spiritus immundos* [1]. Curationem
promiscuam horis uespertinis concursu eorum quos
post passionem docuit recognoscimus, omnium peccata
C dimittens, omnium infirmitates auferens et malarum
uoluptatum insidentium incentiua depellens [m], passione corporis sui secundum prophetarum dicta infirmitates humanae imbecillitatis absorbens [n].

8. *Videns autem Iesus turbas multas circum se iussit
discipulos suos ire trans fretum. Et accedens ad eum quidam scriba ait : Magister, sequar te quocumque ieris* [o],
et cetera. Multa incurrunt quae sensum communem
5 mouere possunt. Atque non nos intelligentiam fingimus,
sed gesta ipsa intelligentiam nobis impertiuntur. Neque
enim res intelligentiae, sed rei intelligentia subsecundat.
Turbae plures sunt et ire trans fretum Dominus discipulis praecipit. Non existimo cadere in saluatoris boni-
D tatem, ut circumcursantes relinquere uoluerit et secretum quoddam impertiendae salutis eligere. Deinde
consequitur scriba dicens magistrum se quocumque ierit
secuturum, sed nihil a scriba dictum factumue legitur,
957 A quod possit offendere ; et Dominus respondit uulpibus
15 esse foueas et caeli uolucribus nidos quiescendi, filio
autem hominis, quo reclinet caput suum, locum esse

LREP (= α) GSTM (= β)
   12 fidelitatis S β' ‖ 14 infidelitatis R P *Cou.* ‖ 15 credidit T M
Bad. Cou. ‖ detineatur α ‖ 7, 2 *post* immundos *add.* et cetera *edd.*
curationem : ora- β ‖ 3 uesperis L β ‖ 8, 4 cetera : reliqua β *edd.*
6 nobis intelligentiam R P G T M *Bad.* ‖ 9 bonitate L R P ‖ 14 posset
β *edd.* ‖ et *om.* β *edd.*

l. Matth. 8, 16
m. Cf. Marc 16, 15-18

reuse adaptation de cette image de la belle-mère de Pierre à l'état d'incroyance, nous traiterons lors du passage qui vient ensuite, relatif à la bru et à la belle-mère [7], mais présentement nous ferons de la belle-mère de Pierre le nom de l'incroyance, car Pierre était retenu par l'esclavage de sa propre volonté jusqu'à ce qu'il croie.

7. *Le soir tombé, on lui présenta beaucoup d'hommes possédés et il chassait les esprits impurs* [1]. On voit à nouveau, aux heures du soir, une guérison de tous sans distinction, lors de la réunion de ceux qu'il instruisit après sa Passion [m], remettant les péchés de tous, ôtant les faiblesses de tous, refoulant les désirs mauvais implantés en nous, absorbant par la passion de son corps, selon la parole des prophètes, toutes les infirmités de la faiblesse humaine [n].

8. *Jésus voyant les foules nombreuses autour de lui, ordonna à ses disciples d'aller de l'autre côté de la mer. Et un scribe, s'approchant de lui, dit : Maître, je te suivrai partout où tu iras* [o], etc. Beaucoup de faits se présentent, qui peuvent susciter une explication ordinaire. Et d'ailleurs, ce n'est pas nous qui imaginons une explication, mais les faits eux-mêmes qui nous donnent une explication ; et ce n'est pas en effet la réalité qui se conforme à l'explication, mais l'explication qui se conforme à la réalité. Les foules sont nombreuses et le Seigneur prescrit à ses disciples d'aller de l'autre côté de la mer. Je ne pense pas qu'il soit conforme à la bonté du Sauveur d'avoir voulu abandonner ceux qui courent l'entourer et de choisir un lieu retiré pour faire don du salut. Ensuite vient un scribe en disant qu'il suivrait le Maître partout où il irait, mais on ne lit pas que le scribe ait rien dit ou fait qui puisse offenser ; et pourtant le Seigneur répondit que les renards ont des trous et les oiseaux du ciel des nids où se reposer, mais que le Fils de l'homme n'a aucun lieu où repo-

n. Cf. Matth. 8, 17
o. Matth. 8, 18-19

7. Cf. *infra*, 10, 23, 27.

nullum ᴾ ; et discipulum postulasse dari sibi tempus
patris sepeliendi ᑫ, hoc negatum et pii atque humani
officii uetitam religionem. Ergo rerum tantarum et tam
20 diuersarum ratio promenda est, atque ita ut secundum
continentem rerum ordinem et grauissimas ueritatis
ipsius causas interioris significantiae intelligentia expli-
cetur.

9. Discipulorum nomen non in duodecim tantum
apostolis uersari existimandum est. Nam praeter apostolos plures fuisse discipulos legimus. Ex omni igitur
B turba quaedam fieri iubetur electio, eorum scilicet qui
5 Dominum per multa saeculi huius pericula et iacta-
tiones essent secuturi. Ecclesia enim instar est nauis — et
plurimis locis ita nuncupata est — quae, diuersissimi generis et gentis uectore suscepto, subiecta est omnibus et
uentorum flatibus et maris motibus, atque ita illa et
10 saeculi et immundorum spirituum uexatur incursibus.
Propositis periculorum omnium motibus, Christi nauem,
id est Ecclesiam, introimus scientes nos mari uentoque
iactandos. Vt igitur ordo typicae significantiae cohaereret
possetque intelligi fidelium portio conscendentium nauem
15 et infidelium turba residentium, scribae et discipuli
persona subiungitur.

10. Et quidem scriba, qui est unus ex doctoribus legis,
an sit secuturus interrogat, quasi uero lege non hunc esse
Christum, quem sequi esset utile, contineretur. Igitur
infidelitatis adfectum sub diffidentia interrogationis
5 expressit, quia fidei adsumptio non interroganda est, sed

LREP (= α) GSTM (= β)
17 temporis S β′ ‖ 9, 4 iubetur : uidetur S X W Z *Bad.* ‖ 11 *post*
propositis *add.* enim β *edd.* ‖ 10, 4 diffidentia : -ferentiam S X W Z
edd. plures

---

p. Cf. Matth. 8, 20
q. Cf. Matth. 8, 21

ser sa tête [p] ; il y a encore ce détail, qu'un disciple a demandé que lui fût donné le temps d'enterrer son père, que cela lui fut refusé [q], et qu'il fut empêché de respecter un devoir de piété humaine. Voilà les faits si importants et si divergents dont il faut produire la raison, et cela en sorte que, conformément à l'ordre continu des faits et aux causes les plus sérieuses de la réalité même, se développe l'intelligence du sens intérieur.

9. Le nom de disciples ne doit pas être considéré comme s'appliquant seulement aux douze apôtres. Nous lisons, en effet, qu'en dehors des apôtres, il y a eu de nombreux disciples. Une sélection au sein de toute la foule est donc prescrite ; il s'agit de ceux qui devaient suivre le Christ à travers les multiples dangers des agitations de ce monde. L'Église est, en effet, semblable à un navire — et, en de très nombreux endroits, elle est appelée de ce nom [8] — qui, ayant pris pour passager la très grande diversité des races et des peuples, est exposée à tous les souffles du vent et tous les mouvements de la mer, et ce sont là les assauts du monde et des esprits impurs contre elle. En présence de mouvements offrant toute sorte de dangers, nous entrons dans le navire du Christ, c'est-à-dire l'Église, sachant que nous devons être ballottés par la mer et le vent. Donc pour rendre cohérent l'ordre de l'intelligibilité typologique et faire comprendre que ceux qui montaient dans le navire étaient la part des croyants et que ceux qui demeuraient étaient la foule des incroyants, s'ajoutent les rôles du scribe et du disciple.

10. Et le scribe, qui est un des docteurs de la Loi, demande s'il doit le suivre, comme si vraiment la Loi ne contenait pas l'idée que le Christ était celui qu'il y avait intérêt à suivre. Ainsi, sous l'hésitation de la question, il a exprimé ses sentiments d'incroyance, car l'adoption de la foi doit se faire, non en questionnant, mais en suivant [9].

8. Cf. *in Matth.*, 8, 4, 32 ; 13, 1, 7 ; 14, 9, 1 ; 14, 13, 9 ; 15, 10, 21 et chez Tert., *bapt.*, 12, 7.

9. Tert., *praescr.*, 9, 4, disait déjà : « Il faut croire dès qu'on a trouvé..., et par conséquent il n'y a rien d'autre à chercher du moment où l'on a trouvé » (trad. P. de Labriolle).

sequenda. Vt autem eadem interrogatio infidelitatis
esset punita iudicio, Dominus respondit uulpes habere
foueas et uolucres caeli nidos quibus requiescant, hominis autem filium non habere ubi caput suum reclinet.
10 Vulpis est animal insidiosum circa domorum se occulens
foueas et domesticis auibus insidians, atque hoc nomine
pseudoprophetas nuncupari aliquot locis legimus [r].
D Volucres autem caeli saepenumero immundos spiritus
cognominari didicimus. Dei ergo filius paucitatem sequen-
15 tium contuens et doctorem legis diffidentem an sequeretur ipsum exprobrat pseudoprophetis esse foueas et
immundis spiritibus nidos quiescendi, quod extra nauem
relicti, id est extra Ecclesiam positi effecti sint incolatus
pseudoprophetarum et habitatio daemonum, filium au-
958 A tem hominis, se scilicet cui caput Deus sit, non reperire
in quo collocata Dei cognitio requiescat [s], inuitatis
omnibus ut in nauem, ita in Ecclesiam, paucis metu maris
id est saeculi secuturis.

11. Adest post haec discipulus non interrogans an
sequatur (iam enim sequi oportere se credidit), sed per-
mitti sibi orans sepelire patrem. Accepimus in dominicae orationis exordio ita primum precandum : *Pater*
5 *noster qui in caelis es* [t]. Ergo quia credentis in discipulo
populi persona est, admonetur ut meminerit quod pater
sibi uiuus in caelis est. Sequi autem Dominum iubetur,
quia et uolebat, ita ut mortui mortuum sepeliant. Sed
nullum arbitror officium exspectari a mortuis posse.

LREP (= α) GSTM (= β)
10 uulpes E S² *edd.* ‖ 15 doctorem... diffidentem : doctore... diffidente (-ti G) β *Gil.*² doctori... diffidenti *Bad.* ‖ 21 quo : quos β *edd.* ‖
cognitione β *edd.* ‖ **11**, 3 accipimus G T M *Bad.* ‖ 5 es in caelis L β *Cou.*

r. Cf. Éz. 13, 4
s. Cf. I Cor. 11, 3
t. Matth. 6, 9

10. Ce sont les traits du renard chez Horace (*epist.*, 1, 7, 29 ;
ars, 437).

Et pour punir encore la question en la taxant d'incroyance, le Seigneur répondit que les renards ont des trous et les oiseaux du ciel des nids pour se reposer, mais que le Fils de l'homme n'a aucun endroit pour reposer sa tête. Le renard est un animal perfide qui se cache à la ronde dans les trous des maisons à l'affût des oiseaux domestiques [10] ; or nous avons lu en plusieurs endroits [r] que sous ce nom étaient désignés les faux prophètes. Quant aux oiseaux du ciel, nous avons souvent appris que leur nom était celui des esprits impurs [11]. Le Fils de Dieu, voyant donc le petit nombre de ceux qui le suivaient et le docteur de la Loi qui hésitait pour savoir s'il le suivrait, n'apprécie pas que les faux prophètes aient des trous et les esprits impurs des nids pour se reposer, car ceux qui sont restés en dehors du navire, c'est-à-dire qui se sont placés en dehors de l'Église, se sont faits le gîte des faux prophètes et l'habitation des démons, et que le Fils de l'homme, c'est-à-dire ayant lui-même Dieu pour tête [s], ne trouve personne où la connaissance de Dieu s'établisse et repose [12], car, si tous sont invités à entrer dans l'Église comme sur un navire, il en est peu qui sont disposés à le suivre par crainte de la mer, c'est-à-dire du siècle.

11. Après cela, il y a un disciple qui ne demande pas s'il le suivra — car il a déjà cru qu'il faut le suivre —, mais qui le prie de lui permettre d'enterrer son père. Nous avons appris qu'au commencement de l'Oraison dominicale, il faut prier ainsi : *Notre Père, qui es aux cieux* [t]. Ainsi, parce que le disciple a le rôle du peuple qui a la foi, il est exhorté à se rappeler qu'il a un père vivant dans les cieux. Et s'il lui est prescrit de suivre le Seigneur, c'est, comme en plus il le voulait, à condition que les morts enterrent le mort. Mais je ne sache pas qu'on puisse attendre des morts un service [13]. Comment donc les morts

---

11. Cf. *Mc* 4, 4 et 15, où les *uolucres* sont l'image de Satan.

12. Explication inspirée par le *topos* de l'apologétique d'après lequel l'âme, le siège de la connaissance, se trouve dans la tête : cf. LACT., *opif.*, 16, 11.

13. La mort fait « cesser les *officia* », comme il est dit *infra*, 23, 4, 15.

B Quomodo ergo mortui mortuos humabunt ? Primum
igitur ostendit perfectam in se fidem nulla saecularis in
alterutrum officii religione esse deuinctam, deinde inter
fidelem filium patremque infidelem ius paterni nominis
non relinqui. Non igitur obsequium humandi patris
15 negauit, sed addendo : *Remitte mortuos sepelire mortuos suos* [u] admonuit non admisceri memoriis sanctorum mortuos infideles, mortuos autem etiam eos esse qui
extra Deum uiuant. Et idcirco mutua mortuis officia
relinquenda, ut mortui sepeliantur a mortuis, quia per
20 Dei fidem uiuos uiuo oporteat adhaerere.

8

C 1. *Et ascendente eo in nauiculam, secuti sunt eum discipuli. Et ecce tempestas magna facta est in mari* [a], et cetera.
Nauem discipulis introgressis tempestas oritur, mare
commouetur, nauigantes turbantur. Ipse uero somno
5 consopitus timentium metu excitatur, oratur opem
adferat [b]. Et increpitis iis quod modicae essent fidei,
uento et mari tranquillitatem imperauit, cum admiratione hominum praeceptis eius uentum et mare oboedisse [c]. Igitur secundum haec ecclesiae, intra quas uerbum

LREP (= α) GSTM (= β)
12 alterum L β *edd.* ‖ 15 dimitte *edd.* ‖ 20 adhaerere : adhibere
S β′ *Bad.*

VIII et ascendente L M : IX et ascendente P   CANON (CAPVT
T *Cou.*) VIII et ascendente T *edd.* et ascendente R E G S ‖ **1, 1**
nauicula L S ‖ 2 cetera : reliqua β *edd.* ‖ 5 consopitus : compositus
L R ‖ *ante* opem *add.* ut G S² *Cou.* ‖ 6 increpatis R β ‖ 9 inter T M

u. Matth. 8, 22
a. Matth. 8, 23-24
b. Cf. Matth. 8, 25
c. Cf. Matth. 8, 26

inhumeront-ils les morts ? C'est une façon de montrer d'abord que la foi parfaite n'est pas liée par le scrupule d'un devoir à se rendre l'un à l'autre en ce monde, ensuite qu'entre un fils croyant et un père incroyant, le droit attaché au titre de père n'est pas maintenu [14]. Il n'a donc pas refusé pour un père l'hommage d'une inhumation, mais en ajoutant : *Laisse les morts ensevelir les morts* [u], il a exhorté à ne pas mêler au souvenir des saints les morts incroyants [15], et aussi à considérer comme morts ceux qui vivent en dehors de Dieu. Et s'il faut laisser aux morts le soin de se rendre des services réciproques, en sorte que les morts soient enterrés par les morts, c'est parce qu'il faut que par la foi en Dieu les vivants s'attachent à un vivant.

Chapitre 8

1. *Et alors qu'il montait dans la barque, les disciples le suivirent. Et voici qu'une grande tempête survint sur la mer* [a], etc. Les disciples entrés dans le navire, une tempête s'élève, la mer s'agite, les passagers se troublent. Lui, assoupi dans le sommeil, est réveillé par leur inquiétude craintive ; on le prie de venir au secours [b]. Et, leur reprochant leur peu de foi, il commanda au vent et à la mer de se calmer, tandis que les hommes s'étonnaient de voir que le vent et la mer obéissaient à ses ordres [c]. Ainsi,

14. Principe de « droit chrétien » conforme à l'enseignement de *II Cor.* 6, 15 : « Quelle part le croyant a-t-il avec l'incroyant ? » : il sera repris par Jérôme (*epist.*, 54, 3), qui complète ainsi le commandement de *Ex.* 20, 12 : « Honore ton Père, mais à condition qu'il ne te sépare pas du véritable Père » (trad. J. Labourt).

15. Cette formule reflète, non un usage liturgique relatif aux funérailles, mais un principe de la discipline d'excommunication rapporté par Cypr., *sent. episc.*, 12-15 : « ne nos uiui mortuis communicemus... ; nos, quantum in nobis est, heretico non communicamus. » Des échos de ce principe se trouvent chez Hilaire : *in Matth.* 6, 1 et 10, 3. (*Ad*)*miscere* est le terme cyprianique désignant la *communicatio* : « cum episcopis communicationem miscuisse (*epist.* 55, 10). »

10 Dei non uigilauerit, naufragae sunt, non quod Christus
D in somnum relaxetur, sed quod somno nostro conso-
piatur in nobis. Maxime autem illud accidit ut a Deo
praecipue in periculi metu et uexatione speremus, atque
utinam uel spes sera confidat sese periculum posse
15 euadere, Christi intra se uirtute uigilante ! Perpetuam
autem nobis obiurgationis suae recordationem reliquit
dicens : *Modicae fidei, quid timidi estis* [d] ? metum scilicet
959 A motuum saecularium, cum quibus Christi fides uigilet,
nullum esse oportere.

2. Consequitur deinde hominum admiratio dicen-
tium : *Qualis hic homo est, quod uenti et mare oboediunt
ei* [e] ? Non discipulorum hic sermo, sed gentium est. Nam
cum superius et discipulos tantum nauem introisse et a
5 discipulis tantum excitatum esse dixisset, nunc admiratos esse homines significat, hominibus hominem in
ipsa admiratione dicentibus. Qua nominum conuersione
intelligitur omnia opera Christi omnesque eius uirtutes
ut Dei esse laudandas, quia piaculi gentilis miserrimique
10 erroris stultitiam demonstrat, quod eum ex humilitate
B passionis hominem potius nuncupant quam ex uirtutibus
Deum.

3. *Et cum uenisset trans fretum in regione Geraseno-
rum, occurrerunt ei duo homines daemonia habentes de
monumentis exeuntes, periculosi nimis* [f], et cetera. Duo-

LREP (= α)   GSTM (= β)
12-15 maxime — uigilante *om.* L R P ‖ 16 relinquit L S T M *Bad.* ‖ 18
Christi fides : Christus T M ‖ **2,** 4 tantum *om.* β *edd. plures* ‖ 6 hominibus *om.* L R P G *Bad.* ‖ hominem *om.* E S T M ‖ 8 intelligitur :
-gunt S   -guntur S² T M ‖ 11 nuncupent β *edd.* ‖ **3,** 1 regionem E
Cou. ‖ 3 cetera : reliqua β *edd.* ‖ 3 duum L R G S *edd.*

d. Matth. 8, 26
e. Matth. 8, 27
f. Matth. 8, 28

1. Cypr., *epist.*, 59, 6, parlait déjà de « naufrages de l'Église ».
2. Rapprocher l'explication qui sera donnée, *infra*, 31, 7, 15, de

d'après cela, les églises au sein desquelles la parole de
Dieu n'aura pas été en état de veille sont des naufragées [1],
non que le Christ se relâche dans le sommeil, mais parce
qu'il est assoupi en nous du fait de notre sommeil [2]. Or il
arrive le plus souvent que nous espérions quelque chose
de Dieu principalement dans la crainte et la secousse du
danger ; et s'il pouvait arriver qu'un espoir même tardif [3] fût l'assurance de pouvoir échapper au danger, parce
que la vertu du Christ veille au dedans de lui [4] ! De fait,
c'est pour tous les temps que le Seigneur nous a laissé le
souvenir de cette objurgation : *Hommes de peu de foi,
pourquoi avez-vous peur* [d] *?*, ce qui veut dire que la crainte
des agitations du monde ne doit pas exister pour ceux
avec qui veille la foi du Christ.

2. Ensuite vient l'étonnement des hommes qui disent :
Quel est cet homme, que les vents et la mer lui obéissent [e] *?*
Le texte concerne ici non les disciples, mais les païens.
Car, comme il avait dit précédemment que les disciples
étaient seulement montés sur le navire et l'avaient seulement réveillé, maintenant il indique que les hommes sont
étonnés, eux, hommes, le traitant d'homme dans leur
étonnement précisément. Ce retour du mot fait comprendre que toutes les œuvres du Christ et tous ses pouvoirs doivent être loués comme ceux de Dieu, puisque la
sottise du sacrilège païen et son égarement misérable sont
mis en lumière par le nom d'homme qui lui est appliqué,
à cause de l'abaissement de la Passion, à la place de celui
de Dieu mérité par ses pouvoirs.

3. *Et quand il fut arrivé de l'autre côté de la mer, dans le
pays des Géraséniens, vinrent à sa rencontre, sortant des
tombeaux, deux démoniaques extrêmement dangereux* [f], etc.

---

la peur du Christ : « Toute sa crainte porte sur ceux qui devaient
souffrir », en application de la prophétie d'*Is.* 53, 4 rappelée *supra*,
7, 7, 7.

3. Cf. Cypr., *Demetr.*, 23 : « Deum uel sero quaerite, quia... per
prophetam Deus... dicit : *quaerite Deum et uiuet anima uestra*
[*Amos*, 5, 6] ».

4. La *uirtus* du Christ est ce qui en lui « est de Dieu » (12, 17, 12)
ou encore « Dieu demeurant *dans l'homme* » qu'il est (8, 6, 10).

rum hominum occursus, daemonum in duos homines
5 longa possessio et periculosa transeuntibus uia et trans-
fugiendi in porcos deprecatio et, purgatis hominibus,
gregis ipsius per praeceps in mari casus, dehinc pasto-
rum in oppidum fuga, populi de ciuitate progressus et ne
urbem Dominus adiret legatio et reditus eius in patriam
10 et illic paralytici lecto iacentis oblatio et in tempore
ipso peccatorum remissio et murmur scribarum et uirtutis confessio et paralytici etiam sub onere lectuli in
C domum reditus et hominum admiratio [g] hanc habet
causam.

4. In exordio generis humani in tres fuit humani
generis diuisio, Noe scilicet filiorum, ex quibus secundum
prophetiam Genesis [h] Sem in possessionem Dei lectus
est. Extra urbem autem, id est extra legis et propheta-
5 rum Synagogam, duos homines in monumentis daemones detinebant, duarum scilicet gentium origines
intra defunctorum sedes et mortuorum reliquias obse-
960 A derant, efficientes praetereuntibus uiam uitae praesentis infestam. Igitur, ut esset in rebus gerendis futuri
10 plena meditatio, uenienti Domino duo homines occur-
runt, ut occursu eorum concurrentium ad salutem uoluntas indicaretur. Sed in hominibus daemones procla-
mant, cur sedem inuideat, cur ante iudicii tempus infes-
tet [i]. Adiacebat etiam eis duobus gentium populis plebs
15 ex Sem genere Sadducaeorum, quorum haeresis ex Iudaeis
negatae resurrectionis piaculum est. Videntes igitur daemones non sibi iam locum in gentibus derelinqui, ut
patiatur habitare se in haereticis deprecantur ; quibus

LREP) = α (GSTM (= β)

7 mare E S *edd*. ‖ 10 *ante* lecto *add*. in T M *Cou*. ‖ *post* et[2] *add*.
pro fidei merito β *edd*. ‖ 13 habent β *edd*. ‖ 4, 2 filios M *Cou*. ‖ 3
lectus : e- S di- L de- P *Cou*. dir- R ‖ 10 ueniente S T M *Bad*. ‖
11 occursus L E T M ‖ 15 Sem *om*. T M

g. Cf. Matth. 8, 28-9. 8
h. Cf. Gen. 9, 27

La rencontre des deux hommes, la longue mainmise des
démons sur les deux hommes, le danger du chemin pour
les passants, les démons qui demandent de trouver refuge
dans des porcs, la chute du troupeau qui se précipite
lui-même dans la mer, tandis que les hommes sont puri-
fiés, après cela, la fuite des bergers vers la ville, le mouvement du peuple allant de la cité au-devant du Seigneur,
la délégation l'invitant à ne pas entrer dans la ville, son
retour dans sa patrie, là la présentation d'un paralytique
couché sur une civière, la rémission de ses péchés au
moment même, le murmure des scribes, la reconnaissance du pouvoir divin, le retour du paralytique chez
lui, sous le poids même de son lit, l'étonnement des
hommes [g], ces faits ont une raison d'être qui est la
suivante.

4. Au commencement du genre humain, il y eut un
partage en trois de l'humanité c'est-à-dire des fils de Noé,
parmi lesquels, selon la prophétie de la Genèse [h], Sem
fut choisi pour être en possession de Dieu. Hors de la
ville, c'est-à-dire hors de la Synagogue de la Loi et des
prophètes, les démons emprisonnaient dans des tombeaux
deux hommes, c'est-à-dire tenaient en leur dépendance,
à l'intérieur du séjour des défunts où sont les restes des
morts, les pères des deux races, rendant la route de la vie
présente funeste à ceux qui passaient le long d'elle. Ainsi,
pour qu'il y ait dans l'accomplissement des faits la préparation complète de l'avenir, deux hommes viennent à
la rencontre du Seigneur, de façon que leur démarche
indique le désir de ceux qui se portent vers le salut. Mais,
les démons, dans ces hommes, lui demandent en criant
pourquoi il leur envie leur séjour, pourquoi, avant l'heure
du jugement, il les harcèle [i]. Aux côtés de ces deux peuples
de païens se trouvait encore la foule des Sadducéens issus
de la race de Sem, dont l'opinion dissidente de celle des
Juifs est la négation impie de la Résurrection. Les démons
voyant donc qu'il ne leur restait plus de place chez les
païens, le prient de les laisser habiter chez les hérétiques.

i. Cf. Matth. 8, 29

occupatis, totus in mari impetu rapido per praeceps grex
20 coactus est [j], in cupiditatem scilicet saecularem daemonum praecipitatur instinctu in aquis multis, id est cum
B reliquarum gentium infidelitate moriturus. Atque etiam
in hoc typica ratio seruata est, ut non satis esset dixisse
praecipitatos in mare, nisi etiam adderetur : *Et mortui*
25 *sunt in aquis multis* [k]. Quorum principes atque pastores
rerum talium admiratione turbati ad urbem ueniunt et
quae gesta sunt nuntiant. Vrbs illa Iudaici populi habet
speciem, quae, Christi operibus auditis, Domino suo
obuiam pergit [l] prohibens ne fines suos urbemque contin-
30 geret (neque enim euangelia lex recipit) ; a qua repudia-
tus in ciuitatem suam reuertitur. Deo ciuitas fidelium
plebs est. In hanc igitur sedem naui [m], id est Ecclesia
inuectus introiit.

5. Iamque in paralytico gentium uniuersitas offertur
medenda et curationis ipsius uerba sunt contuenda. Non
C dicitur paralytico : Sanus esto ; non dicitur : Surge et
ambula ; sed dicitur : *Constans esto, fili, remissa sunt tibi*
5 *peccata tua* [n]. In Adam uno peccata uniuersis gentibus
remittuntur. Hic itaque angelis ministrantibus curandus
offertur, hic filius nuncupatur, quia primum Dei opus est,
huic remittuntur animae peccata et indulgentia primae
transgressionis ex uenia est. Non enim paralyticum
10 peccasse aliquid accepimus, cum praesertim alio in loco [o]

LREP (= α) GSTM (= β)
19 mare E T M *edd.* ‖ 21 praecipitantur T M *Cou.* ‖ 22 reliquarum :
-quiarum L R *Bad. Era.* -quorum *edd. plures* ‖ gentilium G S
Bad. ‖ 22 moriturus : -turi β *edd.* -turis L P ‖ 24 mari L R P ‖
30 euangelica L G S ‖ lex *om.* T M ‖ recipit : praecepit S β' *edd.
plures* ‖ 31 Dei R S² ‖ 32 sedem : se G *om.* S T M *edd.* ‖ 33 uectus
T M *Cou.* ‖ 5, 2 medenda et : medendas et T medenda sed M
medenda sed et L *Cou.* ‖ 6 ministrandus β *Bad.* ‖ 7 quia : qui β
Bad. ‖ 8 peccati T M

j. Cf. Matth. 8, 32
k. Matth. 8, 32
l. Cf. Matth. 8, 34
m. Cf. Matth. 9, 1

Ils s'emparent d'eux, et tout le troupeau, emporté par son élan, se précipite de force dans la mer [j], entendez se laisse entraîner par les démons au précipice de la passion de ce monde, dans des eaux profondes, c'est-à-dire pour mourir avec l'incroyance du reste des païens. Et, ici également, une raison typologique est observée, dans la mesure où il n'eût pas suffi de dire qu'ils se précipitaient dans la mer, s'il n'était dit encore : *Et ils périrent dans des eaux profondes* [k]. Les chefs des bergers troublés par des événements si étonnants vont à la ville et annoncent ce qui s'est passé. Cette ville offre l'image du peuple juif, elle qui ayant entendu parler des œuvres du Christ, fait route au-devant de son Seigneur [l], en l'empêchant d'approcher de son territoire et de sa ville — et, en effet, la Loi ne reçoit pas les Évangiles. Repoussé par elle, il revient dans sa cité. La cité est le peuple de ceux qui sont fidèles à Dieu [5]. C'est donc dans ce séjour qu'il est entré en s'embarquant sur un navire [m], l'Église.

5. Et voici que dans le paralytique lui est présentée, pour être guérie, la totalité des païens. Mais de la guérison même les termes doivent être étudiés. Ce qui est dit au paralytique n'est pas : Sois guéri, ni : Lève-toi et marche, mais : *Sois ferme, mon fils, tes péchés te sont remis* [n]. En un seul homme, Adam, les péchés sont remis à toutes les nations [6]. Aussi est-ce lui qui est présenté, pour être guéri, aux anges qui le servent, lui qui est appelé fils, parce qu'il est la première œuvre de Dieu [7], lui à qui sont remis les péchés de l'âme et à qui va l'indulgence issue du pardon de la première désobéissance. Nous ne voyons pas en effet que le paralytique ait commis de péché, alors surtout qu'ailleurs [o] le Seigneur a dit

n. Matth. 9, 2
o. Cf. Jn 9, 3

5. L'opposition entre « la ville » et « sa cité » est celle des deux Jérusalem (*Gal.* 4, 25-27).
6. Antithèse inspirée de celle de *Rom.* 5, 12-15 : dans le Christ, nouvel Adam, nos fautes sont « justifiées ». C'est lui que servent les anges (*Matth.* 4, 11).
7. D'après *I Cor.* 15, 45 : « Le premier homme Adam... »

idem Dominus dixerit caecitatem a natiuitate non ex peccato aut proprio aut paterno fuisse contractam.

961 A **6.** Veritatis deinde ordo succedit in gestis, quamuis futuri species expleatur in dictis. Mouet scribas remissum ab homine peccatum [p] (hominem enim tantum in Iesu Christo contuebantur) et remissum ab eo quod lex laxare
5 non poterat ; fides enim sola iustificat [q]. Deinde murmurationem eorum Dominus introspicit [r] dicitque facile esse filio hominis in terra peccata dimittere [s]. Verum enim nemo potest remittere peccata nisi solus Deus. Ergo qui remisit Deus est, quia nemo remittit nisi Deus. Verbum
10 enim Dei in homine manens curationem homini praestabat et nulla ei agendi et loquendi erat difficultas, cui subest totum posse quod loquitur.

B **7.** Porro autem ut ipse esse in corpore positus intelligi posset, qui et animis peccata dimitteret et resurrectionem corporibus praestaret, ait : *Vt sciatis quoniam filius hominis habet potestatem in terra dimittere peccata, ait
5 paralytico : Surge et tolle lectum tuum* [t]. Satis fuerat dixisse : *Surge*, sed quia omnis erat perficiendi operis ratio explicanda, adiecit : *Tolle lectum tuum et uade in domum tuam* [u]. Primum remissionem tribuit peccatis, dehinc uirtutem resurrectionis ostendit, tum sublatione lectuli
10 infirmitatem ac dolorem corporibus docuit afuturum, postremo reditu in domum propriam iter in paradisum

---

LREP (= α) GSTM (= β)

6, 4 *post* remissum *add.* est P *Cou.* ‖ 6-7 facile esse — dimittere *post* (l. 9) nisi Deus *transp.* L R P ‖ 7 uerum enim *om.* L R P ‖ 8 remittere : di- β *edd.* ‖ 9 remittit β *edd.* ‖ 9-10 uerbum enim Dei : Deus β *edd.* ‖ 10 homine : -em L R ‖ 11 ei : et R P ‖ **7,** 4 dimittendi β *Bad.* ‖ 8 peccati β *edd.* ‖ 10 ac dolorem : ad (aut R) colorem L R P ‖ corporis L R P ‖ 11 reditum L R P G S *Bad.*

---

p. Cf. Matth. 9, 3
q. Cf. Rom. 3, 28 ; 3, 30 ; 5, 1
r. Cf. Matth. 9, 4
s. Cf. Matth. 9, 5

aussi de la cécité de naissance qu'elle n'avait pas été contractée à la suite d'un péché personnel ou héréditaire.

6. Ensuite l'ordre de la vérité se suit dans les faits, bien que l'image du futur soit réalisée dans les paroles. Des scribes s'émeuvent de voir que le péché a été remis par un homme [p] — car ils ne considéraient que l'homme en Jésus-Christ —, et que ce qu'il a remis est ce que la Loi ne pouvait absoudre : seule, en effet, la foi justifie [q]. Ensuite le Seigneur voit au fond de leur murmure [r] et déclare qu'il est facile pour le Fils de l'homme sur terre de remettre les péchés [s]. Mais le fait est que nul ne peut remettre les péchés hormis Dieu seul. Donc celui qui les a remis est Dieu, puisque nul ne les remet hormis Dieu. En effet, le Verbe de Dieu demeurant dans l'homme offrait à l'homme sa guérison et il n'avait aucune difficulté pour agir et pour parler, puisqu'il est dans sa nature de pouvoir faire tout ce qu'il dit [8].

7. Et d'ailleurs pour que l'on pût comprendre qu'il était lui-même incarné pour remettre aux âmes leurs péchés et pour procurer aux corps la résurrection, il dit : *Pour que vous sachiez que le Fils de l'homme a le pouvoir de remettre les péchés sur la terre, dit-il au paralytique : Lève-toi et prends ton lit* [t]. Il eût suffi de dire : *Lève-toi,* mais parce qu'il fallait que fût expliquée entièrement la raison d'une action à mener jusqu'à son terme, il ajouta : *Prends ton lit et va-t'en chez toi* [u]. D'abord, il a accordé aux péchés leur rémission, ensuite il a montré le pouvoir de la résurrection, puis il a enseigné, en faisant enlever le lit, que la faiblesse et la douleur n'atteindront plus les corps, enfin, par le retour vers la demeure propre, que les croyants doivent recouvrer le chemin conduisant au

---

t. Matth. 9, 6
u. Matth. 9, 6

---

8. Point essentiel de la christologie issue de Tert., *adu. Prax.*, 7, 6-7 : Le Fils n'est pas une parole vide, car « par lui tout a été fait ». Cette donnée est rappelée dans *in Matth.*, 5, 8, 11-14 ; 12, 7, 10 ; 23, 3, 4.

credentibus esse redhibendum, ex quo Adam parens
uniuersorum peccati labe dissolutus excesserat.

C   **8.** *Videntes autem turbae timuerunt* [v]. Opus istud
admiratio potius consequi, non metus debuit, sed manet
etiam nunc ordo mysterii. Vt ueritati praesentium futurorum species adiecta sit, dictorum et factorum Domini
5 uirtutem turbae timent. Magni enim timoris res est non
dimissis a Christo peccatis in mortem resolui, quia nullus
sit in domum aeternam reditus, si cui indulta non fuerit
uenia delictorum. *Et honorificauerunt Deum qui tantam dedit potestatem hominibus* [w]. Conclusa sunt omnia
10 suo ordine et, cessante iam desperationis timore, honor
Deo redditur, quod tantam dederit hominibus potestatem;
sed soli hoc Christo erat debitum, soli de communione
D paternae substantiae haec agere erat familiare. Non ergo
hoc uenit in admirationem quod posset ista — quid
962 A enim non posse Deus crederetur ? — alioquin laus de uno
homine, non de pluribus exstitisset ; sed delati Deo
honoris hinc causa est, quod potestas hominibus ac uia
data sit per Verbum eius et peccatorum remissionis
et corporum resurrectionis et reuersionis in caelum.

9

1. *Et cum transiret inde Iesus, uidit hominem sedentem in teloneo Matthaeum nomine et ait illi : Sequere me* [a],

LREP (= α) GSTM (= β)
v. Matth. 9, 8
w. Matth. 9, 8
a. Matth. 9, 9

8, 4 adiecta : — texta L R P ‖ 8 qui : quod L E P S T M *Bad.* ‖
11 dedit α ‖ 14 admiratione L R S G *Bad. Era.* ‖ 15 crederetur R :
-detur L P G T M *Cou.*   -datur E   -ditur S ‖ 17 ac : hac G S *Bad.*
IX et cum *scripsi* : et cum *codd.*   CANON (CAPVT *Cou.*) IX et
cum *edd.*

paradis [9], chemin qu'avait quitté, brisé par la souillure
du péché, Adam, père de tous les hommes.

8. *A cette vue, les foules eurent peur* [v]. Ce résultat eût
dû susciter l'admiration, non la crainte, mais ici encore
subsiste l'ordre du mystère : pour qu'à la vérité des faits
présents s'ajoute l'image des faits à venir, les foules
craignent le pouvoir des paroles et des actes du Seigneur.
Le motif d'une grande peur, en effet, est d'être dissous
dans la mort pour n'avoir pas reçu du Christ la rémission
des péchés, parce qu'il ne saurait y avoir de retour à la
demeure éternelle, sans que soit accordé le pardon des
fautes. *Et ils rendirent gloire à Dieu, qui a donné une telle
puissance aux hommes* [w]. Tout est achevé dans son ordre,
et la crainte du désespoir prenant fin maintenant, on
rend honneur à Dieu d'avoir donné une telle puissance
aux hommes. Mais au Christ seul ce don était dû, à
lui seul, en raison de sa communauté de substance
avec le Père [10], il appartenait de faire ce miracle. Ce qui
a suscité l'admiration n'est donc pas qu'il eût ce pouvoir — de quel pouvoir ne créditerait-on pas Dieu ? —
sinon, l'éloge aurait concerné un homme, non plusieurs.
Mais la raison de l'honneur accordé à Dieu est qu'il a
donné aux hommes par son Verbe le pouvoir et la voie
de la rémission des péchés, de la résurrection des corps
et du retour au ciel.

Chapitre 9

1. *Et comme, venant de là, Jésus passait, il vit un homme
assis à un bureau de percepteur, nommé Matthieu,
et lui dit : Suis-moi* [a], etc. Il ordonne de le suivre à

---

9. Le retour au ciel comme à notre demeure est une image très
classique : cf. Cic., *Tusc.*, 1, 118. Elle a été « christianisée » par
Cypr., *mort.*, 26.
10. Cette formule, qui se trouve déjà chez Novatian., *trin.*, 31,
192, exprime l'unité du Père et du Fils. Autre exemple *infra*, 12,
18, 8.

et cetera. Matthaeum publicanum sedentem in teloneo
B sequi se iubet. Et concedens in domum conuiuium instruit
5 et cum eo publicanorum et peccatorum turba discum-
bit [b], Pharisaeis discipulos obiurgantibus, cur magistro
cum publicanis cibus esset [c]. Quibus respondet sanis
medico opus non esse, sed curatione aegrotos indigere [d]
euntesque iubet discere *quid sit* : *Misericordiam uolo*
10 *quam sacrificium* [e].

2. Publicanorum nomen ex uita est qui, relictis legis
operibus, gerere se usu communi et publico maluerunt.
Ergo ex domo, id est ex peccatis corporis, Matthaeum
Dominus euocauit, in cuius mentem ingressus recumbit.
5 Hic enim idem euangelii istius scriptor est et de peccati
C sui domo exiens Dominum ipse suscepit interiore eius
habitatione illuminatus, intra quem euangelicis cibis
peccatoribus et publicanis conuiuium diuite copia praeparatur. Aemulatio deinde agitat Iudaeos Dominum
10 publicanis et peccatoribus communicare. Quibus ille
operta infidelitatis uelamine uerba legis [f] exprompsit, se
quidem aegrotis opem ferre et medicinam egentibus
praestare, eis autem qui se sanos existimarent necessa-
riam curationem nullam esse. Sed ut intelligerent nemi-
15 nem suorum sanum esse, admonuit ut scirent quid esset :
Misericordiam uolo, non sacrificium, legem scilicet
sacrificiorum obseruatione deuinctam opem ferre non
posse, sed salutem uniuersis in misericordiae indulgentia

LREP (= α) GSTM (= β)
1, 3 cetera : reliqua β *edd.* ‖ 7 respondit L P G *Bad.* ‖ 8 medico :
-cus G S -cum T M ‖ 9 uolo : malle β *Bad.* ‖ **2,** 15 scirent : disce-
rent T M ‖ est *Cou.*

b. Cf. Matth. 9, 10
c. Cf. Matth. 9, 11
d. Cf. Matth. 9, 12
e. Matth. 9, 13
f. Cf. II Cor. 3, 15

1. Cette « étymologie » adapte la définition juridique du *nomen*

un publicain, Matthieu, qui était assis à un bureau de percepteur. Et, descendant chez lui, il fait dresser des couverts et avec lui prend place une foule de publicains et de pécheurs [b], tandis que les Pharisiens demandent aux disciples sur le ton du reproche pourquoi leur maître mangeait avec des publicains [c]. Il leur répond que les gens bien portants n'ont pas besoin de médecin, mais que ce sont les malades qui demandent un traitement [d], et il leur dit d'aller apprendre *ce que signifie : Je veux la misé-ricorde plutôt que le sacrifice* [e].

2. Le nom de publicain vient de la vie de ceux qui, laisant les œuvres de la Loi, ont préféré se comporter selon l'usage commun du public [1]. Donc c'est de sa maison, c'est-à-dire des péchés du corps, que le Seigneur a fait venir Matthieu, pour entrer dans son esprit et s'y attabler. Car c'est le même homme qui est le narrateur de cet Évan-gile et qui, sortant de la maison de son péché, accueillit lui-même le Seigneur, illuminé par l'habitation intérieure [2] de celui au dedans duquel un repas richement fourni de mets évangéliques est préparé pour les publicains et les pécheurs. Ensuite les Juifs sont animés par la jalousie de voir que le Seigneur fraie avec les publicains et les pécheurs. Mais il leur révéla les paroles de la Loi recou-vertes par le voile de l'incroyance [f], disant de lui qu'il portait secours aux malades et guérissait ceux qui en avaient besoin, alors que ceux qui se croyaient en bonne santé n'avaient nul besoin de traitement. Mais pour qu'ils comprissent que nul d'entre eux n'était en bonne santé, il les invita à savoir ce que signifiait : *Je veux la misé-ricorde, non le sacrifice*, ce qui voulait dire que la Loi, enchaînée par le respect des sacrifices, ne pouvait porter secours, mais que le salut pour tous les hommes était en

---

publicanorum : « Publicani autem sunt qui publico fruuntur. Nam inde nomen habent » (Vlp., *dig.*, 39, 4, 1), et entend *publicum* au sens de *usus publicus*, comme dans Plin., *epist.*, 9, 13, 21 : « morem *in publicum* consulendi ».

2. Le développement est dominé par une antithèse d'inspiration paulinienne entre la « demeure terrestre » (*II Cor.* 5, 6) et « l'habi-tation intérieure » du Christ dans les cœurs (*Éphés.* 3, 17).

reseruari. *Non enim ueni iustos uocare, sed peccatores in*
D *paenitentiam* g. Omnibus uenerat ; quomodo ergo non
se iustis uenisse dicit ? Erant ergo quibus necesse non
963 A erat ut ueniret ? Sed nemo iustus ex lege est. Ostendit
ergo inanem iustitiae esse iactantiam, quia sacrificiis
infirmibus ad salutem misericordia erat uniuersis in
25 lege positis necessaria. Nam si iustitia fuisset ex lege,
uenia per gratiam necessaria non fuisset.

3. *Tunc accesserunt ad eum Ioannis discipuli dicentes :*
Quare nos et Pharisaei ieiunamus frequenter, discipuli
autem tui non ieiunant h ? Ieiunabant Pharisaei et discipuli Ioannis et apostoli non ieiunabant. Sed istis spiri-
5 taliter respondit sponsumque se Ioannis discipulis ostendit. Ioannes enim repositam in Christo omnem uitae
spem spopondit et recipi a Domino discipuli eius, adhuc
eo praedicante, non poterant. Vsque in eum enim lex et
B prophetae sunt et, nisi lege finita, in fidem euangelicam
10 eorum nemo concederet. Quod uero praesente sponso i
ieiunandi necessitatem discipulis non esse respondit,
praesentiae suae gaudium et sacramentum sancti cibi
edocet, quo nemo se praesente, id est in conspectu mentis
Christum continens indigebit. Ablato autem se, ieiuna-
15 turos esse dicit, quia omnes non credentes resurrexisse
Christum habituri non essent cibum uitae. In fide enim
resurrectionis sacramentum panis caelestis accipitur et
quisque sine Christo est, in uitae cibi ieiunio relinquetur.

LREP (= α) GSTM (= β)
LREP (= α) A (ab IX, 3, 6 usque ad X, 12, 7) GSTM (= β)
g. Matth. 9, 13
h. Matth. 9, 14
i. Cf. Matth. 9, 15

3, 5 respondet T M *Cou.* ǁ 11 respondet S² T M *Cou.* ǁ 14 indigebat
T M ǁ 16 fidem α *edd. plures* ǁ 18 quisquis R S *edd.* ǁ relinquitur T M

3. Thèse développée avec beaucoup plus de détails dans Tert.,
adu. Marc., 4, 33, 8 ; 5, 3, 8.
4. Hilaire utilise une affirmation de Tertullien relative à l'eucha-
ristie : le Christ est « présent » dans le pain, qui n'est pas *solitarius*

réserve dans le don de la miséricorde. *Je ne suis pas venu appeler les justes, mais les pécheurs à la pénitence* ^g. Il était venu pour tous : comment donc dit-il qu'il n'est pas venu pour les justes ? Il en était donc pour lesquels il n'était pas nécessaire qu'il vînt ? Mais nul n'est juste du fait de la Loi. Il montre donc que l'orgueil de la justice est vain, parce que, les sacrifices étant impuissants pour le salut, la miséricorde était nécessaire envers tous ceux qui s'étaient établis dans la Loi. Car si la justice était venue de la Loi, le pardon par la grâce n'eût pas été nécessaire.

3. *Alors les disciples de Jean s'approchèrent de lui en disant : Pourquoi nous et les Pharisiens, nous jeûnons souvent, tandis que tes disciples ne jeûnent pas* ^h ? Les Pharisiens et les disciples de Jean jeûnaient et les apôtres ne jeûnaient pas. Mais il leur répondit dans un sens spirituel et montra aux disciples de Jean qu'il était l'époux. Jean en effet a donné l'assurance que l'espérance de la vie reposait tout entière dans le Christ, et pourtant, tant qu'il prêchait encore, ses disciples ne pouvaient être accueillis par le Seigneur. La Loi et les prophètes vont, en effet, jusqu'à lui, et si la Loi ne prenait pas fin, aucun d'entre eux ne passerait à la foi de l'Évangile ³. Quant à cette réponse que les disciples ne sont pas obligés de jeûner quand l'époux est présent ^l, elle montre la joie causée par sa présence et le mystère de la nourriture sacrée, dont nul ne manquera en sa présence, c'est-à-dire s'il garde le Christ sous le regard de son esprit ⁴. C'est quand il leur serait enlevé qu'ils jeûneraient, dit-il, parce que tous ceux qui ne croiraient pas que le Christ est ressuscité ne devaient pas avoir la nourriture de vie. Car c'est dans la foi en la Résurrection que l'on reçoit le sacrement du pain céleste ⁵, et quiconque est sans le Christ sera laissé dans l'abstinence de la nourriture de vie.

(cf. *supra*, 3, 3, 14), par une « représentation » : cf. Tert., *orat.*, 6, 2 : « corpus eius in pane censetur », et *adu. Marc.*, 1, 14, 3 : « panem quo ipsum corpus suum repraesentat. » Cette « représentation » est rendue chez Hilaire par l'expression « sous le regard de l'esprit ».
  5. Foi en la résurrection, parce que le corps du Christ, dont le pain est la figure (cf. Tert., *adu. Marc.*, 4, 40, 3), est un corps « vrai » ressuscité, selon l'expression de Tert., *adu. Marc.*, 4, 43, 6.

4. Vt autem intelligerent non posse sibi in ueteribus
positis perfecta haec salutis sacramenta committi, comparationis posuit exemplum. Pannum rudem uesti-
C mento ueteri non adsui ʲ, quia uetustatis infirmitatem
5 uirtus adsuti rudis dissoluat, et uinum nouum ueteribus
utribus non infundi ᵏ (feruentis enim musti calor utres
ueteres abrumpit), infirmas uidelicet uetustate peccatorum et animas et corpora nouae gratiae sacramenta
non capere. Fiet enim scissura peior effusoque uino
10 utres ueteres peribunt. Duplex enim talium erit reatus, si
praeter uetustatem peccatorum suorum uirtutem nouae
gratiae non sustinebunt ; atque ideo et Pharisaeos et
discipulos Ioannis noua non accepturos esse, nisi noui
fierent.

964 A   5. *Haec illo loquente, ecce princeps unus accessit et
adorabat eum dicens : Domine, filia mea modo defuncta
est, ueni et pone manum super eam* ¹. Preces principis,
fides mulieris, turbae in domo conuentus et caecorum
5 duorum clamor, muti et surdi et daemoniaci oblatio ᵐ
ex superioribus dictis connexae sibi intelligentiae tenent
ordinem. Princeps hic lex esse intelligitur, quae Dominum orat plebi, quam ipsa Christo, praedicata aduentus
eius exspectatione, nutriuerat, uitam mortuae reddat.
10 Nam nullum principem credidisse legimus ; ex quo persona principis huius orantis merito in typum legis apta-
bitur. Cui quidem Dominus opem spopondit, ad quam
praestandam prosecutus est.

LREP (= α) A (ab IX, 3, 6 usque ad X, 12, 7) GSTM (= β)
4, 5 adsuti : adsumpti L R   adsumenti P A G S *edd. plures Cou.*
‖ soluat A S ‖ nouum *om.* L R ‖ 7 abrumpet β ‖ infirmas : -mata
E   -mitas L R P ‖ 5, 3 *post* eam *add.* et cetera *edd.* ‖ 5 duorum :
duum (dum G) L R A G S *edd.*   *om.* T M ‖ 8 *post* orat *add.* ut
P A S T M ‖ plebi : plebs A G S   pro plebe R *Cou.* ‖ ipse a L P S² ‖
Christi A S *edd. plures* ‖ 9 *post* nutriuerat *add.* ut R *Cou.* ‖ 13 prosecutus : -fectus α

j. Cf. Matth. 9, 16
k. Cf. Matth. 9, 17

4. Pour qu'ils comprissent que ces mystères pléniers du salut ne pouvaient leur être confiés, parce qu'ils étaient établis dans un monde ancien, il a pris l'exemple d'une comparaison. On ne rajoutait pas un morceau d'étoffe non foulée à un vieux vêtement ʲ, parce que la vigueur d'une pièce rapportée d'étoffe non foulée déchire le vieux vêtement fragile, et l'on ne versait pas du vin nouveau dans de vieilles outres ᵏ, car la chaleur du vin qui fermente brise les vieilles outres, ce qui veut dire que les âmes et les corps affaiblis par la vieillesse des péchés n'embrassaient pas les mystères de la grâce nouvelle. Une fissure pire en effet se produira, le vin se répandra et les vieilles outres seront perdues. Double sera la faute ⁶ de ceux qui dans ce cas, outre le vieillissement de leurs péchés, ne supporteront pas la force de la grâce nouvelle. Et ainsi, les Pharisiens et les disciples de Jean ne devaient rien accueillir de neuf, s'ils n'étaient pas eux-mêmes renouvelés.

5. *Tandis qu'il parlait ainsi, voici qu'un chef s'approcha et, se prosternant, lui disait : Seigneur, ma fille vient de mourir, viens lui imposer ta main* ˡ. Les prières du chef, la foi de la femme, le rassemblement de la foule dans la maison, le cri des deux aveugles, la scène du possédé sourd et muet qu'on lui présente ᵐ observent un ordre d'intelligibilité qui tire sa cohérence des propos antérieurs. Ce chef est compris comme étant la Loi, qui, priant à l'intention de la foule qu'elle avait nourrie elle-même pour le Christ en prêchant l'attente de sa venue, demande au Seigneur de rendre la vie à une morte. En effet, nous ne lisons pas qu'un chef ait cru : de ce fait, la personne de ce chef qui prie méritera d'être prise pour figure de la Loi. Le Seigneur lui promit du moins son aide, et pour la lui assurer, la suivit.

---

l. Matth. 9, 18
m. Cf. Matth. 9, 18-34

---

6. Application du schéma juridique de la *pœna dupli* : cf. *infra*, 24, n. 5 et 8.

B 6. Sed prior cum apostolis peccatorum turba saluatur. Et cum primum electionem, quae ex lege destinabatur ⁿ, uiuere oportuisset, anterior tamen in mulieris specie salus publicanis et peccatoribus redditur. Haec itaque
5 ad Domini praetereuntis occursum tactu uestis Domini sanam se de profluuio sanguinis futuram esse confidit, sordibus scilicet polluta corporis sui et interioris uitii immunditiis dissoluta fimbriam uestis per fidem festinat adtingere, donum uidelicet Spiritus sancti de Christi
10 corpore modo fimbriae exeuntis cum apostolis conuersata contingere, fitque mox sana. Ita alteri salus, dum alii defertur, est reddita. Cuius fidem et constantiam
C Dominus laudauit, quia quod Israeli praeparabatur, plebs gentium occupauit.

7. Est autem in simplici intelligentia magna uirtutis dominicae admiratio, cum potestas intra corpus manens rebus caducis efficientiam adderet sanitatis et usque in uestium fimbrias operatio diuina procederet. Non enim
5 diuisibilis et comprehensibilis erat Deus, ut corpore clauderetur. Ipse enim dona in Spiritu diuidit, ceterum non diuiditur in donis. Virtutem autem eius fides ubicumque consequitur, quia ubique est et nusquam abest. Et adsumptio corporis non naturam uirtutis inclusit, sed
10 ad redemptionem suam fragilitatem corporis uirtus
965 A adsumpsit, quae tam infinite libera est, ut etiam in fimbriis eius humanae salutis operatio contineretur.

LREP (= α) A (ab IX, 3, 6 usque ad X, 12, 7) GSTM (= β)
  6, 5 occursum : occasum L R P ‖ ad tactum α ‖ 12 defertur : diff- E ref- T M ‖ reddita : credita L E P ‖ 13 *post* Dominus *add.* mox *Cou.* ‖ parabatur β *edd.* ‖ 7, 11 infinite : -tam L -ta et P -ta tam β *edd.* ‖ *post* etiam *om.* in fimbriis eius humanae salutis operatio contineretur *et transp.* uerba (9, 12-16) ostendat (-dens A G S -derit *edd. plures*) — sumendam β *Bad.*

---

n. Cf. Rom. 11, 2 et 28

---

7. A noter une comparaison parallèle chez Tertullien, dans *adu. Prax.*, 8, 7, disant de l'Esprit qu'il procède du Père comme « l'aigrette qui pousse d'un rayon de soleil ».

6. Mais d'abord, la foule des païens est sauvée avec les apôtres. Et bien qu'il fallût que vécût en premier lieu l'élection prédestinée par la Loi [n], le salut est rendu au préalable, dans l'image de la femme, aux publicains et aux pécheurs. Voilà pourquoi cette femme a confiance qu'en venant sur le passage du Seigneur, elle sera guérie de son flux de sang par le contact du vêtement du Seigneur, ce qui veut dire que, salie par les souillures de son corps et décomposée par les saletés d'un vice interne, elle a hâte dans sa foi de toucher la frange du vêtement, c'est-à-dire d'atteindre en compagnie des apôtres le don de l'Esprit-Saint qui sort du corps du Christ à la manière d'une frange [7], et peu après elle est guérie. Ainsi, la santé tout en étant offerte à l'une est rendue à une autre, dont le Seigneur loua la foi et la persévérance, parce que ce qui était préparé pour Israël, a été pris par la foule des païens.

7. La grande admiration provoquée par la puissance du Seigneur repose sur cette explication simple que le pouvoir qui résidait dans le corps communiquait aux membres fragiles un effet de guérison et que l'action divine gagnait jusqu'aux franges des vêtements. Dieu n'était pas, en effet, divisible ni saisissable pour être enfermé dans un corps. Il divise lui-même ses dons dans l'Esprit, mais n'est pas divisé dans ses dons. Sa puissance est atteinte par la foi partout, parce qu'elle est partout et n'est absente nulle part. Et le corps qu'il a pris n'a pas enfermé la nature de sa puissance, mais sa puissance a pris la fragilité d'un corps pour le racheter, puissance d'une liberté assez illimitée pour que l'action qui sauve l'homme soit contenue dans ses franges elles-mêmes [8].

---

8. Ce développement contient plusieurs mises au point qui pro-cèdent de la christologie et de l'anthropologie de Tertullien : 1) Les dons de Dieu sont « divisés », mais ne « divisent » pas Dieu ; de la même façon, Tertullien expliquait dans *adu. Prax.*, 9, 3 que l'envoi du Paraclet « ne signifiait pas une division » ; 2) La puis-sance de Dieu n'est pas enfermée dans un corps, même si son action s'étend jusqu'aux franges d'un vêtement. Le fait que décrit Hilaire s'éclaire par l'explication que donne Tert., *bapt.*, 4, 1 et 5, ce que cet auteur dit de l'eau pouvant s'appliquer ici aux franges : «... quand du corporel est en contact avec du spirituel : à cause de sa

8. Ingreditur deinde Dominus domum principis [o],
synagogam uidelicet, cui in canticis legis hymnus luc-
tuum personabat, et irridetur a plurimis. Numquam
enim illi Deum in homine crediderunt, quin potius prae-
5 dicari resurrectionem ex mortuis riserunt. Adprehensa
igitur puellae manu, cuius apud se mors erat somnus,
retraxit ad uitam [p]. Atque ut rarus hic esse ex lege credentium electionis numerus intelligi posset, turba
omnis expulsa est ; quam utique saluari Dominus optas-
B set, sed irridendo dicta gestaque eius resurrectionis non
fuit digna consortio. Et exeunte fama in uniuersam
terram [q], illam post electionis salutem donum Christi
atque opera praedicantur.

9. Exeuntem igitur Dominum mox caeci duo sequuntur [r]. Sed caeci et egressum et nomen Domini quomodo
scire potuerunt ? Quin etiam et filium David nuncupant
et saluari se rogant. In caecis duobus ratio totius supe-
5 rioris praefigurationis absoluitur. Ex his enim filia principis esse monstratur, Pharisaei scilicet et discipuli
Ioannis, qui Dominum iam superius in commune temp-
tauerant. His igitur nescientibus a quo salutem pete-
rent, indicauit lex et his saluatorem suum in corpore ex
C Dauid genere monstrauit et caecis uetere peccato, quia
Christum nisi admoniti non uidebant, lumen mentis
inseruit. Quibus Dominus ostendens non ex salute fidem,
sed per fidem salutem exspectandam (caeci enim quia

LREP (= α) A (ab IX, 3, 6 usque ad X, 12, 7) GSTM (= β)
8, 1 *ante* domum *add.* in L R P ‖ 5 adprehensam L R P β *edd.* ‖
6 puellam L P S T M *edd.* ‖ manum R A G ‖ 7 atque : namque β
Bad. ‖ hinc R P *Gil²*. ‖ 12 post *om.* β ‖ salus T M ‖ **9,** 1 exeunte
R P A S *Cou.* ‖ Domino L R P S *Cou.* ‖ 7 in commune : commune
L R P   communiter E ‖ 9 lex *om.* β *Bad.* ‖ 11 Christo A S ‖ 12
ostendens : -dit E P   -dat S² T M -derit *edd. plures*

---

o. Cf. Matth. 9, 23
p. Cf. Matth. 9, 24-25
q. Cf. Matth. 9, 26

8. Le Seigneur entre ensuite dans la maison du chef [o], autrement dit dans la synagogue, pour laquelle retentissait l'hymne des deuils contenu dans les cantiques de la Loi [9]. Et beaucoup se moquent de lui. Jamais en effet ils n'ont cru en Dieu dans un homme, bien plutôt ils ont ri d'entendre prêcher la résurrection d'entre les morts. Prenant la main de la jeune fille, il ramena à la vie celle dont la mort n'était auprès de lui qu'un sommeil [p]. Et pour qu'on pût se représenter en elle le nombre clairsemé des croyants de l'élection issue de la Loi, la foule tout entière est chassée. Le Seigneur eût désiré assurément qu'elle fût sauvée, mais en raillant ses paroles et ses actes, elle n'a pas été digne de participer à la résurrection. Et le bruit s'en répandant par toute la terre [q], après ce salut de l'élection, le don et les œuvres du Christ sont prêchés.

9. Tandis que le Seigneur sort, il est suivi bientôt par deux aveugles [r]. Mais comment des aveugles ont-ils pu connaître la sortie et le nom du Seigneur ? Bien mieux, ils l'appellent fils de David et lui demandent d'être sauvés. Dans les deux aveugles, l'économie de toute la préfiguration précédente devient évidente. C'est à eux en effet qu'on voit se rattacher la fille du chef, eux qui sont les Pharisiens et les disciples de Jean réunis précédemment déjà pour tenter le Seigneur. Comme ils ne connaissaient pas celui à qui ils demandaient le salut, la Loi le leur a indiqué et leur a montré leur sauveur en chair, né de David ; et comme ils étaient aveuglés par un péché ancien, qui les empêchait de voir le Christ, si leur attention n'était attirée, il leur infusa la lumière de l'esprit. Le Seigneur, montrant qu'il faut attendre non du salut la foi, mais par la foi le salut — car les aveugles virent parce qu'ils

r. Cf. Matth. 9, 27

matière subtile, celui-ci pénètre et s'insinue facilement. C'est ainsi que par l'Esprit-Saint l'eau se trouve sanctifiée dans sa nature et devient elle-même sanctifiante... L'esprit commande, la chair est à son service ».

9. Par exemple dans *Is*. 38, 9-20.

crediderant uiderunt, non quia uiderant crediderunt [s],
15 ex quo intelligendum est fide merendum esse quod peti-
tur, non ex impetratis fidem esse sumendam) ; si credidissent, uisum pollicetur et credentibus silentium impe-
rat [t], quia apostolorum erat proprium praedicare.

10. Quin etiam post haec in muto et surdo et daemo-
966 A niaco gentium plebs indiga totius salutis offertur [u].
Omnibus enim undique malis circumsessa totis corporis
uitiis implicabatur. Et in eo rerum ordo seruatus est.
5 Nam daemon prius eicitur, et tum reliqua corporis officia
succedunt : Dei quippe cognitione superstitionum
omnium uesania effugata, et uisus et auditus et sermo
salutis inuehitur. Cuius facti admirationem talis turbae
est consecuta confesssio : *Numquam sic apparuit in*
10 *Israel* [v], eum cui per legem nihil adferri opis potuerat
Verbi uirtute saluari quodque laudes Dei homo mutus
surdusque loqueretur. Salute autem gentibus data, ciuitates omnes et castella omnia uirtute et ingressu Christi
illuminantur et omnem infirmitatem ueterni languoris
15 euadunt [w].

10

B   **1.** *Videns autem turbas misertus est, quod essent uexatae
et iacentes* [a], et cetera. Verborum uirtutes non minus
oportet introspicere quam rerum, quia, ut diximus, paria

LREP (= α) A (ab IX, 3, 6 usque ad X, 12, 7) GSTM (= β)
  17 et credentibus : c. praestat et β *edd.* ‖ **10,** 2 indiga : -digna
L R P   -dicata A G S ‖ 3 totius T M *Cou.* ‖ 5 tum : cum A   *om.*
L R P ‖ 8 admiratione L R P ‖ 12 salutem L R ‖ datam L R
  X uidens *scripsi* : uidens α A G S   CANON (CAPVT T M *Cou.*)
X uidens T M *edd.* ‖ **1,** 1 uexati L R P A S ‖ 2 cetera : reliqua β *edd.*

s. Cf. Jn 20, 29
t. Cf. Matth. 9, 30
u. Cf. Matth. 9, 32

avaient cru, et ne crurent pas parce qu'ils avaient vu [s],
d'où l'on doit conclure qu'il faut mériter par la foi ce qui
est demandé et non subordonner sa foi à ce qu'on a obtenu
—, leur promet de voir s'ils croyaient et, comme ils
avaient cru, leur commande le silence [t], parce qu'il revenait aux apôtres de prêcher.

10. Bien mieux, après cela, dans le possédé sourd et
muet lui est présentée la foule des païens en quête de
toute forme de salut [u]. De toutes parts assiégée par tous
les maux, elle était prisonnière de tous les vices du corps.
Et ici l'ordre des faits a été observé. Car le démon est
d'abord chassé, et à ce moment-là les autres fonctions du
corps prennent la relève, c'est-à-dire que là où la connaissance de Dieu dissipe l'égarement de toutes les super-
stitions, pénètrent la vue, l'audition et la parole du salut [10].
L'étonnement provoqué par cet acte a été suivi d'un aveu
de la foule disant : *Jamais en Israël, on n'a vu pareille
chose* [v], que celui auquel la Loi n'avait pu venir en aide fût
sauvé par le pouvoir du Verbe et qu'un sourd-muet célé-
brât les louanges de Dieu. Et le salut étant donné aux
païens, toutes les villes et toutes les bourgades sont illu-
minées par le pouvoir et l'entrée du Christ et se remettent
de toutes les faiblesses de leur maladie ancienne [w].

Chapitre 10

1. *Jésus voyant les foules eut pitié d'elles, car elles
étaient accablées et prostrées* [a], etc. Il ne faut pas moins
scruter la valeur des mots que celle des faits, parce que,

v. Matth. 9, 33
w. Cf. Matth. 9, 35
a. Matth. 9, 36

10. C'est le schéma-type de l'évolution que Cypr., *ad Donat.*,
4 retrace après son baptême et dont s'inspirera Hilaire dans la
rétrospective de sa « conversion » (cf. *trin.*, 1, 11).

in dictis atque in factis significationum momenta consis-
5 tunt. Turbarum Dominus miseretur uexatarum et iacen-
tium, tamquam gregis sine pastore dispersi [b]. Et ait
messem multam, paucos operarios [c], orandum Dominum
messis, ut operarios plures in messem eiciat [d]. Et discipulis conuocatis, dedit potestatem eiciendorum spiri-
10 tuum immundorum curandaeque cunctae infirmitatis
omnisque languoris [e]. Haec igitur licet in praesens gesta
C sint, quid tamen in futurum significent contuendum
est.

2. Nullus in turbas uexator irruperat neque casu
aliquo motuque perculsae iacebant : quomodo ergo iacentes uexatasque miseratur ? Immundi uidelicet spiritus
dominante uiolentia uexatam et sub legis onere aegro-
5 tam plebem Dominus miseratur, quia nullus adhuc his
pastor esset custodiam sancti Spiritus redditurus. Erat
autem doni istius copiosissimus fructus, sed nondum
messus a quoquam. Eius enim copia haurientium de se
multitudinem uincit. Nam quantumlibet adsumatur a
967 A cunctis, ad largiendum se tamen semper exuberat. Et
quia plures esse utile sit, per quos ministretur, rogari
Dominum messis iubet, ut in messem operarios plurimos eiciat, ad capessendum scilicet quod praeparabatur
donum Spiritus sancti messorum copiam Deus praestet ;

LREP (= α) A (ab IX, 3, 6 usque ad X, 12, 7) GSTM (= β)
8 X discipulis P ‖ 10-11 infirmitates omnesque languores A G S ‖
2, 2 motuque : mortuque L   morboque E ‖ 3 miseretur (-reretur
G) L R A G S *Gil.*[2] ‖ 5 nullus : -lum L   -lam R E P ‖ 8 messus :
-sis G T M   mis- α *Bad. Era.* ‖ 8-9 de se multitudinem : dissimili-
tudinem A S *Bad. Era.* dissimulationem T M ‖ 10 se : sed A S ‖
11 plurimos α

b. Cf. Matth. 9, 36
c. Cf. Matth. 9, 37
d. Cf. Matth. 9, 38
e. Cf. Matth. 10, 1

comme nous l'avons dit [1], ce qui a une portée détermi-
nante pour le sens réside autant dans les paroles que dans
les actes. Le Seigneur a pitié des foules accablées et prostrées comme d'un troupeau dispersé sans pasteur [b]. Et il
dit que la moisson est abondante, les ouvriers peu nombreux [c] et qu'il faut prier le Maître de la moisson de dépê-
cher dans la moisson des ouvriers en grand nombre [d]. Et
convoquant ses disciples, il leur donna le pouvoir d'expulser les esprits impurs et de soigner toute espèce de faiblesse et de langueur [e]. Bien que ces faits s'appliquent au
contexte présent, il faut étudier cependant ce qu'ils signi-
fient pour l'avenir.

2. Aucun agresseur n'avait attaqué les foules et elles
étaient prostrées sans qu'aucun malheur ni qu'aucun
trouble les eût terrassées. Comment donc a-t-il pitié
d'elles en les voyant prostrées et accablées ? Apparem-
ment, le Seigneur prend en pitié une foule attaquée par la
violence dominatrice de l'esprit impur et affaiblie sous le
poids de la Loi, parce qu'ils n'avaient pas encore de pasteur pour leur redonner la protection de l'Esprit-Saint [2].
Or le fruit de ce don existait en abondance, mais nul ne
l'avait encore moissonné. Son abondance dépasse le
nombre de ceux qui y puisent. Car même si tous le
prennent autant qu'ils en veulent, il est toujours débordant pour se donner généreusement [3]. Et parce qu'il
est utile qu'il y en ait assez pour le distribuer, il fait
demander au Maître de la moisson qu'il dépêche dans la
moisson des ouvriers très nombreux, c'est-à-dire que,
pour recueillir le don de l'Esprit-Saint qui était préparé,
Dieu fournisse une abondance de moissonneurs, car c'est

1. Cf. *supra*, 8, 6, 11-12 et n. 8.
2. Réminiscence de *I Pierre* 2, 25 : « Vous étiez égarés comme
des brebis (formule qui rappelle *Matth.* 9, 26), mais à présent vous
êtes retournés vers le pasteur et le gardien (*episcopum*) de vos
âmes » (trad. P. Dornier). Les apôtres, en leur qualité d'*episcopi*
(cf. Cypr., *epist.*, 3, 3), redonnent l'Esprit-Saint qui leur a été
d)nné (cf. *Act.* 20, 28) mais avant la Résurrection l'Esprit-Saint
n'avait pas encore été d)nné d'après *Jean* 7, 39.
3. L'abondance du don de l'Esprit est un thème cyprianique :
cf. *ad Donat.*, 4 ; *zel.*, 1 ; *epist.*, 69, 14.

15 per orationem enim ac precem hoc nobis a Deo munus
effunditur. Atque ut messem illam messoresque nume-
rosos ex his duodecim primum apostolis diffundendos
indicaret, conuocatis illis dedit eiciendorum spirituum
potestatem et omnis infirmitatis medendae. Huius enim
20 doni uirtutibus poterant et turbator expelli et infirma
curari. Et dignum est praeceptorum singulorum significantiam contueri.

B   3. Abstinere se a uiis gentium admonentur f, non
quod non etiam ad salutem gentium mitterentur, sed ut
opere et uita gentilis ignorantiae abstinerent. In ciuitates Samaritanorum uetiti sunt introire g. Numquid
5 non potius Samaritanam ipse curauit ? Sed ut ecclesias
haereticorum non adeant admonentur. Nihil enim differt ab ignoratione peruersitas. Mittuntur deinde ad oues
perditas domus Israel h. Atquin in eum luporum ac
uiperarum linguis et faucibus saeuierunt. Sed legislatio
10 obtinere priuilegium euangelii debebat, hoc minus Israel
sceleris sui excusationem habiturus, quo plus sedulitatis
in admonitione sensisset.

    4. Tota deinde in apostolos potestas uirtutis domini-
C cae transfertur, et qui in Adam in imaginem et similitudinem Dei erant figurati, nunc perfectam Christi imaginem et similitudinem sortiuntur, nihil a Domini sui
5 uirtutibus differentes, et qui terrestres antea erant,
caelestes modo fiunt i. Praedicent regnum caelorum

LREP (= α) A (Ab IX, 3, 6 usque ad X, 12, 7) GSTM (= β)
    16 effundetur A G S *Bad.* || *ante* messem *add.* in T M *Cou.* ||
messores T M *Cou.* || numerosos : -meros L R   -mero P || 17 apos-
tolos L R P || 18 X conuocatis L || **3,** 9 legislectio T M || 11 quo :
quod β *Bad.* || **4,** 2 in¹ *om.* G S || in² : *om.* T M || imagine et simili-
tudine E T M || 3-4 Dei — similitudinem *om.* A S || 4 sortiantur
E P A S *Bad.* || 5 ante β *Bad.* || 6 praedicant T M

f. Cf. Matth. 10, 5
g. Cf. Matth. 10, 5
h. Cf. Matth. 10, 6
i. Cf. I Cor. 15, 48

par la prière et la supplication que ce don nous est pro-
digué par Dieu [4]. Et pour montrer que cette moisson et la
multitude des moissonneurs devaient se propager à partir
d'abord de ce nombre de douze apôtres, il les réunit et
leur donna le pouvoir d'expulser les esprits et de guérir
toute maladie. Avec les puissances attachées à ce don ils
pouvaient expulser le fauteur de troubles et guérir les
infirmités. Mais ce sont ces préceptes dont nous devons
étudier la signification en les prenant un à un.

3. Ils sont engagés à s'écarter des voies des païens [f],
non qu'ils ne soient pas envoyés aussi pour le salut des
païens, mais pour qu'ils soient à l'écart de l'action et de
la vie des païens ignorants. Il leur est défendu d'entrer
dans les cités des Samaritains [g]. Et lui, au lieu de cela
n'a-t-il pas guéri une Samaritaine ? Mais c'est à ne pas
entrer dans les églises des hérétiques qu'ils sont engagés.
La perversion, en effet, ne diffère en rien de l'ignorance [5].
Ils sont envoyés ensuite aux brebis perdues de la maison
d'Israël [h]. Et pourtant elle s'est acharnée contre le Seigneur avec des langues de vipères et des gueules de loups.
Mais comme la Loi aurait dû obtenir le privilège de
l'Évangile, Israël devait être d'autant moins excusable
de son crime qu'il avait perçu plus d'ardeur dans l'avertissement reçu.

4. Ensuite la puissance de la vertu du Seigneur est
transférée tout entière aux apôtres et ceux qui en Adam
avaient été formés à l'image et à la ressemblance de Dieu
obtiennent maintenant l'image et la ressemblance du
Christ de façon parfaite [6], sans que leur pouvoir diffère
en rien de celui du Seigneur, et ceux qui étaient auparavant terrestres deviennent à présent célestes [i]. Qu'ils

---

4. Est-ce une allusion à la cérémonie postbaptismale d'impo-
sition des mains que décrit Tert., *bapt.*, 8, 1 : « Puis on nous
impose les mains en appelant et en conviant l'Esprit-Saint par
une bénédiction » (trad. F. Refoulé) ?

5. Cf. Tert., *praescr.*, 40, 8 : « Dubitare quis debet neque ab
idolatria distare haereses ? »

6. Ce passage de l'image d'Adam à celle du Christ est analysé
par Tert., *bapt.*, 5, 7, qui s'inspire de *I Cor.* 15, 49.

propinquare [j], imaginem scilicet et similitudinem Dei nunc
in consortium ueritatis adsumi, ut sancti omnes, qui
caeli nuncupati sunt, Domino conregnent [j'] ; infirmos
10 curent, mortuos suscitent, leprosos emundent, daemones eiciant [k] ; quidquid malorum Adae corpori Satanae instinctus intulerat, hoc rursum ipsi de communione dominicae potestatis emundent. Et ut ex toto
secundum Genesis prophetiam [l] Dei similitudinem conse-
D quantur, dare gratis quod gratis acceperunt [m] iubentur,
ut sit scilicet ministratio gratuita muneris gratuiti.

968 A   5. Aurum, argentum, pecuniam possidere inhibentur
in zonis et peram in uiam ferre [n] et duas tunicas et calceamenta et uirgam in manibus adsumere, et dignus mercede
sua est operarius [o]. Non inuidiosus, ut arbitror, thesaurus
5 in zona est ; et quid sibi uult auri, argenti, atque aeris
in zona inhibita possessio [p] ? Zona est ministerii apparatus et ad efficaciam operis praecinctio. Ergo ne quid
in ministerio nostro uenale sit admonemur neque hoc
apostolatus nostri opus fiat auri, argenti aerisque pos-
10 sessio. *Nec peram in uiam* [q], curam scilicet saecularis
substantiae relinquendam, quia omnis thesaurus sit
perniciosus in terra, corde nostro illic futuro, ubi conda-
B tur et thesaurus. *Non duas tunicas* [r]. Sufficit enim nobis

---

LREP (= α) A (ab IX, 3, 6 usque ad X, 12, 7) GSTM (= β)
9 caeli *om.* A S ‖ 15 acceperunt : ceperunt T M ‖ 5, 2 uia E P T M
edd. ‖ 6 inhabita L G ‖ possessionem (-ne L) peram L R ‖ 10 uia
E P T M *edd.* ‖ 12 illuc A S

---

j. Cf. Matth. 10, 7
j'. Cf. I Cor. 4, 8
k. Cf. Matth. 10, 8
l. Cf. Gen. 1, 26
m. Cf. Matth. 10, 8
n. Cf. Matth. 10, 9
o. Cf. Matth. 10, 10
p. Cf. Matth. 10, 9
q. Matth. 10, 10
r. Matth. 10, 10

annoncent que le Royaume de Dieu est proche [j], entendez
que l'on a maintenant avec soi l'image et la ressemblance de
Dieu [7] pour qu'elles soient la réalité d'une communauté qui
fasse régner avec le Seigneur [j'] tous les saints désignés par
le mot cieux [8]. Qu'ils guérissent les malades, ressuscitent
les morts, purifient les lépreux, chassent les démons [k] ;
que tous les maux causés au corps d'Adam sous l'impulsion de Satan, ils les purifient eux-mêmes à leur tour du
fait de leur communion à la puissance du Seigneur. Et
pour qu'ils acquièrent totalement la ressemblance de Dieu
selon la prophétie de la Genèse [1], ils ont ordre de donner
gratuitement ce qu'ils ont reçu gratuitement [m], c'est-à-
dire qu'un don gratuit soit l'objet d'un service gratuit.

5. Ils se voient interdire de posséder dans leur ceinture
de l'or, de l'argent, un pécule, de porter pour la route une
bourse [n], de prendre deux tuniques, des chaussures et un
bâton à la main ; et d'ailleurs l'ouvrier est digne de son
salaire [o]. Il n'y a rien de mal je pense, à avoir un trésor
dans une ceinture ; et que signifie l'interdiction de posséder de l'or, de l'argent, du bronze dans sa ceinture [p] ?
La ceinture est l'appareil d'une fonction et on se ceint
pour exécuter une tâche [8 bis]. Ainsi, nous sommes engagés
à ne rien faire de vénal dans notre fonction et à éviter de
donner pour tâche à notre apostolat, la possession de l'or
de l'argent ou du bronze. *Ni de bourse pour la route* [q], entendez qu'il faut laisser de côté la préoccupation des biens
du siècle, parce que tout trésor est dangereux sur terre,
notre cœur devant être là où notre trésor aussi est en
réserve. *Ni deux tuniques* [r]. Car il suffit que nous ayons

---

7. L'opposition classique entre *imago* et *ueritas* (cf. 24, n. 13)
est ici transcendée, l'image ayant sa réalité (cf. *in Matth.* 7, 1 ;
syn. 13, à propos du Christ « image » de Dieu, et notre *Hilaire...*,
p. 265-266).

8. En vertu d'une métonymie que signale Serv., *ad Aen.*, 8, 64
« caelum = qui in caelo sunt » et à laquelle recourt Tert., *nat.*, 1,
16, 3 (« incesta uestra... tota caeli conscientia fruuntur ») ; *ieiun.*,
7, 2 (« caelum pro eiusmodi militat »). Les « saints » règnent :
cf. *I Cor.* 4, 8.

8 *bis*. Même image *supra*, 2, 2 : cf. note 6.

semel Christus indutus, neue per prauitatem intelli-
15 gentiae nostrae altera deinceps uel haereseos uel legis
ueste induamur. *Non calceamenta* [s]. Numquid huma-
norum pedum infirmitas patiens est nuditatis ? Sed in
sancta terra et peccatorum spinis atque aculeis non
obsessa, ut Moysi dictum est [t], nudis pedibus staturi
20 admonemur non alium ingressus nostri habere quam
quem a Christo accepimus apparatum. *Neque uirgam in
manibus* [u], id est potestatis extraneae iura, non indigne
habentes uirgam de radice Iesse — nam quaecumque alia
fuerit, non erit Christi — instructi omni superiore ser-
25 mone ad conficiendum iter saeculi, gratia, uiatico, ueste,
calceamento, potestate. In his enim operantes digni
C mercede nostra [v] reperiemur, id est per horum obseruantiam caelestis spei praemia recepturi.

6. *In quamcumque ciuitatem introieritis, interrogate
quis in ea dignus est* [w], et cetera. Leuia forte Dominus
dedisse apostolis praecepta existimabitur, quod se
usque ad monita introeundi, habitandi, morandi, exeun-
5 dique summiserit. Haec quidem intellecta simpliciter
sanctorum modestiae congruunt, ut cum digno sit hospi-
talitas, neue per incuriam aut ignorantiam cohabita-
tione probrosae familiae polluantur. Sed introeuntes
ciuitatem de digno iubet interrogare et cum eo habitare

LREP (= α) A (ab IX, 3, 6 usque ad X, 12, 7) GSTM (= β)
   17 est *om.* β ‖ 20 habere *om.* A S ‖ ‖ 22 externae β *Bad.* ‖ iura :
iura non quaerere R   quaerere iura P *Cou.*   iure *Bad.* ‖ non indigne : non indigi L P β *Bad. Cou. om.* R ‖ 23 quae β *Bad.* ‖ 28
percepturi T M ‖ **6,** 1 intraueritis β *Bad.* ‖ 2 cetera : reliqua β *edd.* ‖
3 *post* quod *add.* quae L R β ‖ 9 interrogari S T M *Bad. Era.*

---

s. Matth. 10, 10
t. Cf. Ex. 3, 5
u. Cf. Matth. 10, 10
v. Cf. Matth. 10, 10
w. Matth. 10, 11

revêtu le Christ une fois [9], sans que nous revêtions ensuite, par un vice de notre intelligence, un autre vêtement, celui de l'hérésie ou de la loi. *Ni chaussures* [8]. Est-ce que la faiblesse des pieds de l'homme est faite pour supporter la nudité [10] ? Mais sur la terre sainte, qui n'est envahie ni par les épines ni par les piquants des péchés, et où, comme il a été dit à Moïse [t], nous devons nous tenir nu-pieds, nous sommes engagés à ne pas faire notre entrée dans un autre appareil que celui que nous avons reçu du Christ. *Ni un bâton à la main* [u] — ce sont les droits d'une puissance étrangère —, car nous méritons, en ayant le bâton tiré de la tige de Jessé (en effet toute autre puissance, quelle qu'elle soit, ne sera pas du Christ [11]) de disposer de tout ce qui a été dit auparavant pour achever la route du siècle, crédit, viatique, vêtement, chaussure, puissance. Œuvrant en effet dans ces conditions, nous serons trouvés dignes de notre salaire [v], c'est-à-dire grâce au respect de ces prescriptions, aptes à recevoir les récompenses de l'espérance céleste.

6. *En quelque cité que vous entriez, demandez qui y est digne* [w], etc. Peut-être jugera-t-on que le Seigneur a donné aux apôtres des préceptes insignifiants, pour s'être abaissé à des avis relatifs à la manière d'entrer, d'habiter, de séjourner, de sortir. A juger simplement du moins, il convient à la retenue des saints [12] d'avoir des rapports d'hospitalité avec quelqu'un de digne et de ne pas être souillés par la négligence ou l'ignorance en cohabitant avec une famille infâme. Mais il leur ordonne en entrant dans une cité de s'enquérir au sujet de quelqu'un de digne et d'habiter avec lui jusqu'à leur départ, et encore

9. Le baptême où l'on « revêt » le Christ (cf. *Gal.* 3, 27) ne peut être reçu qu'une fois (cf. Cypr., *epist.*, 63, 8).

10. La question se rattache au thème de la *lamentatio* sur l'*infirmitas corporum* développée dans Cypr., *patient.*, 17 : cf. A. Goulon, « Le malheur de l'homme à la naissance. Un thème antique chez quelques Pères de l'Église », dans *REAug* 18, 1972, p. 17.

11. L'image du bâton tiré de la tige de Jessé (*Is.* 11, 1) est appliquée déjà au Christ par Cypr., *testim.*, 2, 11.

12. La retenue (*modestia*) est la qualité que Cypr., *epist.*, 59, 13 loue chez les « confesseurs » dans leurs relations avec les *lapsi*.

10 usque ad profectionem, domum quoque ab introeuntibus
pacifice salutari ˣ : quae si digna est, et pacis communione sit digna ; si indigna, pax inuicem reuertatur ʸ,
D qui autem non receperint eos sermonesque eorum, his,
excusso pedum puluere ᶻ, aeternae maledictionis semina
15 relinquenda.

969 A   7. Haec non mediocriter sensum intelligentiae com-
mouent. Si enim successuri hospitio non erunt, nisi ante
quis dignus sit interrogauerint, quomodo indigna domus
postea reperietur ? Et quomodo sermones eorum non
5 audiens et ipsos non recipiens ? Aut enim hoc in eo qui
iustus est non est uerendum aut, si indignus repertus sit,
nec communio erit habitationis ineunda. Et quid inter-
rogasse proderit et quaesisse de digno, si aduersus indi-
gnum hospitem et obseruantia praecipiatur et poena ?
10 Sed instruit eos Dominus non admisceri eorum domibus
ac familiaritatibus, qui Christum aut insectantur aut
nesciunt et in quacumque ciuitate interrogare quis eorum
B habitatione sit dignus, id est sicubi Ecclesia sit et Christus habitator, neque quoquam alibi transire, quia sit
15 domus digna et iustus hospes.

    8. Quod autem ab introeuntibus salutari domum uoce
praecepit dicens : *Dicite : Pax huic domui* ᵃ et si digna
domus reperta sit, uenire super eam pacem oportere ;
si uero indigna, ad ipsos pacem reuerti ; sed si iam primo
5 ingressu in salutationis officio dicta pax est, quomodo
postea ueniet aut quomodo postea reuertetur ? Aut

LREP (= α) A (ab IX, 3, 6, usque ad X, 12, 7,) GSTM (= β)
    7, 1 non *om.* β ‖ sensus β *Bad.* ‖ commouet L β ‖ 2 erint A G S ‖
5 audiens : -ent T   -et P T¹ M *edd.* ‖ *post* audiens (-et T¹ M *edd.*
-ent T) *add.* et ipsos non audiens β *edd.* ‖ 12 quamcumque ciuitatem
L R P *edd. plures* ‖ 8, 4 pacem ad ipsos T M *Cou.*

x. Cf. Matth. 10, 12
y. Cf. Matth. 10, 13
z. Cf. Matth. 10, 14
a. Matth. 10, 12

en entrant dans une maison de la saluer de mots de paix [x] : si cette maison en est digne, qu'elle soit digne aussi de partager la paix ; si elle en est indigne, que la paix faisant retour leur revienne [y] et à ceux qui ne les ont pas reçus non plus que leurs paroles ils doivent, secouant la poussière de leurs pieds [z], laisser les semences d'une malédiction éternelle.

7. Ces prescriptions ne suscitent pas peu la réflexion pour être comprises. Si l'on ne doit pas en effet recevoir l'hospitalité avant d'avoir demandé au préalable s'il y a une personne digne, comment trouvera-t-on ensuite une maison qui soit indigne ? Et comment le faire, sans entendre leurs propos et sans les recevoir eux-mêmes ? Car ou bien cette crainte n'est pas fondée dans le cas d'un hôte qui est juste, ou bien si on trouve quelqu'un d'indigne, il ne faudra pas entreprendre d'habiter en commun. Et alors à quoi bon s'interroger et s'informer de quelqu'un de digne, si contre un hôte indigne sont prescrites à la fois la déférence et la rigueur ? Mais le Seigneur leur apprend à ne pas pénétrer dans les maisons et dans l'intimité de ceux qui persécutent ou ignorent le Christ et, dans toute cité, à demander qui est digne de les avoir pour hôtes, c'est-à-dire si quelque part il y a une Église, si le Christ y habite [13], et à ne pas passer dans un autre endroit quelconque, sous prétexte qu'il y a une maison qui est digne et un hôte qui est juste.

8. C'est un fait qu'il a donné l'ordre de saluer d'un mot la maison où l'on entre, en disant : *Dites : La paix à cette maison* [a], et, si la maison est trouvée digne, à propos de l'obligation faite à la paix de venir sur elle, et si elle est indigne, de revenir vers eux ; mais puisque, dès que l'on entre, le mot « la paix » a été prononcé pour faire office de salutation, comment viendra-t-elle par la suite et comment reviendra-t-elle ensuite ? Ou en effet, on n'aurait pas dû

---

13. Ces questions sont inspirées par des thèmes familiers à l'ecclésiologie de Tertullien et Cyprien : l'Église comme maison (cf. Cypr., *eccl. unit.*, 8) ; le lien entre la cité et l'Église (cf. Tert., *praescr.*, 20, 5) ; les Églises où n'habite pas le Christ sont celles des hérétiques, car ils n'ont pas de demeure fixe (cf. Tert., *praescr.*, 42, 10).

enim dici pax ante non debuit quam utrum digna esset
probaretur aut, si digna fuit et salutata cum pace est,
condicio et uenturae et reuersurae pacis non potest ex
10 ratione superioribus cohaerere. Quae ergo sit dictorum
proprietas monstranda est.

C 9. Iudaeorum plures erant futuri, quorum tantus in
fauorem legis adfectus esset, ut, quamuis per admirationem operum in Christo credidissent, tamen in legis
operibus morarentur, alii uero explorandae libertatis
5 quae in Christo est b curiosi transisse se ad euangelia ex
lege essent simulaturi, multi autem etiam in haeresim
per intelligentiae peruersitatem traducerentur. Et quia
istius modi omnes fallentes et audientibus blandientes
penes se esse ueritatem catholicam mentiuntur, ideo
10 superius admonuit dignum cum quo habitandum sit
esse quaerendum ; quia uero per uerborum fallaciam
incidere ignorantes in istius modi hospitem possent,
domo ipsa quae digna sit dicta, id est Ecclesia quae
catholica dicitur caute et diligenter utendum ; salu-
15 tandam quidem cum pacis adfectu, sed ita ut potius pax
D dicta quam data sit. Nam ita praecepit : *Salutate eam,*
970 A *dicentes : Pax huic domui* c. Ergo pax salutationis in
uerbis est et operationis sermone tribuenda. Porro autem
pacem propriam, quae uiscera miserationis sunt, non
20 oportere in eam uenire nisi digna sit ; quae si digna
reperta non fuerit, sacramentum pacis caelestis intra
propriam eorum conscientiam continendum.

LREP (= α) A (ab IX, 3, 6 usque ad X, 12, 7) GSTM (= β)
9 ex : ea α ‖ 10 dictorum sit β *edd.* ‖ 9, 3 Christum *Cou.* ‖ 4
explorandae : exprobr- L R   probandae E ‖ 5 se *om.* T M ‖ 11 uero
per *om.* A S ‖ 18 operationis : ora- G *edd.* ‖ 22 continendam R A G S

b. Cf. Gal. 2, 4
c. Matth. 10, 12

14. Alliance de mots nouvelle, bâtie sur le modèle de *catholica
traditio* de TERT., *monog.*, 3, 1 à partir de l'hendiadys *uera et catholica* (*Hierusalem*) de TERT., *adu. Marc.*, 3, 22, 6.

prononcer le mot paix, avant de vérifier si la maison en était digne, ou, si elle en était digne et si elle a été saluée avec le mot paix, la clause d'une paix qui peut aussi bien aller et revenir ne saurait s'accorder logiquement avec ce qui précède. Il faut donc montrer en quoi ces termes sont propres.

9. Beaucoup parmi les Juifs étaient appelés à avoir un tel attachement à la Loi, que tout en ayant eu foi dans le Christ par admiration pour ses œuvres, ils s'attardaient aux œuvres de la Loi, que d'autres, curieux de sonder la liberté qui est dans le Christ [b], devaient feindre d'être passés de la Loi aux Évangiles, et que beaucoup grâce à une perversion de l'intelligence étaient amenés jusqu'à l'hérésie. Et parce que tous ceux qui en arrivent là déclarent mensongèrement en trompant et en flattant ceux qui les écoutent que la vérité catholique [14] est entre leurs mains, il leur a rappelé précédemment qu'il fallait chercher quelqu'un de digne pour cohabiter avec lui et, parce que pris par des mots fallacieux ils pouvaient tomber sans le savoir sur un hôte de cette vilaine espèce, la prudence réfléchie [15] était nécessaire dans la manière de traiter la maison qui, elle, est appelée digne, l'Église qu'on nomme catholique [16] ; que pour saluer une maison, on ait des dispositions de paix, mais en disant « La paix » plutôt qu'en la donnant. Car la prescription était la suivante : *Saluez-la en disant : Paix à cette maison* [c]. Ainsi c'est dans des mots de salutation et dans des formules de bienfaisance que la paix doit être accordée. Mais au-delà, la paix proprement dite, que représentent les entrailles de la miséricorde, ne devait venir à cette maison que si elle en était digne ; si elle ne l'était pas, le signe sacré de la paix céleste [17] devait demeurer à l'intérieur de leur conscience personnelle.

15. Il est des *lapsi* qui demandent la paix hypocritement à l'Église selon Cypr., *epist.*, 57, 3, 2. Voilà pourquoi la « prudence » est requise pour la réconciliation des *lapsi* : cf. Cypr., *epist.*, 17, 2, 1.

16. *Catholica* est devenu un nom propre depuis Tert., *praescr.*, 26, 9 ; Cypr., *epist.*, 49, 2.

17. Sans doute le baiser de paix que Tertullien (*orat.*, 18, 1-2)

10. In eos autem qui, audita caelestis regni praedicatione, apostolorum praecepta respuerint, egressu eorum
et signo pulueris de pedibus excussi aeterna maledictio
relinquatur. Nescio qua enim insistenti in loco cum eo
5 in quo institerit loco uidetur esse communio et fit inter
eos quaedam corporis solique coniunctio. Ergo omne
domus illius habitationisque peccatum intra ipsam
B excusso puluere pedum relinquitur nihilque sanctitatis
de insistentium apostolorum uestigiis mutuatur, ut
10 quorum aditu ingressuque delicta terrenae originis
auferuntur, eorum testimonio infidelitas cum omni terrae suae puluere iudicetur. *Tolerabilius erit in die iudicii
terrae Sodomorum et Gomorhaeorum quam ciuitati isti* [d],
quia illis ignorato Christo errasse sit leuius, his uero
15 inexpiabile sit aut praedicatum non recepisse aut recep-
tum non sancte neque catholice praedicasse.

11. Et quidem plures hos qui uesano furore in apostolos desaeuituri essent futuros esse significat, cum se
eos sicut oues in medio luporum ait mittere [e] praedicans
simplices sicut columbas et prudentes sicut serpentes
C esse oportere. Sed columbae simplicitas in absoluto est ;
quae autem sit serpentis prudentia contuendum est.
Nescio quid in illo prudentiae consiliique exstet, licet
quaedam hinc aliqui memoriae mandauerint, quod ubi

LREP (= α) A (ab IX, 3, 6 usque ad X, 12, 7) GSTM (= β)
10, 2 *post* respuerint *add.* et A S ‖ 3 de *om.* β *Bad.* ‖ 4 qua enim
quae e. E quo e. G e. quae R P *Cou.* ‖ insistenti : -di A -tis
L R P ‖ 5 instituerit L R ‖ esse *om.* β *Bad.* ‖ 8 sanctitatis : sani-
T M ‖ 12 erit *transp. post* Gomorrhaeorum β *edd.* ‖ **11,** 3 praedicens
A G S *Bad.*

---

d. Matth. 10, 15
e. Cf. Matth. 10, 16

---

appelle « une bonne œuvre » (*operatio*) et un « signe » (*signaculum*).
Marquant la réconciliation, il pouvait être caché en certaines circonstances (Tert., *orat.*, 18, 6). Sur *signaculum* comme forme parti-

10. A l'encontre de ceux qui, ayant entendu la prédication du Royaume des cieux ont repoussé les recom-
mandations des apôtres, que ces derniers en sortant et en
secouant la trace de poussière de leurs pieds laissent une
malédiction éternelle. Il semble en effet qu'il y ait je ne
sais quelle communion de celui qui se fixe en un lieu
avec le lieu où il s'est fixé, et entre les deux s'établit
une sorte de rencontre du corps et du sol [18]. Ainsi tout le
péché de cette maison et de ses habitants est laissé à
l'intérieur d'elle-même avec la poussière des pieds qui
est secouée, et elle ne tire aucune sainteté des traces des
apôtres qui y portent leurs pas, en sorte que ceux dont
l'arrivée et l'entrée enlèvent les péchés de la naissance
terrestre sont, par leur témoignage, les juges d'une
incroyance qui s'accompagne de toute la poussière de sa
terre. *Au jour du jugement, il y aura plus de tolérance
pour la terre de Sodome et Gomorrhe que pour cette cité* [d],
parce que, dans le cas des premières, il est moins grave
de se tromper par ignorance du Christ, alors que c'est une
chose inexpiable, pour la seconde, de ne pas recevoir celui
qui était annoncé ou de ne pas prêcher selon la sainteté
catholique [19] celui qui était reçu.

11. Et il indique que plus d'un insensé exercerait sa
fureur contre les apôtres, quand il dit qu'il les envoie
comme des brebis au milieu des loups [e], leur prêchant la
nécessité d'être simples comme des colombes et prudents
comme des serpents. La simplicité de la colombe est évidente [20], mais il faut étudier ce qu'est la prudence du serpent. Je ne sais ce qu'il y a en lui comme prudence et
comme réflexion, bien que des auteurs aient gardé le souvenir de certains détails [21] montrant que, quand il com-

---

culière de *sacramentum*, cf. TERT., *adu. Marc.*, 3, 22, 7 et D. MICHAÉ-
LIDÈS, *Sacramentum chez Tertullien*, Paris 1970, p. 109-111.

18. Expression célèbre de cette « communion » dans CIC., *leg.*,
2, 3.

19. CYPR., *epist.*, 49, 2, parle de la « très sainte Église catholique ». *Catholice* est déjà attesté chez TERT., *fug.*, 3, 1.

20. Évidence recueillie chez TERTULLIEN., *bapt.*, 8, 3.

21. Cf. VERG., *Georg.*, 2, 473-474.

se in manus hominum uenisse intelligat, omni genere ab
10 ictu caput subtrahat idque aut collecto in orbem corpore contegat aut foueae immergat caedique partem reli-
quam derelinquat, nosque hoc exemplo oportere, si quid
acciderit persecutionum, caput nostrum, quod est Christus [f], occulere, ut oblatis nobis in omnes cruciatus,
15 fidem ab eo acceptam iactura corporis communiamus.

12. Sed omnis hic Domini de Iudaeis atque haereticis
sermo est : *Tradet frater fratrem et pater filium, et insur-*
gent filii in parentes [g], id est familiam inter se eiusdem
domus dissidere, quia de parentum cognationumque
971 A nominibus populi quondam unitas indicatur nunc hostili
inuicem odio diuersis, iudicibus etiam et regibus terrae [h]
offerendos, dum extorquere aut silentium nostrum aut
coniuentiam temptant ; testes enim ipsis et gentibus
futuri, quo testimonio excusatio ignoratae diuinitatis
10 adimenda sit persequentibus, gentibus uero uia pandenda
credendi Christum pertinacibus inter saeuientium poenas
confessorum uocibus praedicatum. Instructos igitur nos
serpentis prudentia monet esse oportere.

13. Hunc antequam Adam traduceret, iam sapien-
tem Genesis nuncupauit [i] et prudentiam eius malignantis
consilii ordine docuit. Primum enim animum sexus
B mollioris adgressus est, spe deinde illexit et communio-
5 nem immortalitatis spopondit, et per haec tanta praemia opus consilii et uoluntatis suae gessit. Pari igitur
opportunitate, introspecta uniuscuiusque et natura et

LREP (= α) A (ab IX, 3, 6 usque ad X, 12, 7) GSTM (= β)
LREP (= α) GSTM (= β)
12, 3 eiusdem : eisdem E   eius R ‖ 4 domus : modus L   modi
(-is P) R P *Gil.*[2]   odiis E ‖ 5 quondam : quae- TM ‖ 6 diuersis :
-si L R P *Cou.* -sisque *edd. plures* ‖ et *om.* β *Bad.* ‖ 8 conuenientiam
G ‖ enim : et β *Bad.* ‖ 9-11 quo — credendi *om.* L R P‖ ignorantiae
S β′ ‖ 12 et structos S O Q X ‖ **13,** 4 et *om. Cou.*

---

f. Cf. Éphés. 4, 15

prend qu'il est venu aux mains des hommes, il soustrait sa tête aux coups de toutes les façons, la cache en ramassant son corps qu'il enroule, la plonge dans une fosse, et abandonne l'autre partie au massacre. Et nous, d'après cet exemple, nous devons, si une persécution nous arrive, cacher notre tête qui est le Christ [f], en sorte que, nous offrant à toutes les tortures, nous défendions, par le sacrifice de notre corps, la foi que nous avons reçue de lui [22].

12. Mais tout le propos suivant concerne les Juifs et les hérétiques : *Le frère livrera le frère, le père le fils, et les fils se dresseront contre les parents* [g], c'est-à-dire que les membres d'une même maison sont divisés entre eux, indication qu'il y avait naguère une unité du peuple s'exprimant par les noms de parents et d'alliés aujourd'hui dissociés par une inimitié et une haine réciproques ; on serait en outre livré aux juges et aux rois de la terre [h] tentant d'arracher notre silence ou notre complicité, car nous sommes appelés à être pour eux et pour les païens des témoins rendant un témoignage qui doive retirer aux persécuteurs l'excuse de l'ignorance de la divinité et ouvrir aux païens la voie de la foi au Christ prêché par les déclarations des confesseurs tenaces au milieu de l'acharnement des supplices ; c'est pour cela qu'il nous avertit qu'il faut être munis de la prudence du serpent.

13. Cet animal, déjà avant qu'il entraînât Adam, a été appelé avisé par la Genèse [i], lui qui a montré son habileté dans le déroulement de son dessein pervers. D'abord, il a attaqué l'âme du sexe le plus faible, ensuite il l'a séduite par l'espérance et lui a promis la communion de l'immortalité et, par des récompenses aussi importantes, il a réalisé l'œuvre de son dessein et de sa volonté. C'est avec un égal à-propos pour scruter le caractère et la volonté de

g. Matth. 10, 21
h. Cf. Matth. 10, 20
i. Cf. Gen. 3, 1

22. Lieu de l'argumentation de Tertullien dans l'*Ad martyras*, 2-3.

uoluntate, uerborum adhibenda prudentia est. Spes bonorum futurorum reuelanda et caelestia perfectae fidei
10 praemia proferenda et quod ille mentitus est, nos prae-
dicemus ex uero secundum sponsionem Dei angelis similes
futuros esse [j] qui credent et mentes plebium faciles et
absolutas, circumsaeuientibus licet lupis et haereticis,
promissis regnorum caelestium occupemus et rerum
15 fidem serpentis prudentia columbae simplicitate tradamus.

C   14. Monet etiam traditis abesse oportere curam responsionis, sed exspectandum potius quid Spiritus Dei
suggerat [k], quia fides nostra omnibus praeceptis diuinae
uoluntatis intenta ad responsionis scientiam instruitur,
5 in exemplo habentes Abraham, cui postulato ad hostiam
Isaac non defuit aries ad uictimam. Ex una deinde in
duas urbes fugam suadet [l], quia praedicatio eius primum
a Iudaea effugata transit ad Graeciam, dehinc diuersis
intra Graeciae urbes apostolorum passionibus fatigata,
10 tertio in uniuersis gentibus demoratur. Sed ut ostenderet
gentes quidem apostolorum praedicationi credituras,
uerum, ut reliquum Israel crederet, esse aduentui suo
debitum, ait : *Non consummabitis ciuitates Israel, donec*
972 A *ueniat filius hominis* [m], post plenitudinem scilicet gen-
15 tium, quod erit reliquum Israel ad implendum numerum
sanctorum futuro claritatis suae aduentu in Ecclesia
collocandum.

LREP (= α) GSTM (= β)
    9 *post* et *add.* sic *Cou.* ‖ 10 promerenda α ‖ et : ut *Cou.* ‖ 12
credent : -derent L R P G *Cou.* -diderint S ‖ 13 *post* licet *add.* et
R P T M *edd.* ‖ **14,** 4 responsionem scientiae (insc- S) β *Bad.* ‖
instruetur β *edd.* ‖ 5 habens E T M ‖ 12 reliquum : -lictum L
-liquus E P ‖ crederent T M ‖ 17 collocandum : conuocandum β
Bad.

j. Cf. Matth. 22, 30
k. Cf. Matth. 10, 20
l. Cf. Matth. 10, 23
m. Matth. 10, 23

chacun [23] qu'il faut user de prudence dans les paroles. Il faut révéler l'espoir des biens à venir, présenter les récompenses célestes de la foi parfaite ; et ce qu'il a promis mensongèrement annonçons-le, au nom de la vérité, forts de cet engagement de Dieu que ceux qui croiront seront semblables aux anges [j], remplissons des promesses du Royaume des cieux l'esprit docile et simple des fidèles, malgré la rage des loups [24] et des hérétiques autour d'eux et, avec la simplicité de la colombe, donnons la vérité des faits au moyen de la prudence du serpent.

14. Il nous avertit encore que, si nous sommes livrés, nous ne devons pas nous soucier de répondre, mais attendre plutôt ce que suggère l'Esprit de Dieu [k], parce que notre foi attentive à tous les commandements de la volonté divine est instruite pour savoir répondre, ayant un modèle en Abraham qui, invité à sacrifier Isaac, trouva un bélier pour être la victime. Puis il leur conseille la fuite d'une ville dans deux autres [l], parce que son message chassé d'abord de Judée passe à la Grèce, puis, éprouvé par les différentes souffrances des apôtres à l'intérieur des villes de la Grèce, en troisième lieu s'arrête chez l'ensemble des païens [25]. Mais pour indiquer que, si les païens devaient croire au message des apôtres, il revenait cependant à son avènement de faire que le reste d'Israël crût, il dit : *Vous n'aurez pas fini avec les cités d'Israël, jusqu'à ce que vienne le Fils de l'homme* [m]. Autrement dit, après la totalité des païens, lors de son avènement futur dans la gloire, ce qui restera d'Israël aura place dans l'Église pour compléter le nombre des saints [26].

---

23. Alliance de mots classique : cf. Cɪᴄ., *rep.*, 1, 47 : « aut natura aut uoluntas » ; 3, 23 : « non natura nec uoluntas ».

24. Les loups sont l'image des persécuteurs : cf. Lᴀᴄᴛ., *inst.*, 5, 23, 4 ; *mort.*, 52, 2.

25. Le cadre général de cette histoire de la prédication des Apôtres est un schéma de l'apologétique : cf. Tᴇʀᴛ., *apol.*, 21, 25 ; *praescr.*, 20, 4 (deux étapes : la Judée ; le monde) et 36, 2 (trois étapes qui sont celles de Paul : la Grèce, l'Asie, Rome). Aussi bien la formule « passa à la Grèce » est démarquée de *II Cor.* 1, 16.

26. Perspective tracée d'après *Rom.* 11, 25-27.

15. *Non est discipulus super magistrum nec seruus super dominum* [n]. Multum proficit ad tolerantiae adsumptionem rerum imminentium cognitio, maxime si patientiae uoluntas praesumatur exemplo. Dominus noster,
5 lumen aeternum et dux credentium et immortalitatis parens discipulis suis futurarum passionum solacia ante praemisit, ne se quis discipulus magistro potiorem aut super dominum esse seruus existimaret [o]. Si enim patrifamilias cognomentum per inuidiam daemonis addide-
10 runt, quanto magis in domesticos eius omnia iniuriarum
B et contumeliarum genera perficient gloriae loco potius amplectentes, si Domino nostro uel passionum condicionibus adaequemur.

16. *Nihil est occultum quod non reuelabitur* [p]. Diem scilicet iudicii ostendit, quae abstrusam uoluntatis nostrae conscientiam prodet et ea quae nunc occulta existimantur luce cognitionis publicae deteget. Igitur non
5 minas, non consilia, non potestates insectantium monet esse metuendas, quia dies iudicii nulla haec fuisse atque inania reuelabit.

17. *Et quod dico uobis in tenebris, dicite in lumine et quod in aure auditis, praedicate super tecta* [q]. Non legimus
C Dominum solitum fuisse noctibus sermocinari et doctrinam in tenebris tradidisse. Sed quia omnis sermo eius
5 carnalibus tenebrae sunt et uerbum eius infidelibus nox est et cuique quod a se dictum est cum libertate fidei et confessionis est loquendum, idcirco quae in tenebris dicta

---

LREP (= α) GSTM (= β)
15, 3 cognitio : continuatio T M ‖ patientiae : sapientiae G T M ‖
4 noster : namque G   enim T M   non S ‖ 11 *post* perficient *add.*
sed ea nihil nos terreant *edd.* ‖ **16,** 3 et *om.* β ‖ existimantur : -mus
T M   *Cou.* ‖ **17,** 3 Domino L R ‖ 6 et cuique : itaque id β *Bad.*

---

n. Matth. 10, 24
o. Cf. Matth. 10, 25
p. Matth. 10, 26
q. Matth. 10, 27

15. *Le disciple n'est pas au-dessus du maître ni l'esclave au-dessus du propriétaire* [n]. La connaissance des événements imminents sert beaucoup à prendre patience, surtout si la volonté d'endurance nous est représentée d'avance dans un modèle [27]. Notre Seigneur, lumière éternelle, guide des croyants, père de l'immortalité [28], a prévenu d'avance ses disciples, pour les encourager à leur passion future, qu'un disciple ne devait pas se croire supérieur à son maître ni un esclave au-dessus de son propriétaire [o]. Si par haine ils ont en effet appliqué au maître de maison le surnom de démon, combien plus commettront-ils toute espèce de torts et d'outrages à l'égard de ses serviteurs, si nous accueillons plutôt comme un titre de gloire la possibilité de partager avec notre Seigneur les conditions mêmes de ses souffrances.

16. *Rien n'est caché qui ne sera révélé* [p]. Comprenons qu'il vise le jour du jugement qui révélera le secret de conscience de notre volonté et au grand jour d'une enquête publique découvrira ce qui passe aujourd'hui pour caché. Ainsi il nous rappelle que ni les menaces, ni les desseins, ni la puissance des persécuteurs ne sont redoutables, parce que le jour du jugement révélera que cela n'avait ni réalité ni consistance.

17. *Et ce que je vous dis dans les ténèbres, dites-le au grand jour, et ce que vous entendez à l'oreille, prêchez-le sur les toits* [q]. Nous ne lisons pas que le Seigneur avait l'habitude de faire des déclarations la nuit et de donner son enseignement dans les ténèbres. Mais parce que tout propos de lui est ténèbres pour les hommes charnels, que sa parole est obscurité pour les incroyants et que chacun doit annoncer dans une confession de foi libre ce qu'il a dit, il a ordonné de prêcher au grand jour ce qui a été dit dans les ténèbres, pour que ce qui a été confié

27. Cette observation résume le début de la *praefatio* de l'*Exhortatio martyrii ad Fortunatum* de CYPRIEN.
28. Cette titulature du Christ suit celle de TERT., *apol.*, 21, 7 (« huius gratiae... magister, illuminator atque deductor generis humani ») contaminée avec celle de Ps.-CYPR., *idol.*, 15 : « itineris ducem, lucis principem, salutis auctorem. »

sunt praedicari iussit in lumine, ut quae secreto aurium
commissa sunt, super tecta, id est excelso loquentium
10 praeconio audiantur. Constanter enim Dei ingerenda
cognitio est et profundum doctrinae euangelicae secretum lumine praedicationis apostolicae reuelandum, non
timentes eos quibus cum sit licentia in corpore, tamen in
anima ius nullum est, sed timentes potius Deum, cui
15 perdendae in gehenna et animae et corporis sit potestas.

973 A 18. *Nonne duo passeres asse ueneunt, et unus ex illis*
non cadit in terram sine uoluntate patris uestri [r] ? Non
est, ut puto, criminis agere aucupium neque uenditio
passerum habet culpam. Et quod ait : *Vnus ex illis non*
5 *cadit super terram sine uoluntate Patris uestri* contra
apostolicum dictum facere uidetur quod ait : *Non est*
pecudum Deo cura [s]. Et auctoritati eius multum dero-
gabitur, si sensisse aliter quam in euangeliis traditum
est reperietur. Nec sane apostolis multum ¦dignitatis
10 tribuitur, si passeribus ante stabunt. Locus hic ex sensu
superiore proficiscitur. Iniquitates enim eorum exag-
gerantur qui tradituri sunt, qui insectaturi, qui in
fugam coacturi, quibus propter nomen Domini esse
B odio nos oportet, qui omne ius suum in solis corporibus
15 exerceant, potestatem in animam non habentes. Hi igitur passeres duos asse ueneunt. Et quidem quae sub
peccato uendita sunt [t], redemit ex lege Christus [u] ; ergo

LREP (= α) GSTM (= β)
LREP (= α) A (ab X, 17, 12 usque ad XI, 6, 7) GSTM (= β)
8 ut : et P *Bad. Cou.* ‖ 9 excelsa P *Cou.* ‖ *ante* loquentium *add.*
ut P *Cou.* ‖ 13 corpora L β *edd.* ‖ 14 animam A G T M *edd.* ‖ 14 ius
nullum : eius nullum L   eius nulla R P   nulla E ‖ 18, 1 unum L ‖
4 unum L G ‖ 7 auctoritati : -te L P G   -tis A S ‖ 9 sane : enim α
Cou. ‖ 16 duo A² G S M *Bad.* ‖ 17 redimit A S *Bad.*

r. Matth. 10, 29
s. I Cor. 9, 9
t. Cf. Rom. 7, 14
u. Cf. Gal. 3, 13

au secret de l'oreille soit entendu sur les toits, c'est-à-
dire par une proclamation qui s'élève de la bouche qui
parle [29]. La connaissance de Dieu, en effet, doit être
inculquée avec fermeté et la profondeur du secret de
l'enseignement évangélique doit être révélée par la lumière
de la prédication des apôtres dans la crainte non de ceux
qui, tout en ayant pouvoir sur le corps, n'ont aucun droit
sur l'âme, mais plutôt de Dieu, à qui il est permis de
perdre l'âme et le corps dans la géhenne.

18. *Deux oiseaux ne se vendent-ils pas un as ? Et pas
un seul ne tombe à terre sans la volonté de votre Père* [r]. Il
n'est pas criminel, je pense, de faire la chasse aux oiseaux
et la vente d'oiseaux n'est pas répréhensible [30]. Et quand
il dit : *Pas un seul ne tombe sur terre sans la volonté de
votre Père*, cela semble aller contre la parole de l'Apôtre :
Dieu n'a pas souci des bêtes [s]. Et ce sera ôter à cette dernière beaucoup de crédit que de constater qu'elle exprime
des sentiments différents de ceux qui sont révélés dans
les Évangiles [31]. Et de fait, ce n'est pas accorder beaucoup de prestige aux apôtres que de les faire passer avant
les oiseaux. Ce passage découle de l'idée qui précède. Les
actes d'injustice sont portés à leur comble chez ceux qui
sont destinés à nous livrer, nous poursuivre, nous con-
traindre à la fuite, qui sont obligés de nous haïr à cause
du nom du Seigneur, pour exercer tout leur pouvoir sur
le corps seul sans avoir de pouvoir sur l'âme. Voilà
ceux qui vendent deux oiseaux pour un as. Et, il
est vrai, ce qui a été vendu au pouvoir du péché [t], le
Christ l'a racheté à la Loi [u]. Ainsi, ce qui se vend est le

29. Trait caractéristique des confesseurs chez Cypr., *laps.*, 2
(avec emploi de *praeconium*) ; *epist.*, 38, 2.
30. Ces réflexions reposent sur un enchaînement de points de
droit : la capture des oiseaux ne doit pas être interdite (Vlp. *dig.*,
47, 10, 13, 6-7) ; ils appartiennent à ceux qui les prennent (Vlp.
dig., 41, 1, 44) ; il est légal de vendre ce que l'on détient (Vlp. *dig.*,
4, 2, 23).
31. A suivre Tert., *praescr.*, 23, 5, les hérétiques faisaient grief
à Paul d'ajouter un « nouvel Évangile » à celui des autres apôtres.
Plus précisément le verset *I Cor.* 9, 9 révélait, selon Marcion, un
autre Dieu que celui de l'Évangile (cf. Tert., *adu. Marc.*, 5, 7, 10).

quod uenditur, corpus atque anima est ; cui uenditur,
peccatum est, quia Christus et de peccato redemit et
20 animae ac corporis est redemptor. Qui igitur duos passeres asse ueneunt, se ipsos 'peccato minimo ueneunt
natos ad uolandum et ad caelum pennis spiritalibus
efferendos, sed capti pretiis praesentium uoluptatum
et ad luxum saeculi uenales totos se talibus actionibus
25 nundinantur.

974 A   19. Sed quaerendum est quomodo unus ex illis sine
uoluntate Dei non cadet. Dei uoluntas est ut unus ex
illis magis euolet, sed lex ex constitutione Dei profecta
decernit unum ex eis potius decidere. Quemadmodum
5 autem si euolarent, unum essent, id est corpus in naturam animae transisset et grauitas illa terrenae materiae
in profectum et substantiam animae aboleretur fieretque
corpus potius spiritale, ita peccatorum pretio uenditis,
in naturam corporum animae subtilitas ingrauescit et
10 terrenam contrahit ex uitiorum sorde materiem fitque
unum ex illis quod tradatur in terram. Plurimis autem
eos ante stare passeribus cum dicit [v], ostendit multitu-
dini infidelium electionem fidelium praeesse, quia his
casus in terram sit, illis uolatus in caelum.

LREP (= α) A (ab X, 17, 12 usque ad XI, 6, 7) GSTM (= β)
18 *ante* cui *add.* et β *edd.* ‖ ‖ 20 duo L E A² S *Bad.* ‖ **19,** 1 unum
L R P A S T M *Cou.* ‖ *post* illis *add.* est quod L R P β *Bad. Cou.* ‖
2 uoluntatis T M ‖ unum L R P A S T M *Era. Cou.* ‖ 3 uolet E ‖
profecta : -pheta L R ‖ 4 decedere L P

v. Cf. Matth. 10, 31

32. L'expression a une allure poétique (cf. VERG., *Aen.*, 6, 15 :
« Daedalus praepetibus pennis ausus se credere caelo »). Elle s'explique par la représentation de l'esprit comme un oiseau dans TERT.,
apol., 22, 8. L'envol vers le ciel est une image héritée de pages de
Cicéron sur la vie de l'âme après la mort (*rep.*, 6, 14 ; *Consolation*
fragm. 12 Müller). Cf. P. COURCELLE, *Connais-toi toi-même*, t. 3,
Paris 1975, p. 566.
33. Sur cette antithèse, cf. d'une part l'adage rappelé *supra* (cf.
10, 18) : « (aues)... natos ad uolandum » d'après QVINT., *inst.*, 1, 1, 1 :
« aues ad uolatum... gignuntur » ; d'autre part CYPR., *Demetr.*, 3 ;

corps et l'âme ; celui à qui ils sont vendus est le péché, parce que le Christ a racheté du péché et qu'il est le rédempteur de l'âme et du corps. Ceux qui vendent donc deux oiseaux pour un as se vendent au péché pour le prix le plus bas, eux qui sont nés pour voler et qui doivent s'élever au ciel avec des ailes spirituelles [32] ; mais prisonniers du prix des plaisirs du moment et se vendant pour le luxe du siècle, ils trafiquent par de tels procédés de leur personne tout entière.

19. Mais il faut chercher comment un seul d'entre eux ne tombera pas sans la volonté de Dieu. La volonté de Dieu est qu'il y en ait un parmi eux qui préfère voler, mais la loi issue du plan divin décrète qu'il y en ait un parmi eux qui tombe plutôt [33]. Et s'il est vrai qu'en s'envolant, ils seraient un, c'est-à-dire que le corps serait passé à la nature de l'âme, que le poids de la nature terrestre serait aboli [34] à l'avantage de la substance de l'âme et que par ce progrès le corps deviendrait spirituel, par contre chez ceux qui se vendent pour le prix du péché, la légèreté de l'âme s'alourdit en passant à la nature du corps et recueille dans la souillure des vices une matière terrestre [35], et les deux réalités deviennent un objet unique [36] propre à être livré à la terre. Et quand il dit qu'ils passent avant une multitude de passereaux [v], il montre que l'élection des croyants a l'avantage sur la multitude des incroyants, parce que pour ceux-ci c'est la chute sur le sol, pour ceux-là c'est l'envol au ciel.

« haec sententia mundo data est, haec Dei lex est ut omnia orta occidant ».

34. A la place d'*aboleretur* de la tradition manuscrite, A. Fierro, *Sobre la gloria en San Hilario* (*Analecta Gregoriana*, 144), Roma 1964, p. 273-274, conjecture un *auolaret*, à tort, croyons-nous.

35. Analyse de ce « montage » parallèle avec ses emprunts à Tertullien (cf. en particulier *resurr.*, 53, 15 : « primus homo de terra et secundus de caelo ») dans notre *Hilaire de Poitiers...*, p. 381-383. Nous croirions volontiers aussi qu'Hilaire a subi l'influence de schémas antithétiques de Cicéron sur le sort des âmes (s'enfoncer dans les ténèbres ou s'envoler au ciel), par exemple dans le fragment 12 Müller de la *Consolation* rapporté par Lact., *inst.*, 3, 19, 3.

36. Rapprocher Tert., *paen.*, 3, 4 ; « Duo (caro et spiritus) *unum efficiunt* ».

B   **20.** In numerum autem aliquid colligi diligentiae ac
sollicitudinis cura est ; neque enim dignum negotium
est peritura numerare. Vt igitur nihil ex nobis peritu-
rum esse cognosceremus, quia multo passeribus meliores
5 sumus, ipso capillorum nostrorum supputatorum numero ^w indicatur, saluis nobis ex solido futuris, cum
quod innumerabile in nobis sit conseruandi et adfectu
et potestate numeretur. Nullus igitur corporum nostrorum casus est pertimescendus neque ullus interimendae
10 carnis admittendus est dolor, quando pro naturae suae
atque originis condicione resoluta in substantiam spiritalis
animae refundatur.

C   **21.** Et quia doctrinis talibus confirmatos oportet
975 A liberam confitendi Dei habere constantiam, etiam condicionem qua teneremur adiecit, negaturum se eum Patri
in caelis qui se hominibus in terra negasset ^x, eum porro
5 qui confessus coram hominibus se fuisset ^y a se in caelis
confitendum, qualesque nos nominis sui testes homi-
nibus fuissemus, tali nos apud Deum patrem testimonio
eius usuros.

   22. *Nolite arbitrari quoniam ueni pacem mittere in
terram. Non ueni pacem mittere, sed gladium. Veni enim*
B *separare filium aduersus patrem et filiam aduersus matrem
et nurum aduersus socrum suam, et inimici hominis domes-*
5 *tici eius* ^z. Quae ista diuisio est ? Inter prima enim legis
praecepta accepimus : *Honora patrem tuum et matrem
tuam* ^a. Et ipse Dominus ait : *Pacem meam do uobis,
pacem relinquo uobis* ^b. Quid sibi uult missus potius gla-

LREP (= α) A (ab X, 17, 12 usque ad XI, 6, 7) GSTM (= β)
   20, 2 ac sollicitudinis cura *om.* T M ‖ 5 simus L R P *Cou.* ‖ 9-
10 interim est de carne T M ‖ **21,** 3 adiecit : adf- A S ‖ 4 terram L β ‖
22, 1 quoniam : quia T M

---

w. Cf. Matth. 10, 30
x. Cf. Matth. 10, 33
y. Cf. Matth. 10, 32

20. Réunir quelque chose en une somme chiffrée marque un souci d'attention et d'application, mais, en effet, c'est une occupation qui n'en vaut pas la peine de dénombrer quelque chose pour le laisser disparaître [37]. Donc, pour que nous sachions que rien de nous ne doit périr, parce que nous valons bien mieux que des oiseaux, le calcul même du nombre de nos cheveux [w], indique que nous devons être sauvés en totalité, car pour compter ce qui est innombrable en nous, il faut le désir et le pouvoir de le sauver. Nous n'avons donc pas à redouter de chute pour nos corps ni à laisser place au chagrin d'une destruction de la chair, puisque, dissoute selon la condition de sa nature et de sa naissance, elle est refondue en une substance d'âme spirituelle [38].

21. Et parce qu'ayant reçu l'assurance de tels enseignements, nous devons avoir la libre fermeté de confesser Dieu, il a ajouté encore, pour nous lier, cette clause qu'il renierait devant le Père qui est aux cieux celui qui l'aurait renié devant les hommes sur la terre [x], mais qu'il confesserait aux cieux celui qui l'aurait confessé devant les hommes [y] et que de la manière dont nous aurions été les témoins de son nom devant les hommes, de la même manière il rendrait témoignage de nous devant Dieu son Père.

22. *Ne pensez pas que je suis venu apporter la paix sur la terre. Je ne suis pas venu apporter la paix, mais le glaive. Je suis venu en effet opposer le fils à son père, la fille à sa mère, la bru à sa belle-mère, et l'on aura pour ennemis les gens de sa maison* [z]. Qu'est-ce que cette division ? Car parmi les premiers préceptes de la Loi nous avons : *Honore ton père et ta mère* [a]. Et le Seigneur lui-même dit : *Je vous donne ma paix, je vous laisse ma paix* [b]. A quoi abou-

z. Matth. 10, 34-36
a. Ex. 20, 12
b. Jn 14, 27

---

37. Comparer avec TERT., *resurr.*, 56, 1 : « Il est indigne de Dieu » qu'une chair ressuscite, qui ne soit plus rien.
38. Résumé de l'exposé de TERT., *resurr.*, 53, 5-7, commentant la spiritualisation des corps à la résurrection dans *I Cor.* 15, 45.

dius in terram et separatus a patre filius et filia a matre
10 et nurus aduersus socrum et hominis domestici eius
inimici ? Igitur exinde publica auctoritas impietati
proferetur. Vbique odia, ubique bella, et gladius Domini
inter patrem et filium et inter filiam matremque de-
saeuiens. Et in Luca quidem talis de hoc sermo est :
C *Erunt enim ex hoc quinque in una domo diuisi, tres in
duo, et duo super tres diuidentur* C. Numquid non in maiorem numerum potest agnationis domesticae familia
diffundi ? Aut praescripto temporis continebatur, ut ex
hoc essent quinque tantum in domo una iidemque diuisi ?
20 Ergo qui sit gladius in terra, quae proprietas nominum
et in numero quinque quae ratio et quomodo tres in
duo et duo super tres diuidendi et quatenus homini
domestici eius inimici contuendum est.

23. Et singularum quidem rerum et uniuersae quaestionis primum natura est explicanda nec minus intelligentiam nostram sensus et superior et consequens adiu-
uabit. Gladius telorum omnium telum acutissimum est,
5 in quo sit ius potestatis et iudicii seueritas et animad-
976 A uersio peccatorum. Et huius quidem teli nomine noui
euangelii praedicationem appellatam frequens in prophetis auctoritas est. Dei igitur uerbum nuncupatum
meminerimus in gladio (qui gladius missus in terram est),
10 id est praedicationem eius hominum corporibus infusam.

LREP (= α) A (ab X, 17, 12 usque ad XI, 6, 7) GSTM (= β)
11 exinde : extendae L extendendae R P ‖ 12 profertur R E ‖
13 et inter filiam : inter patrem filiam A et inter matrem filiam
S ‖ 16 duo¹ : duos *edd.* ‖ super : per T M ‖ 17 domestica A S *Bad.* ‖
22 duo¹ : duos *edd.* ‖ super : per T M ‖ **23**, 1 et¹ *om.* E β *Bad.* ‖ 10
praedicatio infusa R P S M *Gil.*²

---

c. Lc 12, 52

---

39. Anaphore et hyperbole de style épique : cf. Lvcan., 7, 27 ;
Stat., *Theb.*, 8, 224.
40. La question est posée en référence à la définition juridique

tissent donc la préférence donnée à l'envoi d'un glaive
sur la terre, la séparation entre le fils et son père, la fille
et sa mère, l'opposition de la bru et de sa belle-mère,
l'hostilité éprouvée par un homme de la part des gens de
sa maison ? A partir de là donc, une garantie officielle
sera offerte à l'impiété. Partout des haines, partout des
guerres [39], le glaive du Seigneur exerçant sa fureur entre
le père et son fils, entre la fille et sa mère. Et même à ce
sujet dans Luc, il y a ces mots : *Dès lors, en effet, on sera*
divisé dans une maison de cinq, trois contre deux et deux
contre trois seront divisés [c]. La famille qui forme la parenté
d'une maison ne peut-elle pas s'étendre à un plus grand
nombre [40] ? Ou une prescription due à des circonstances
critiques impliquait-elle qu'en raison de celles-ci il ne faudrait que cinq membres dans une maison et qu'ils seraient
divisés ? Ainsi, il faut étudier quel est ce glaive envoyé
sur la terre, quelle est la propriété des noms, quelle est
la raison d'être du chiffre cinq, comment il faut diviser
trois contre deux et deux contre trois et dans quelle
mesure on a pour ennemis les gens de sa maison.

23. Il faut d'abord expliquer quel est l'objet de chaque
détail et de la question dans son ensemble, ce que nous sai-
sirons mieux en nous aidant de l'idée qui précède et de
celle qui suit. Le glaive est de toutes les armes celle qui
est la plus effilée, en sorte qu'on voit en lui le droit du
pouvoir, la rigueur du jugement et le châtiment des
pécheurs [41]. Et le nom de cette arme désigne, sous la
garantie répétée des prophètes [41 bis], la prédication de
l'Évangile nouveau. Nous nous souviendrons donc que
dans le glaive est désignée la parole de Dieu, c'est-à-dire,
ce glaive ayant été envoyé à la terre, son enseignement
qui a pénétré dans le corps des hommes. C'est elle donc

de *familia* dans Vlp. *dig.*, 50, 16, 195 : « Communi iure familiam
dicimus omnium agnatorum ».

41. On retrouve ici les conséquences juridiques de l'application du
ius gladii (Vlp. *dig.*, 1, 18, 6, 8) : *iudicii seueritas* (cf. *Cod. Theod.*, 7,
18, 12) et *animaduersio peccatorum* (cf. Vlp. *dig.*, 50, 16, 131, 1).

41 bis. Cf. par ex. *Ps.* 149, 6 et le commentaire *ad loc.* d'Hil.,
in psalm., 149, 6.

Hoc igitur quinque habitantes in una domo diuidit et
diuidit tres in duo et duo super tres. Sed tria tantum in
homine reperimus, id est corpus et animam et uoluntatem. Nam ut corpori anima data est, ita et potestas
15 utrique utendi se ut uellet indulta est atque ob id lex
est proposita uoluntati. Sed hoc in illis deprehenditur,
qui primi a Deo figurati sunt, in quibus coeptae originis
ortus effectus est, non traductus aliunde. Sed ex peccato
B atque infidelitate primi parentis consequentibus genera-
20 tionibus coepit esse corporis nostri pater peccatum,
mater animae infidelitas ; ab his enim ortum per trans-
gressionem primi parentis accepimus. Nam uoluntas
unicuique sua adiacet. Ergo iam unius domus quinque
sunt : pater corporis peccatum, mater animae infideli-
25 tas et incidens uoluntatis arbitrium quod totum hominem quodam coniugii sibi iure distringit. Huic infidelitas
socrus est nos ex ea natos atque a fide metuque Dei
peregrinantes accipiens, ut inter infidelitatem uolupta-
temque possessos et ignoratione Dei et in omnium uitio-
30 rum oblectatione detineat.

24. Cum ergo innouamur baptismi lauacro per Verbi
C uirtutem, ab originis nostrae peccatis atque auctoribus
separamur recisique quadam exsectione gladii Dei a

LREP (= α) A (ab X, 17, 12 usque ad XI, 6, 7) GSTM (= β)
11 hic P *Cou.* ‖ 12 duo[1-2] : duos *edd.* ‖ super : per T M ‖ 19 sequen-
tibus β *edd.* ‖ 25 incidens : incedens L T M   accedens P *Cou.* ‖
quod : *om.* α ‖ 26 coniugii : adiungi T M ‖ 27 *post* est *add.* quae P
Cou. ‖ 28 uoluntatemque T M ‖ 29 *post* et[1] *add.* in T M *Cou.* ‖ in
om. L R P ‖ 24, 1 uerbi *om.* β *Bad.* ‖ 3 exsectione : expectatione
A S

---

42. Deux aspects corollaires inspirés par la théorie de Tertullien,
sur l'origine de l'âme : 1) Dieu « a conféré » à Adam l'origine
de la nature de l'âme (cf. TERT., *anim.*, 20, 6) ; 2) L'âme ne
vient pas d'ailleurs (*anim.*, 14, 1 : « non... structilis aliunde »), par
exemple du ciel (*anim.*, 23, 1).
43. TERT., *paen.*, 3, 9-11, enseignait que l'origine des *delicta*, soit
du corps soit de l'esprit, est la « volonté » de les commettre. Cette

qui divise les cinq habitants d'une maison, divisant trois
contre deux et deux contre trois. Mais dans l'homme
nous trouvons seulement trois choses : le corps, l'âme et
la volonté. De même donc que l'âme a été donnée au
corps, de même le pouvoir d'user de soi selon sa volonté
a été accordé à l'un et à l'autre et c'est pourquoi une
loi a été proposée à la volonté. Mais c'est là une situation
que l'on ne constate que chez ceux qui furent les premiers
à être façonnés par Dieu et dont l'origine de la naissance
a été due initialement à une création, non à la transmission
d'une vie venue d'ailleurs [42]. Par contre, à la suite du
péché et de l'incroyance de notre premier père, les générations suivantes ont commencé à avoir le péché pour
père de notre corps, l'incroyance pour mère de notre
âme : c'est d'eux, en effet, que nous sommes issus par
suite de la transgression de notre premier père, car à chacun d'eux est adjoint un vouloir propre [43]. Ainsi, il y a
maintenant cinq personnes pour une maison : le péché
père du corps, l'incroyance mère de l'âme et la liberté
de la volonté qui, intervenant, s'attache l'homme tout
entier en vertu d'une sorte de droit conjugal. Elle a pour
belle-mère l'incroyance qui nous accueille, nous qui, nés
d'elle, sommes éloignés de la foi et de la crainte de Dieu,
afin que, pris entre l'incroyance et le plaisir, nous soyons
retenus par l'ignorance de Dieu dans la séduction de tous
les vices.

24. Quand, dans ces conditions, nous sommes renouvelés par le bain du Baptême grâce au pouvoir du Verbe,
nous sommes séparés des péchés de notre origine, nos
instigateurs, et retranchés par une sorte d'ablation due
au glaive de Dieu, nous rompons avec les dispositions de

représentation adoptée par Hilaire explique qu'il ait distingué
« trois choses » dans l'homme : le corps, l'âme, la volonté (cf. aussi
infra, 23, 2). Comme le fait remarquer M.-J. Rondeau, « Remarques
sur l'anthropologie de saint Hilaire » (*Studia patristica* 6 = *Texte
und Untersuchungen* 81), Berlin 1962, p. 201, cette tripartition est
chez Hilaire occasionnelle et liée aux nécessités de l'exégèse. Le
souvenir de la trilogie de *I Thess.* 5, 23 : *spiritus et anima et corpus*
a peut-être aussi joué.

patris et matris adfectionibus dissidemus, et ueterem
5 cum peccatis atque infidelitate sua hominem exuentes [d]
et per Spiritum anima et corpore innouati necesse est
ingeniti et uetusti operis consuetudinem oderimus. Et
quia corpus ipsum per fidem mortificatum in naturam
animae, quae ex adflatu Dei uenit — quamuis id ipsum
10 adhuc in materia sua exstet—, euadat, quia communio
ipsis inuicem concilietur ex Verbo, idcirco iam unum
atque idem cum anima uelle coepit effici, scilicet ut illa
977 A est spiritalis, quibus libertas uoluntatis a socru sua, id
est ab infidelitate diuisa ius suum omne concedit, ut
15 quod erat libertas uoluntatis deinceps animae sit potestas. Fitque grauis in domo una dissensio et domestica
nouo homini erunt inimica, quia ille per Verbum Dei
diuisus ab illis manere et interior et exterior, id est et
corpus et anima in Spiritus nouitate gaudebit ; ea uero
20 quae ingenita et a quadam prosapiae antiquitate deducta
consistere in his quibus oblectata sunt concupiscunt, origo
carnis et origo animae et libertas potestatis in duos diuidentur, animam scilicet et corpus hominis noui, quae
unum atque idem uelle coeperunt, diuisique tres duobus
25 subiacebunt in dominatum eorum de Spiritus nouitate potioribus. Et idcirco illi qui domesticas nominum
B caritates dilectioni eius praetulerint futurorum bonorum indigni erunt hereditate.

25. Pergit deinde eodem praeceptorum et intelligentiae decursu. Nam postea quam relinquenda omnia

---

LREP (= α) A (ab X, 17, 12 usque ad XI, 6, 7) GSTM (= β)
6 *post* est *add.* ut R *Gil.*[2] ‖ 9 ex *om.* A S ‖ 10 materia α *edd.* ‖
exstet : exsistat L exsistit R P exsistens E ‖ 13 a *om.* A G S ‖ 20
ingenita : inita α ‖ 21 oblectata : -tae L R P -tas S ‖ concupiscent
A S T M *edd.* ‖ *ante* origo *add.* et β *edd.* ‖ 23 anima A G S ‖ quae :
qua L R quia P ‖ 25 ubi iacebunt A S ‖ **25,** 1 eodem : eorum α ‖ 2
decursus α

---

d. Cf. Col. 3, 9-10

---

44. L'application au baptême de ces images de *Col.* 3, 9-10 est

nos père et mère, dépouillant le vieil homme avec ses
péchés et son incroyance[d] et renouvelés de corps et d'âme
par l'Esprit[44], nous devons haïr notre manière d'agir
selon l'habitude invétérée de la naissance. Et parce que
le corps lui-même mortifié par la foi parvient à la nature
de l'âme issue du souffle de Dieu, tout en subsistant lui-
même encore dans sa propre matière, parce qu'une union
entre eux est ménagée à la suite du Verbe, le corps commence à ne vouloir faire qu'un avec l'âme[45], c'est-à-dire,
à être spirituel comme elle, et aux deux la liberté de la
volonté, séparée de sa belle-mère, c'est-à-dire de l'incroyance, cède tous ses droits, de sorte que ce qui était
liberté de la volonté est par la suite puissance de l'âme[46].
Il se produit dans la maison unique un désaccord grave
et l'homme nouveau aura pour ennemis ceux de sa maison, parce que séparé d'eux par le Verbe de Dieu, il se
réjouira de demeurer, à l'intérieur et à l'extérieur, c'est-
à-dire corps et âme, dans la nouveauté de l'Esprit. Mais
les propriétés innées qui remontant à l'ancienne souche
désirent s'arrêter à ce qui fait plaisir, la chair originelle,
l'âme originelle et leur libre pouvoir, seront séparées pour
être deux, à savoir l'âme et le corps de l'homme nouveau
avec désormais une seule et unique volonté ; et les trois
séparés seront soumis aux deux qui l'emportent pour
dominer au nom de la nouveauté de l'Esprit[47]. C'est pour
cela que ceux qui auront préféré à son amour l'attachement au nom des êtres de leur maison seront indignes
d'hériter des biens à venir.

25. Après cela, il poursuit en reprenant le cours des
préceptes et de leur explication. Car après avoir commandé

traditionnelle : cf. Tert., *anim.*, 41, 4 ; *carn.* 4, 4, Cypr., *hab. uirg.*,
23.

45. Tert., *anim.*, 41, 4, évoquant à l'aide d'une image conjugale
la transformation opérée dans l'homme par le baptême, écrivait :
« La chair accompagne l'âme qui épouse l'Esprit. » Cypr., *domin.
orat.*, 16 parle de la *concordia* entre *caro* et *spiritus* dans l'âme qui
est « renée ».

46. Imitation d'une pointe stoïcienne employée par Cic., *parad.*, 34.

47. Rapprocher Tert., *bapt.*, 4, 5 : « spiritus enim dominatur,
caro famulatur. »

quae in saeculo carissima sunt imperauerat [e], adiecit :
Qui non accipit crucem suam et sequitur me, non est me
5 *dignus* [f], quia qui Christi sunt crucifixerunt corpus cum
uitiis et concupiscentiis [g]. Et indignus est Christo, qui
non crucem suam, in qua compatimur, commorimur,
consepelimur, conresurgimus, accipiens Dominum sit secutus in hoc sacramento fidei Spiritus nouitate uicturus.

26. *Qui inuenit animam suam, perdet illam ; et qui*
C *perdiderit animam suam propter me, inueniet eam* [h].
Verbi scilicet potestate et ueterum diuisione uitiorum
proficiet lucrum animae in mortem et damnum in salu-
5 tem. Ergo suscipienda mors est in nouitate uitae et cruci
Domini configenda sunt uitia et aduersus persequentes
contemptu praesentium gloriosae confessionis retinenda
libertas est et damnosum animae lucrum refugiendum,
scientes cuiquam ius in animam non relinqui et detri-
10 mento breuis uitae fenus immortalitatis acquiri.

27. *Qui recipit uos, me recipit et qui me recipit, recipit*
eum qui me misit [i]. Vniuersis doctrinae adfectum et
praeceptorum sedulitatem impendit. Et qui periculum
non recipientium apostolos excussi pulueris testimonio
D denuntiasset, recipientium meritum ultra gratiam sperati
officii commendat docetque in se etiam mediatoris officium [j] qui, cum sit receptus a nobis atque ille profectus
978 A ex Deo sit, Deus per illum transfusus in nos sit. Atque
ita qui apostolos recipit, Christum recipit ; qui uero
10 Christum recipit, patrem Deum recipit, quia non aliud in

LREP (= α) A (ab X, 17, 12 usque ad XI, 6, 7) GSTM|(=β)
5 *post* corpus *add.* suum T M ‖ 6 concupiscentia L A S *Bad.* ‖ **26**,
1 inuenerit *edd.* ‖ 4 salute L R P ‖ 7-8 retinenda libertas *om.* T M ‖
27, 8 in nos : nobis T M ‖ 10 recipit[1] : -cepit L R P -ceperit
(-ciperit G) A G S *Bad.*

---

e. Matth. 10, 37
f. Matth. 10, 38
g. Cf. Gal. 5, 24
h. Matth. 10, 39

de quitter tout ce qu'il y a de plus cher dans le monde [e],
il a ajouté : *Qui ne prend pas sa croix et ne me suit pas,
n'est pas digne de moi* [f], car ceux qui appartiennent au
Christ ont crucifié leur corps avec ses vices et ses concu-
piscences [g]. Et on est indigne du Christ, quand avec le
refus de prendre sa croix, dans laquelle nous souffrons,
nous mourons, nous sommes ensevelis, nous ressuscitons
avec lui, on n'a pas suivi le Seigneur pour vivre dans ce
mystère de foi par la nouveauté de l'Esprit.

26. *Qui a trouvé sa vie la perdra et qui aura perdu sa vie à
cause de moi la trouvera* [h]. Entendons que par la puissance
du Verbe et l'exclusion des vices anciens, ce que gagne
la vie profitera à la mort et ce qu'elle perd profitera au
salut. Il faut donc assumer la mort dans une vie nouvelle,
clouer ses vices à la croix du Seigneur ; et opposant aux
persécuteurs le mépris des choses présentes, il faut sauve-
garder la liberté d'une confession glorieuse et fuir l'idée
d'un gain funeste à l'âme en sachant que nul n'a de droit
sur notre âme et que c'est en portant préjudice à sa
courte vie qu'on acquiert le bénéfice de l'immortalité.

27. *Qui vous reçoit me reçoit et reçoit celui qui m'a
envoyé* [i]. C'est pour tous les hommes qu'il prodigue l'affection de son enseignement et son ardeur à prescrire. Et
comme il avait signifié à ceux qui ne recevaient pas les
apôtres le danger qu'attestait la poussière secouée, il loue
le mérite acquis par ceux qui le reçoivent comme dépassant la reconnaissance due à un service escompté et il
nous apprend qu'il a aussi un rôle de médiateur [j], en ce
qu'étant reçu par nous et étant sorti de Dieu, Dieu par
lui est passé en nous [48]. Et ainsi celui qui reçoit les apôtres
reçoit le Christ et qui reçoit le Christ reçoit Dieu le Père,

i. Matth. 10, 40
j. Cf. I Tim. 2, 5 ; Hébr. 9, 15

---

48. Rapprocher Tert., *carn.*, 17, 3 : « Haec est natiuitas noua,
dum homo nascitur in Deo ex quo in homine natus est Deus. » On
retrouve ce thème de la *transfusio* de Dieu dans l'homme *infra*,
28, 1.

apostolis recipit quam quod in Christo est neque in
Christo aliud est quam quod in Deo est ; perque hunc
ordinem gratiarum non aliud est apostolos recepisse quam
Deum, quia et in illis Christus et in Christo Deus habitet.

28. *Qui recipit prophetam in nomine prophetae merce-*
dem prophetae accipiet [k]. Qui prophetam recipit, habi-
tantem recipit in propheta fitque prophetae mercede
dignus prophetam prophetae nomine recipiens. Par
5 quoque recepisse iustum merces deputatur fitque iustus
ex honore iustitiae. Ac sic consummatur iustitia ex fide [l]
B et mercedem acquirit officium, plures consequendae
aeternitatis occasiones Deo largiente, quando in reci-
piendo iusto et propheta ipse reuerentiae adfectus et
10 iusti honorem accipiat et prophetae.

29. *Et quicumque potum dederit uni ex minimis istis*
calicem aquae frigidae [m], *et cetera*. Non inane esse bonae
conscientiae opus docuit neque spem fidei alienae infidelitatis crimine laborare. Prouidens enim plures futuros
5 tantum apostolatus nomine gloriosos, omni uero uitae
suae opere improbabiles eosdemque diu fallere diuque
mentiri, tamen obsequium, quod ipsis sub religionis
opinione delatum sit, mercede operis sui speique non
C fraudat. Nam licet ipsi minimi essent, id est peccatorum
10 omnium ultimi — minimum autem est quo minus nihil
aliud est —, non inania tamen in eos etiam leuia, quae
sub frigidae aquae nomine designat, officia esse decernit.
Non enim peccatis hominis, sed discipuli nomini honor

LREP (= α) A (ab X, 17, 12 usque ad XI, 6, 7) GSTM (= β)
29, 1 isti *Ver. PL* ‖ 2 cetera : reliqua β *edd.* ‖ inanem L R ‖ 8
merce A S ‖ 10 *post* minimum *add.* omnium T M *Cou.* ‖ 12 designat :
-ta T M *om.* E

k. Matth. 10, 41
l. Cf. Rom. 10, 6
m. Matth. 10, 42

49. Thème de diatribe développé par Cypr., *cathol. unit.*, 10-11.

parce que dans les apôtres il ne reçoit rien d'autre que
ce qui est dans le Christ et qu'il n'y a rien d'autre dans
le Christ que ce qui est en Dieu ; et par cette succession
de grâces, recevoir les apôtres n'est pas autre chose que
recevoir Dieu, parce que le Christ habite en eux et que
Dieu habite dans le Christ.

28. *Qui reçoit un prophète au titre de prophète recevra*
le salaire d'un prophète [k]. Qui reçoit un prophète reçoit
celui qui habite chez un prophète et en recevant un prophète en qualité de prophète on devient digne du salaire
d'un prophète. La réception d'un juste vaut la réciprocité
à titre de salaire et l'on devient juste en honorant la justice. Ainsi est consommée la justice issue de la foi [1] et le
service obtient un salaire, Dieu accordant maintes occa-
sions d'obtenir l'éternité, puisque le sentiment de déférence manifesté lors de la réception d'un juste et d'un
prophète bénéficie à son tour de l'honneur du juste et
du prophète.

29. *Et celui qui aura donné un verre d'eau fraîche à un*
seul de ces tout-petits [m], etc. Il a voulu montrer que l'œuvre
d'une conscience droite n'était pas vaine et que l'espérance de la foi ne pâtissait pas de la faute de l'incroyance
d'autrui. Prévoyant en effet que beaucoup se feront une
gloire avec seulement le titre d'apôtre et que par ailleurs
ils seront blâmables dans toute la conduite de leur vie [49],
en plus trompant et mentant longtemps, il ne prive pourtant pas l'hommage qui leur est accordé, parce qu'on les
croit religieux, de la récompense que mérite l'attitude de
ceux qui espèrent en eux. Car bien qu'ils fussent par eux-
mêmes des tout-petits, c'est-à-dire les derniers de tous les
pécheurs —, ce qui est tout petit n'a rien de plus petit
que lui —, il juge que les services même légers qui leur
sont rendus et qu'il désigne par le nom d'eau fraîche [50]
ne sont pas sans valeur. Car ce n'est pas aux péchés de
l'homme, mais au titre de disciple qu'échoit l'honneur.

---

50. Cicéron (*off.*, 1, 51-52) présentait comme un service ordinaire (*commune*) le fait de ne pas refuser « ce qui peut être donné
sans dommage », par exemple de « l'eau courante ».

praestitus est. Atque ita probitatem obsequentis fallen-
15 tis de se probra non laedunt, cum mercedem suam dantis
fide, non adsumentis mendacio consequatur.

11

1. *Ioannes, cum audisset in carcere opera Christi,
mittens ad eum discipulos suos ait illi : Tu es qui uenturus*
D *es an alium exspectamus* ª ? Ioannes detentus in carcere
Dominum ignorat et propheta tantus Deum suum nescit.
5 Atquin uenturum ut praeitor nuntiauit, consistentem
979 A ut propheta agnouit, adeuntem ut confessor ueneratus
est. Vnde tam uariae et abundanti eius scientiae error
obrepsit ? Sed consequens de eo Domini testimonium
sentiri hoc ita non sinit. Neque sane credi potest Spiritus
10 sancti gloriam in carcere posito defuisse, cum apostolis
uirtutis suae lumen esset in carcere positis ministraturus ᵇ.
2. Sed praebetur in his quae in Ioanne gesta sunt
intelligentia amplior et cum facti efficientia gratia in eo
expressa sentitur, ut propheta ipse ipso quoque condicionis suae genere prophetaret, quia in eo forma legis
5 elata est. Christum enim lex adnuntiauit et remissionem peccatorum praedicauit et regnum caelorum spo-
B pondit et Ioannes totum hoc opus legis expleuit. Igitur
cessante iam lege, quae peccatis plebis inclusa et populi

LREP (= α) A (ab X, 17, 12 usque ad XI, 6, 7) GSTM (= β)
14 *post* ita *add.* ad A G S
XI Ioannes α M : Ioannes (*add.* autem A S) A G S CANON
(CAPVT T *Cou.*) XI Ioannes T¹ *edd.* ‖ **1,** 3 in *om.* β *Bad.* ‖ 5 atquin :
alioquin A S ‖ 7 *post* et *add.* tam L β *edd.* ‖ **2,** 2 efficienti A S

---

a. Matth. 11, 2-3
b. Cf. Act. 12, 7

---

1. « Confesseur » est le titre mérité par ceux qui sont en prison

Et ainsi les turpitudes de l'homme qui trompe sur ce
qu'il est n'atteignent pas la droiture de celui qui rend
service, puisqu'elle doit sa récompense à la loyauté de
celui qui donne, non au mensonge de celui qui reçoit.

Chapitre 11

1. *Jean ayant appris dans sa prison les œuvres du Christ
lui envoya ses disciples lui dire : Es-tu celui qui doit venir
ou devons-nous en attendre un autre* [a] *?* Jean, retenu dans
sa prison, ignore le Seigneur et un si grand prophète ne
connaît pas son Dieu. Et pourtant, comme précurseur, il
a annoncé sa venue, comme prophète il a reconnu son
existence, comme confesseur il a vénéré son avènement [1].
Comment à une science si multiple et si ample l'erreur
a-t-elle succédé ? Mais le témoignage du Seigneur rendu
ensuite à son sujet ne permet pas de raisonner ainsi. Et
l'on ne saurait croire que la gloire du Saint-Esprit lui ait
fait défaut, quand il était en prison, puisque l'Esprit-
Saint devait mettre la lumière de sa puissance à la disposition des apôtres emprisonnés [b].
2. Mais les faits qui concernent Jean présentent une
signification plus vaste, et en même temps que la réalité
de l'événement on discerne en lui une grâce [2] qui se tra-
duisait dans le fait que, prophète par lui-même, il l'était
aussi par le caractère même de sa situation, puisque
l'image de la Loi était manifestée en lui. La Loi en effet
a annoncé le Christ, prêché la rémission des péchés et
promis le Royaume des cieux ; or Jean a accompli toute
cette œuvre de la Loi. Ainsi maintenant que cessait la
Loi qui, prisonnière des péchés de la foule et enchaînée

pour le Christ selon la terminologie de Cypr., *epist.*, 39, 2 et 5 :
cf. H. A. Hoppenbrouwers, *Recherches sur la terminologie du
martyre de Tertullien à Lactance* » (*L C P* 15), Noviomagi 1961,
p. 101-102.
    2. La grâce s'oppose à la Loi d'après *Jn* 1, 17.

uincta uitiis, ne Christus posset intelligi, uinculis et car-
10 cere continebatur, ergo ad euangelia contuenda lex
mittit, ut infidelitas fidem dictorum contempletur in
factis et quod intra eam peccatorum fraude sit uinctum
per intelligentiam libertatis euangelicae absoluatur.
Tali igitur Ioannes exemplo non suae, sed discipulorum
15 ignorantiae consulit ; ipse enim uenturum in remissionem peccatorum praedicauit. Sed ut scirent non
alium a se praedicatum, ad opera eius intuenda discipulos suos misit, ut auctoritatem dictis suis illius opera
conferrent neque Christus alius exspectaretur quam cui
20 testimonium opera praestitissent.

C   3. Et cum totum se Dominus rerum miraculis prodi-
disset, caecorum scilicet uisu, claudorum cursu, lepro-
sorum curatione, surdorum auditu, uoce mutorum, uita
mortuorum, pauperum praedicatione c, ait : *Beatus qui*
5 *in me non fuerit scandalizatus* d. Numquid iam aliquid in
Christo erat gestum, quod Ioannem scandalizaret ? Non
utique. Nam in ipso doctrinae suae cursu et operis
morabatur. Sed superioris sententiae uis et proprietas
contuenda est, quid illud sit quod pauperes bene nun-
10 tiantur, id est qui perdiderint animam, qui crucem suam
acceperint et sequentur, qui humiles spiritu fient, quorum regnum praeparatur in caelo. Ergo quia in Domino
haec passionum uniuersitas conueniret futuraque esset
980 A crux sua plurimis scandalum e, beatos eos professus est,
15 quorum fidei nihil temptamenti adferret crux, mors,
sepultura. Itaque cui rei Ioannes cauisset ostendit,

LREP (= α) A (ab X, 17, 12 usque ad XI, 6, 7) GSTM (= β)
13 absoluatur : abluatur α ‖ **3**, 5 aliquid iam *edd. plures Cou.* ‖
7 suae *om.* A S ‖ 8 uis : eius A S T M ‖ 9-10 bene nuntiantur :
euangelizantur R ‖ 11 sequuntur L R P ‖ 15 temptamenta β ‖ de-
ferret β *Bad.* ‖ 16 rei *om.* L R P

c. Cf. Matth. 11, 5
d. Matth. 11, 6

par les vices du peuple, était retenue dans les chaînes
d'une prison, de façon que le Christ ne pût être reconnu, la
Loi envoie donc regarder l'Évangile, pour que l'incroyance
contemple dans les faits la vérité de ce qui a été dit
et que ce qui en elle a été enchaîné par la tromperie des
péchés soit dégagé grâce à l'intelligence de la liberté
évangélique [3]. C'est selon un tel schéma que Jean s'est
préoccupé de l'ignorance de ses disciples, non de la sienne,
car lui-même a proclamé qu'il viendrait quelqu'un pour
la rémission des péchés. Mais pour leur faire savoir qu'il
n'en avait pas proclamé d'autre que celui-là, il a envoyé
ses disciples voir ses œuvres, pour qu'elles donnent de
l'autorité à son annonce et qu'aucun autre Christ ne fût
attendu en dehors de celui auquel ses œuvres auraient
rendu témoignage.

3. Et comme le Seigneur s'était révélé entièrement par
des actions miraculeuses, donnant la vue aux aveugles,
la marche aux boiteux, la guérison aux lépreux, l'ouïe
aux sourds, la parole aux muets, la vie aux morts, l'instruction aux pauvres [c], il dit : *Heureux celui qui n'a pas
été scandalisé à mon sujet* [d]. Est-ce que de la part du Christ
il y a déjà eu quelque acte qui pût scandaliser Jean ? Non
assurément. Il demeurait en effet dans sa ligne propre
d'enseignement et d'action. Mais il faut étudier la portée
et le caractère spécifique de la formule précitée, ce que
représente le fait que la bonne nouvelle est reçue des
pauvres, c'est-à-dire de ceux qui auront perdu leur vie,
qui auront pris leur croix et le suivront, qui deviendront
humbles d'esprit et pour lesquels le Royaume des cieux
est préparé. Donc parce que l'ensemble de ces faiblesses
subies convergeait dans le cas du Seigneur et que sa croix
allait être un scandale pour un très grand nombre [e], il
a déclaré heureux ceux dont la foi ne subirait aucune
tentation du fait de sa croix, de sa mort, de sa sépulture.
Il a donc indiqué de quoi Jean s'était méfié, en déclarant

e. Cf. Gal. 5, 11

---

3. **Argumentation** inspirée par *Rom.* 7, 23 ; 8, 2.

dicens beatos eos quibus aliquid in se scandali non fuisset, quia metu eius discipulos suos Ioannes, ut Christum
audirent uiderentque, misisset.

4. Ac ne istud referri ad Ioannem posset, tamquam
aliquid scandalizatus esset in Christo, abeuntibus illis,
ad turbas de eo locutus est : *Quid existis in deserto uidere ?*
arundinem uento moueri [f] ? Desertum sancto Spiritu
5 uacuum sentiendum est, in quo habitatio Dei nulla sit.
In arundine enim homo talis ostenditur de gloria saeculi
uitae suae inanitate speciosus, ipse autem fructu ueri-
B tatis cauus, exterior placens et nullus interior, ad
omnem uentorum motum, id est immundorum spirituum
10 flatum mouendus neque ad consistendi firmitatem ualens
et animi medullis inanis. Ergo cum dicit : *Quid existis*
in deserto uidere ? arundinem uento moueri ? hoc loquitur : Numquid existis uidere hominem cognitione Dei
uacuum et ad immundorum spirituum flatum uagantem ?
15 Nam increpantis adfectus potius quam confirmantis haec
loquitur, ostendens scilicet non eum in Ioanne conspici
qui et inanis et mobilis sit.

5. *Quid existis uidere ? hominem mollibus uestitum ?*
Ecce qui mollibus uestiuntur in domibus regum sunt [g].
Vestem ambitum corporis quo induitur anima signi-
C ficat, quod luxu ac lasciuiis mollescat. Sed qui uestiti
5 mollibus sunt in domibus regum sunt. In regibus
transgressorum angelorum nuncupatio est ; hi enim
saeculi sunt potentes mundique dominantes. Ergo uestiti

LREP (= α) A (ab X, 17, 12 usque ad XI, 6, 7) GSTM (= β)
17 se *om.* A S ‖ 19 uiderentque *om.* T M ‖ **4**, 3 desertum
R E² A S² T M *Gil.²* ‖ 6 arundinem L R ‖ 7 ipse : in se E T M ‖
12 desertum R E A S² T M *Gil.²* ‖ 14 uacantem A G S ‖ 15 hoc
R T M *Gil.²* ‖ 17 qui et : qui T M qui est et P quod esset R ‖
sit *om.* α ‖ **5**, 1 *ante* quid *add.* sed T M *edd.* ‖ 3 quo : quod A² T M ‖
6 angelorum *om.* T M

---

f. Matth. 11, 7

heureux ceux qui n'auraient pas eu de scandale à son sujet, car c'est parce qu'il redoutait cela que Jean a envoyé ses disciples entendre et voir le Christ.

4. Et pour qu'on ne pût rapporter à Jean l'idée que quelque chose l'eût scandalisé dans le Christ, alors que les envoyés se retiraient, il dit aux foules au sujet de Jean : *Qu'êtes-vous allés voir au désert ? Un roseau agité par le vent* [f] *?* Désert doit être pris au sens de lieu vide du Saint-Esprit, où il ne saurait y avoir d'habitation pour Dieu [4]. Le roseau indique un homme à son image, brillant de la gloire du siècle dans la vanité de sa vie, mais en lui-même vide du fruit de la vérité [5], séduisant au dehors, inexistant au dedans, prêt à se laisser entraîner à n'importe quelle poussée des vents, c'est-à-dire par n'importe quel souffle des esprits impurs, incapable d'être ferme pour tenir bon et vide de moëlle spirituelle [6]. Ainsi quand il dit : *Qu'êtes-vous allés voir au désert ? Un roseau agité par le vent ?* il veut dire : Est-ce que vous êtes allés voir un homme dépourvu de la connaissance de Dieu et errant çà et là au souffle des esprits impurs ? Et, s'il dit cela, c'est sur le ton de la réprimande plutôt que de l'approbation, en ce sens qu'il montrait qu'il ne voyait pas en Jean quelqu'un d'inconsistant et d'instable.

5. *Mais qu'êtes-vous allés voir ? Un homme vêtu mollement ? Voici que ceux qui sont vêtus mollement* [g] *sont dans les maisons des rois ?* Il entend par vêtement la manière dont le corps ceint l'âme [7] qu'il enveloppe, signifiant qu'il s'amollit dans le luxe et les débauches. Mais ceux qui sont vêtus mollement sont dans les maisons des rois. Rois est l'appellation des anges qui ont transgressé : ils sont en effet les puissants du siècle et les maîtres du

g. Matth. 11, 8

---

4. Cf. *supra*, 2, 2, 11.
5. Même exégèse dans Cypr., *eleem.*, 8.
6. Expression cicéronienne : cf. *Tusc.*, 4, 24 : « animi... tamquam in uenis medullisque. »
7. La comparaison se trouve chez Sen., *epist.*, 92, 13 et chez Tert., *resurr.*, 27, 1 avec un fondement scripturaire.

mollibus in domibus regum sunt, id est eos quibus per
luxum fluida et dissoluta sunt corpora esse daemonum
10 habitationem consimilem sedem propositis suis atque
operibus eligentium.

6. *Sed quid existis uidere? prophetam? Dico uobis,
etiam plus quam prophetam* [h], et cetera. Gloriam omnem
Ioannis Dominus ostendit dicens esse eum ultra prophetam, quia soli ipsi licuerit et prophetare Christum et
5 uidere. Et quomodo Christum ignorare creditur, qui mis-
981 A sus in angeli potestate uiam uenturo parauerit [i] et
quo ex natis mulierum nullus maior propheta surrexit,
nisi quod qui minor eo est, id est qui interrogatur, cui
non creditur, cui testimonium nec opera sua praestant,
10 hic in regno caelorum est maior [j]?

7. *A diebus autem Ioannis Baptistae usque nunc regnum
caelorum uim patitur, et uim facientes diripiunt illud* [k].
Vt rerum natura exigit, uim potior adferet minorque
erit, cui uis adferatur. Quid ergo est quod diripiens est
5 quodque uim patitur contuendum est. Infidelitatem
discipulorum Ioannis Dominus aduerterat, turbae etiam
opinionem de eius nuntio intellexerat, in crucis scandalo ingens fidei periculum sentiebat. Ire potius apostolos
B ad oues Israel perditas iusserat ; ipsos constitui opor-
10 tebat in regno et in Abrahae et Isaac et Iacob familia
atque agnatione retineri. Sed omnis haec praedicatio
profectum publicanis et peccatoribus adferebat. Ex his
enim iam credentes, ex his iam apostoli, ex his iam

LREP (= α) A (ab X, 17, 12 usque ad XI, 6, 7) GSTM (= β)
 8 eos *om.* T M ‖ 9 fluuida β ‖ **6**, 5 credetur L R P ‖ 7 surrexerit
T M *Cou.* ‖ 10 erit α ‖ **7**, 3 exigit : exiguum S β′ ‖ adferet : adfert
T M *Cou.* auferet P adferret G S *Bad. Era.* ‖ 7 intellexerant
G S ‖ 9 constitui : continuo T M ‖ 11 agnatione : agni- α S ac
natione G *Bad.*

---

h. Matth. 11, 9
i. Cf. Matth. 11, 10
j. Cf. Matth. 11, 11

monde [8]. Donc ceux qui sont vêtus mollement sont dans les maisons des rois, en ce sens que ceux qui ont leurs corps énervés et dissolus par le luxe sont l'habitation des démons qui choisissent un séjour conforme à leurs desseins et à leurs œuvres.

6. *Mais qu'êtes-vous allés voir ? Un prophète ? Je vous le dis, plus qu'un prophète* [h], etc. Le Seigneur montre toute la gloire de Jean en disant qu'il est plus qu'un prophète, parce qu'il n'a été donné qu'à lui de prophétiser et de voir le Christ. Et comment croit-on que le Christ ne connaisse pas un homme qui a été envoyé avec la puissance d'un ange préparer la voie à son avènement [i] et qui, parmi les enfants des femmes, est le plus grand prophète qui a surgi, avec cette réserve que celui qui est plus petit que lui, c'est-à-dire celui qui est interrogé, auquel on ne croit pas, auquel ses œuvres même ne rendent pas témoignage, est plus grand que lui dans le Royaume des cieux [j].

7. *Depuis les jours de Jean-Baptiste jusqu'à présent, le Royaume des cieux souffre violence et ceux qui lui font violence le prennent de force* [k]. Comme l'exige la nature, le plus puissant emploiera la violence et le plus petit sera celui auquel on fait violence [9]. Que signifie donc : il prend de force, il souffre violence ? Voilà ce qu'il faut étudier. Le Seigneur avait remarqué l'incrédulité des disciples de Jean, il avait saisi l'opinion de la foule sur son message, il jugeait qu'il y avait un péril terrible pour la foi dans le scandale de la Croix. Il avait dit aux apôtres d'aller de préférence vers les brebis perdues d'Israël ; eux-mêmes devaient s'établir dans le royaume et rester dans la famille et la parenté d'Abraham, d'Isaac et de Jacob. Mais tout cet enseignement était cause de progrès pour les publicains et les pécheurs. Ils donneraient en effet des croyants,

k. Matth. 11, 12

---

8. Exégèse inspirée par *Éphés.* 6, 12 sur les « régisseurs de ce monde de ténèbres, les esprits du mal qui habitent les espaces célestes » (trad. P. Benoît).

9. Cette loi de la nature est énoncée par Cic., *off.*, 1, 64 : « Ex quo fit ut... sint ui potius superiores quam iustitia pares. »

regnum caelorum. Ceterum Ioanni a plebe non creditur,
15 auctoritatem Christi opera non merentur, crux futura
erat scandalo. Iam prophetia cessat, iam lex expletur,
iam praedicatio omnis includitur, iam Eliae spiritus in
Ioannis uoce praemittitur [1]. Aliis Christus praedicatur
et ab aliis agnoscitur, aliis nascitur et ab aliis diligitur.
20 Sua eum respuunt, aliena suscipiunt, proprii insectantur, complectuntur inimici. Hereditatem adoptio
expetit, familia reicit. Testamentum filii repudiant,
C serui recognoscunt. Itaque uim regnum caelorum patitur inferentesque diripiunt, quia gloria Israel a patribus
25 debita, a prophetis nuntiata, a Christo oblata, fide
gentium occupatur et rapitur.

8. *Cui autem similem aestimabo generationem istam ?*
Similis est pueris sedentibus in foro et clamantibus ad
inuicem [m], *et reliqua.* Totus hic sermo infidelitatis oppro-
brium est et de adfectu superiori querimoniae descendit,
5 quia insolens plebs per diuersa praedicationum genera
982 A edocta non fuerit, in pueris scilicet prophetas significans, qui in medio synagogae tamquam in publico fori
conuentu populum coarguant, quod cantantibus sibi
officio corporis non obsecundauerint [n], id est quod dictis
10 suis non paruerint. Ad cantantium enim modum saltan-
tium motus aptatur. In simplicitate autem sensus ut
pueri praedicauerunt et ad confessionem psallendi Deo
prouocauerunt, ut cantico Moysi tenetur, ut Esaiae,
ut Dauid, ut ceterorum prophetarum ; rursumque eos
15 in paenitentiam peccatorum et ad dolorem ac luctum
ueterum delictorum nec Ioannis praedicatio inflexerit [o],

LREP (= α) GSTM (= β)
20 sui S T M *Gil*[1] *Cou.* ‖ alieni S T M *Gil*[1] *Cou.* ‖ **8,** 2 ad *om.* β
Bad. ‖ 13 Isaïae TM ‖ 15 ac luctum : ablutum L ablutos P ad
ablutionem R

---

l. Cf. Matth. 11, 14
m. Matth. 11, 16

des apôtres, un Royaume des cieux. Cependant le peuple ne croit pas Jean, les œuvres du Christ n'acquièrent aucun crédit, sa Croix devait être un scandale. Voilà que la prophétie prend fin, que la Loi est accomplie, que tout l'enseignement se referme, que l'esprit d'Élie est annoncé dans la voix de Jean [1]. Le Christ est prêché aux uns, et reconnu par les autres, né pour les uns et aimé par d'autres. Sa maison le repousse, l'étranger l'aime, ses proches l'attaquent, ses ennemis le chérissent. La lignée d'adoption aspire à l'héritage, sa famille le rejette. Les fils répudient le testament, les serviteurs le reconnaissent. Ainsi, le Royaume des cieux souffre violence, et ceux qui lui font violence le prennent de force, du fait que la gloire qu'à Israël les patriarches ont destinée, les prophètes annoncée, le Christ offerte, devient le bien de la foi et la proie des païens.

8. *A qui assimilerai-je cette génération ? Elle est semblable à des enfants assis sur la place et qui s'interpellent entre eux et la suite* [m]. Tout ce développement flétrit l'incroyance et procède du sentiment amer exprimé plus haut par le Christ qui voyait la foule effrontée ne pas recevoir l'enseignement sous ses diverses formes : dans les enfants il montre les prophètes qui, au milieu de la synagogue, comme dans un rassemblement public sur une place, reprochent au peuple de n'avoir pas prêté le concours du corps à ceux qui jouaient pour lui [n], c'est-à-dire de n'avoir pas obéi à leurs paroles. Les pas des danseurs suivent en effet la mesure des chanteurs [10]. Or, dans la simplicité de leur pensée, tels des enfants, ils ont prêché et ont incité à confesser la louange de Dieu, telle qu'on la trouve contenue dans les cantiques de Moïse, d'Isaïe, de David et des autres prophètes. Et derechef, la prédication de Jean [o]

n. Cf. Matth. 11, 17
o. Cf. Matth. 11, 18

---

10. Usage qui se reflète dans une locution comme *ad tibicinis modos saltantes* (Liv., 7, 2).

quibus et lex grauis uisa sit potus cibique praescriptis et
difficilis et molesta, peccatum in se quod daemonium
nuncupat habens, quia per obseruantiae difficultatem
B necesse sibi esset in lege peccare rursumque in Christo
euangelii praedicatio uitae libertate non placeat, per
quam difficultates legis et onera laxata sint et iam
publicani peccatoresque crediderint, atque ita tot et tantis
admonitionum generibus frustra habitis, nec per gratiam
25 iustificentur [p] et a lege sint abdicati.

9. *Et iustificata est Sapientia a filiis suis* [q], ab his
scilicet qui uim facientes regno caelorum ipsum illud
fidei iustificatione diripiunt, confitentes iustum Sapientiae opus esse, quia munus suum ad fideles et obsequentes
5 a contumacibus infidisque transtulerit. Est autem non
otiosum hoc in loco uirtutem dicti contueri. *Et iustificata*
C *est Sapientia* [r], de se utique locutus est. Est enim ipse
Sapientia non ex efficientiis, sed ex natura. Res enim
omnis habet potestatem, ceterum negotium omne potes-
10 tatis effectus est et non idem est opus uirtutis et uirtus
ut efficiens discernitur ab effecto. Plures enim eludere
dictum apostolicum, quo ait Christum *Dei uirtutem et*

LREP (= α) GSTM (= β)
17 potus : -ti L R G S   -tibus T M ‖ 22 sunt β *Bad. Era.* ‖ia m :
ad eam β *Bad.* ‖ **9,** 4 *post* et *add.* ad α ‖ 5 infidelibusque P *Cou.* ‖
8 rei R E *Gil*². ‖ 10 et non : ut non G S unum R ‖ 11 ut : et
E T M *Cou.*

---

p. Cf. Rom. 3, 24
q. Matth. 11, 19
r. Matth. 11, 19

---

11. Réminiscence de *Rom.* 7, 7 : « La Loi est-elle péché ? Certes
non ! Seulement je n'ai connu le péché que par la Loi » (trad.
S. Lyonnet).
12. La trilogie *res-potestas-effectus* reflète celle sur laquelle Tertullien fonde son analyse de l'âme : la *substantia animae* comporte
une *natura* (*anim.*, 32, 8), laquelle a des *efficaciae* (*anim.*, 14, 3).
13. Distinction faite par Cic., *ac.*, 1, 24.

n'avait incliné ni au repentir de leurs péchés ni au regret
et au chagrin de leurs fautes anciennes des hommes qui
trouvaient la loi pesante, difficile et pénible à cause de
ses prescriptions de boisson et de nourriture, ayant en
elle le péché désigné par le démon, parce qu'ils étaient
obligés de pécher dans la Loi à cause de la difficulté de
son observance [11] ; en sens opposé, la prédication de
l'Évangile dans le Christ déplaisait par une libération de
la vie capable d'alléger le poids des difficultés de la Loi
et de rendre désormais croyants des publicains et des
pécheurs. Quand on avait négligé ainsi tant de genres
d'avertissements, ni on n'était justifié par la grâce [p] ni
on n'était dégagé de la Loi.

9. *Et la Sagesse a été justifiée par ses fils* [q], c'est-à-dire
par ceux qui faisant violence au Royaume des cieux le
prennent lui-même de force par la justice de leur foi,
confessant que la Sagesse a fait œuvre juste en reportant
sa faveur des incroyants insolents sur les croyants soumis.
Mais il n'est pas inutile d'étudier dans ce passage le sens
de la formule : *Et la Sagesse a été justifiée* [r] : c'est de lui
assurément que le Seigneur a parlé. Il est lui-même en
effet la Sagesse, non par ses réalisations, mais par sa
nature. Car toute chose dispose d'une puissance, mais la
puissance a un effet qui est chaque action et il n'y a pas
identité entre le produit d'une puissance [12] et cette
puissance, l'agent étant distinct de l'agi [13]. Nombreux [14]
en effet sont ceux qui rusent avec les mots de l'Apôtre sur

---

14. Ce *plures* pourrait s'entendre des hérétiques (photiniens ?)
mentionnés dans *trin.*, 1, 16. E. Watson, *The Life and Writings of
St Hilary of Poitiers (A select Library...* 9), Oxford 1899, p. viii,
n. 4, pensait à Marcel d'Ancyre. Mais les deux hypothèses sont à
écarter avant l'exil d'Hilaire en Orient. Ces *plures* ne sont-ils pas
plutôt les *homines* (Ursace et Valens ?) attaqués dans le fragment B II, 11, 3 (30) de 356 pour avoir déduit du titre de *primo-
genitus* que le Fils était la première des créatures : cf. notre *Hilaire
de Poitiers...*, p. 492-494. En tout cas, la réfutation de ces *plures*
est inspirée de mises au point de l'*Aduersus Praxean* de Tertullien,
par exemple en 26, 7 : « Spiritu Dei et sermone et uirtute collatis
in uirginem, quod de ea nascitur (= *natura* chez Hilaire) filius Dei
est » ; en 19, 2, Tertullien fait référence au verset *I Cor.* 1, 24 cité ici.

Dei sapientiam [s], his modis solent, quod in eo ex uirgine
creando efficax Dei sapientia et uirtus exstiterit, ut in
15 natiuitate eius diuinae prudentiae et potestatis opus
intelligatur sitque in eo efficientia potius quam natura
983 A sapientiae. Quorum ne quid tale intelligi posset, ipsum
se Sapientiam nuncupauit eam in se, non quae eius
sunt ostendens. Est enim Sapientiae opus, fides, caritas,
20 spes, pudicitia, ieiunium, continentia, humilitas, huma-
nitas ; sed haec naturae opera sunt, non ipsa natura et
non in his quae fiunt consistit res ipsa quae faciat cur
Apostolus Dei uirtutem et Dei sapientiam dixerit, quia
ex ea Sapientia quae erat creata Sapientia est ?

10. *Vae tibi Corozain et Bethsaida, quia si in Tyro et
Sidone factae essent uirtutes quae factae sunt in uobis* [t],
et cetera. Inobedientiae maledictum cum obedientiae
benedictione decernitur. Primis enim Iudaeis oportuit
B praedicari, sed priuilegio praedicationis infidelitatis
cumulatur inuidia, cum credentium arguantur exemplo,
quibus, nulla factorum admiratione proposita, salus
omnis ex fide sit. Dominum enim in Bethsaida et Capharnaum [u] muti laudant, caeci uident, surdi audiunt,
10 claudi circumcurrunt, mortui sentiunt, et nullam fidei
uoluntatem rerum tantarum admiratio commouebat,
cum sola gestorum auditio uocare ad metum atque ad
fidem rapere debuisset. Sed non solum Tyri et Sidonis,
sed ipsa Sodomorum et Gomorrhaeorum [v] facient leuia

LREP (= α) A (ab XI, 9, 20 usque ad XII, 2, 5) GSTM (= β)
12-13 sapientiam... uirtutem β *edd.* ‖ 13 quod : quo R E P S *Cou.*
qui L ‖ 15 prudentiae : erudientiae T M ‖ 18 se[1] *om.* S β′ ‖ 19-20
spes caritas *Cou.* ‖ 22 consistere A S ‖ **10,** 3 cetera : reliqua β *edd.* ‖
6 arguatur L R E[2] P ‖ 10 nullam : -lum L R P *Cou.* -la A G S
Bad. ‖ 11 uoluntate R P A G S *edd.*

s. I Cor. 1, 24
t. Matth. 11, 21
u. Cf. Matth. 11, 21-23
v. Cf. Matth. 11, 22-23

le Christ *puissance de Dieu et sagesse de Dieu* [s] par ce biais qu'en lui la sagesse et la puissance de Dieu se sont révélées efficientes en le créant du sein d'une vierge, de façon que dans sa naissance il faille voir un produit de la sagesse et de la puissance divines et que la sagesse soit en lui plus une réalisation qu'une nature. Pour empêcher pareille interprétation, il s'est appelé lui-même Sagesse, montrant que c'est elle qui est en lui, non ses œuvres. Car la Sagesse produit la foi, la charité, l'espérance, la chasteté, le jeûne, la continence, l'humilité, la bonté [15], mais il y a là les produits d'une nature, non une nature elle-même et ce n'est pas dans ce qui se fait que consiste la réalité même qui fait qu'elle est appelée par l'Apôtre puissance et sagesse de Dieu, parce que c'est de la Sagesse qui était qu'a été créée [16] la Sagesse.

10. *Malheur à vous Chorozaïn et Bethsaïde, parce que si à Tyr et à Sidon avaient eu lieu les miracles qui ont eu lieu chez vous* [t], etc. La malédiction est prononcée contre la désobéissance en même temps que l'obéissance est bénite. Il fallait en effet que la prédication fût d'abord pour les Juifs, mais ce privilège de la prédication ajoute à l'odieux de leur incroyance, du fait qu'ils sont confondus par la croyance exemplaire d'hommes qui, n'ayant sous les yeux aucun acte prodigieux, trouvent le salut tout entier dans la foi. En effet, à Bethsaïde et à Capharnaüm [u], les muets louent le Seigneur, les aveugles voient, les sourds entendent, les boiteux circulent, les morts sont animés, et pourtant tant de faits si admirables ne suscitaient aucune volonté de foi, alors que la simple audition des événements aurait dû inviter à la crainte et entraîner à la foi. Mais cela rendra légers les péchés non seulement de Tyr et de Sidon, mais même de Sodome et Gomorrhe [v],

---

15. Comme nous l'avons montré dans notre *Hilaire de Poitiers...*, p. 399-400, l'énumération des œuvres de la Sagesse calque celle des « fruits de l'Esprit » dans *Gal.* 5, 22, moyennant des variantes suggérées par le *De patientia* de Tertullien (la continence, le jeûne, la chasteté, la bonté).

16. *Creo* est le terme employé dans *Prov.* 8, 22 (*VL*) et appliqué à la génération du Fils par TERT., *adu. Prax.*, 6, 1 ; HIL., *trin.*, 12, 35.

15 peccata, quia forte illis credendi fuisset adfectus, si
talium uirtutum contemplatio contigisset.

11. *In illo tempore respondens Iesus dixit : Confiteor
tibi, Domine pater caelorum et terrae, quia abscondisti haec*
C *a sapientibus et reuelasti ea paruulis* ᵂ. Digne superioribus
dictis confessio talis adiungitur. Nam tametsi optabilis
5 fuerit salus Israel, tamen non extra gaudium Domino
erat praedicata olim fides gentium. Caelestium enim uerborum arcana atque uirtutes sapientibus absconduntur
et paruulis reuelantur ˣ, paruulis malitia, non sensu,
sapientibus uero stultitiae suae praesumptione, non
10 prudentiae causis ʸ. Factique huius aequitatem Dominus paternae uoluntatis iudicio confirmat, ut qui dedi-
gnantur paruuli in Deum fieri, stulti deinceps in sapientia sua fiant.

12. Ac ne quid in illo minus quam quod in Deo est
existimaretur omnia sibi a Patre ait tradita esse solique
se Patri cognitum Patremque soli sibi notum uel cui ipse
D reuelare uoluisset ᶻ, reuelaturus ei a quo ut reuelare uelit
984 A oretur. Qua reuelatione eamdem utriusque in mutua
cognitione esse substantiam docet, cum qui Filium cognos-
ceret, Patrem quoque cogniturus esset in Filio, quia
omnia ei a Patre sunt tradita, tradita autem non alia
sunt quam quae in Filio soli nota sunt Patri, nota uero
10 Filio soli esse quae Patris sunt. Atque ita in hoc mutuae
cognitionis secreto intelligitur non aliud in Filio quam
quod in Patre ignorabile sit exstitisse.

LREP (= α) A (ab XI, 9, 20 usque ad XII, 2, 5) GSTM (= β)
11, 2 caeli A T M *Cou.* ‖ 3 *post* paruulis *add.* et reliqua β *edd.* ‖
5 Domini R P *Gil²*. ‖ 10 Domino L R P ‖ 12 Deo T M *Cou.* ‖ **12,** 2
aestimaretur β *Bad.* ‖ 4 *post* uoluisset *add.* et R P ‖ 8 sint β *edd.* ‖
9 soli *om.* S T M ‖ 11 secreto *om.* β

w. Matth. 11, 25
x. Cf. Matth. 11, 25
y. Cf. I Cor. 1, 20
z. Cf. Matth. 11, 27

parce que ces dernières auraient peut-être été disposées à croire, si la vue de tels miracles leur avait été offerte.

11. *En ce temps là Jésus dans une réponse dit : Je te confesse, Seigneur, père des cieux et de la terre, parce que tu as caché cela aux sages et l'as révélé aux petits* ᵂ. Une semblable confession se rattache comme il faut aux propos précédents. Car même si le salut d'Israël était souhaitable, il y avait lieu pour le Seigneur de se réjouir que la foi fût un jour prêchée aux païens. Car les mystères et les miracles des paroles célestes sont cachés aux sages et révélés aux petits ˣ, petits en degré de méchanceté, non d'intelligence, tandis que les sages le sont non par les mobiles de leur discernement, mais par leur présomptueuse sottise ʸ. Le Seigneur confirme l'équité de ce paradoxe par la volonté du Père décidant que ceux qui refusent de se faire petits à l'égard de Dieu soient ensuite rendus sots au sein de leur sagesse.

12. Et pour qu'on ne considère pas qu'il y a en lui moins que ce qu'il y a en Dieu, il dit que tout lui a été remis par le Père, que seul le Père le connaît et que le Père est connu de lui seul ou de celui auquel il aura voulu lui-même le révéler, et il le révélera à celui qui lui demande de le révéler ᶻ. Cette révélation nous enseigne que l'identité de substance de l'un et de l'autre est dans leur connaissance mutuelle [17], en ce que quiconque connaît le Fils doit aussi connaître le Père dans le Fils, parce que tout lui a été remis par le Père, et ce qui lui a été remis n'est pas autre chose que ce qui dans le Fils est connu du Père seul, que ce qui est connu du Fils seul est ce qui appartient au Père ; et ainsi dans ce secret de leur connaissance mutuelle, on discerne que dans le Fils il n'est rien manifesté d'autre que ce qui est inconnaissable dans le Père [18].

---

17. La « connaissance mutuelle » du Père et du Fils fonde l'identité de leur substance au sens où Tᴇʀᴛ., *adu. Prax.*, 22, 8-11 explique que, si le Père et le Fils sont deux personnes qui se connaissent, elles sont « un » (*Jn* 10, 30). *Eiusdem substantiae* est dans Tᴇʀᴛ., *adu. Marc.*, 3, 6, 8 appliquée à la *condicio* du Fils.

18. Parce que, selon un *topos* de l'apologétique (cf. Tᴇʀᴛ., *apol.*, 17, 3), Dieu se fait connaître comme inconnaissable.

13. Legis deinde difficultatibus laborantes [a] et peccatis saeculi oneratos ad se aduocat dempturumque se
laborem onusque promittit, si modo eius iugum tol-
lant, mandatorum scilicet suorum praecepta suscipiant

B eumque sacramento crucis adeant, quia corde humilis et
mitis sit et in his animabus suis requiem inueniant, iugi
suauis et leuis oneris blandimenta proponens [b], ut credentibus eius boni scientiam praestet, quod solus ipse
nouit in Patre. Et quid iugo ipsius suauius, quid onere

10 leuius, probabilem fieri, scelere abstinere, bonum uelle,
malum nolle, amare omnes, odisse nullum, aeterna
consequi, praesentibus non capi, nolle inferre alteri quod
ipsi sibi perpeti sit molestum ?

12

C **1.** *In illo tempore abiit Iesus per segetes sabbatis ; discipuli autem eius esurientes coeperunt uellere spicas et
manducare* [a]. Et egressus in segetem et dies sabbati et
discipulorum esuritio et spicarum praecerptio et Phari-

5 saeorum insimulatio et Domini responsio [b] habet ut
cetera subiacentem interioris causae intelligentiam.
Omnes enim, ut diximus, factorum ueritates in ipsis
gestorum effectibus sui similem atque ex se intelligendam
futurae ueritatis imaginem consequuntur.

LREP (= α) A (ab XI, 9, 20 usque ad XII, 2, 5) GSTM (= β)
XII in L R P A : in E G S M   CANON (CAPVT T *Cou.*) XII in
T *edd.* ‖ 3 die L R P ‖ 4 praecerptio : -ceptio L P A S   -cirtio G
‖ 5 habent β *edd.* ‖ 8 suis L R P ‖ 9 consequentur α

a. Cf. Matth. 11, 28-29
b. Cf. Matth. 11, 30
a. Matth. 12, 1
b. Cf. Matth. 12, 1-8

19. Programme parallèle à celui qu'en guise de commentaire à

13. Il appelle à lui ceux qui souffrent [a] des difficultés
de la Loi et qui sont accablés des péchés du siècle et il
promet qu'il leur enlèvera leur fatigue et leur charge, si
seulement ils prenaient son joug, c'est-à-dire accueil-
laient les leçons de ses commandements et allant à lui
par le mystère de la croix, parce qu'il est humble et
doux de cœur, trouvaient en leurs âmes le repos, pro-
posant les douceurs d'un joug suave et d'un fardeau
léger [b], pour offrir aux croyants la science du bien qui,
dans le Père, n'est connue que de lui seul. Et est-il une
chose plus suave que son joug, plus lègère que son fardeau,
qui consiste à se rendre estimable, à s'abstenir du crime,
à vouloir le bien, à refuser le mal, à aimer tous les hommes,
à n'en haïr aucun, à obtenir l'éternité, à ne pas se laisser
prendre par le temps présent, à ne vouloir causer à
personne le dommage que l'on n'aimerait pas subir
soi-même [19] ?

Chapitre 12

1. *En ce temps-là, Jésus partit à travers des moissons
un jour de sabbat : ses disciples qui avaient faim se mirent
à arracher des épis et à les manger* [a]. Le départ pour aller
à la moisson le jour du sabbat, la faim des disciples, l'arra-
chage prématuré des épis, la récrimination des Pharisiens,
la réponse du Seigneur [b] offrent, comme le reste, une cause
intérieure sous-jacente qui les explique. Car, comme nous
l'avons dit, la vérité de chaque fait exprime, dans la
réalité même des actes, une image de la vérité future qui
lui est semblable et doit se comprendre par elle.

Lc 6, 27-35, trace TERT., *adu. Marc.*, 4, 16, 13-15, en lui donnant
pour fondement la règle : « faire aux autres ce que je voudrais
qu'ils me fissent », c'est-à-dire des marques d'amour et autres biens
de ce genre (= *Lc* 6, 31) et « ne pas faire aux autres ce que je ne
voudrais pas qu'ils me fissent », c'est-à-dire la violence et autres
maux de ce genre (influence du texte des Deux Voies de la *Doctrina XII apostolorum* ?). Vivre ainsi, c'est suivre l'enseignement
de Dieu et non se conduire comme les pécheurs (cf. *Lc* 6, 32).

D   **2.** Ac principio contuendum est sermonem hunc ita
coeptum esse : *In illo tempore abiit Iesus per segetes*, id est
985 A in eo tempore quo patri Deo gratiam data gentibus
salute confessus est, ut idem sensus et superiora et
5 consequentia contineret. Ergo per reliqua curramus. Ager
mundus est, sabbatum otium est, seges crediturorum
profectus in messem est. Ergo sabbato in agrum profectus in legis otio Domini progressus in hunc mundum
est segetem eam, id est sationem humani generis inui-
10 sens. Et quia esuritio fames est salutis humanae, spicas
praecerpere ac uellere, scilicet sanctorum se salute
satiare discipuli festinant. Neque enim homini congruit
cibus spicae neque praecerptarum esus est utilis aris-
tarum, sed futuri fidem facti species exsequitur et uirtus
15 interiecta uerborum sacramentum et esuritionis et satietatis absoluit.

B   **3.** Pharisaei, qui penes se clauem caelorum esse existimarent, illicita agere discipulos coarguunt ᶜ ; quos
Dominus facti eius, in quo sub rerum argumento prophetiae ratio continetur, admonuit Dauid una cum his
5 qui secum aderant esurientem panibus illicitis expletum
fuisse ᵈ. Neque enim, si non licebat fieri, Dauid creditus
fuisset fecisse sine crimine. Verum sine criminis piaculo
factis prophetat in lege, ut ipse cum ceteris panibus
propositionis expletus sit ita ostendens Christum cum
10 apostolis gentium salute satiandum, quod Iudaeis illi-
citum uideretur.

LREP (= α) A (ab XI, 9, 20 usque ad XII, 2, 5) GSTM (= β)
 LREP (= α) GSTM (= β)
2, 1 a A S ‖ est *om.* β *edd.* ‖ 3 *post* gratiam *add.* de *Cou.* ‖ 6
sabbatum : -tis L R P -ti S ‖ 10 quia *om.* β ‖ famis L G S ‖ 13
spici L R P ‖ est *om.* L R P ‖ **3,** 1 qui penes se : quippe ne se β′ S ‖
5 expletum : exemplum L R P ‖ 7 fuit β *Bad.* ‖ 8 prophetat in
lege : prophetae (*om.* L) intellige L R E P ‖ 10 satiandum : -tiatum
E T M   -tiantium G

c. Cf. Matth. 12, 2
d. Cf. Matth. 12, 3-4

2. Et d'abord il faut observer que si ce développement a commencé ainsi : *En ce temps-là, Jésus partit à travers des moissons*, c'est-à-dire au temps où il témoigna sa reconnaissance à Dieu son Père pour le salut donné aux païens, c'est de façon que la même idée établisse une continuité entre ce qui précède et ce qui suit. Passons donc vite sur les autres détails : le champ, qui est le monde, le sabbat l'inaction, la moisson le progrès des futurs croyants en vue de la récolte. Ainsi, quand il partit pour les champs un jour de sabbat, le Seigneur s'est avancé dans le monde [1] où nous sommes, la Loi étant inactive, pour aller voir cette moisson, c'est-à-dire la semence du genre humain. Et parce que leur faim est l'appétit du salut de l'homme, les disciples se hâtent de cueillir prématurément et d'arracher les épis, c'est-à-dire de se rassasier du salut des saints. Car se nourrir d'épis n'est pas bon pour l'homme et un mets de barbes d'épis cueillis prématurément n'est pas profitable [2], mais l'image de l'avenir accompagne la réalité du fait et la valeur intrinsèque des mots rend évident le mystère de la faim et de l'assouvissement.

3. Les Pharisiens croyant posséder la clé des cieux, accusent les disciples de faire des choses défendues [c], mais le Seigneur leur rappela un acte qui, sous l'exposé des faits, contient une idée prophétique, celui de David avec ses compagnons, qui ayant faim se rassasia de pains défendus [d]. Et en effet l'on ne voit pas comment, s'il y avait une interdiction, David serait considéré comme ayant agi innocemment. Mais David, sous la Loi, prophétise par des actes, sans commettre de crime abominable, en montrant que, comme lui avec les autres s'est rassasié des pains de proposition, le Christ avec ses apôtres se rassasierait du salut des païens, chose que les Juifs jugeaient illicite.

---

1. Ces définitions sont dans l'Écriture : pour le champ cf. *Matth.* 13, 38 ; pour le sabbat cf. *Éz.* 21, 23 ; pour le semeur qui sort cf. *Lc.* 8, 5.
2. La formule *esus utilis* ressortit au vocabulaire médical : cf. Cels., 4, 16, 3.

4. Alterius quoque eos admonet prophetiae, ut consummari in se omnia quae anterius sunt dicta cognoscerent in
lege, sabbatum in templo sacerdotes uiolare sine crimine [e],
C templum se ipsum scilicet indicans, in quo per aposto-
5 licam doctrinam, populo legis infideliter otiante, salus gentibus datur, quia maior ipse sit sabbato et absque uiolatae
legis culpa euangelica fides operetur in Christo.

5. Atque ut ostenderet omnem rerum efficientiam
hanc speciem futuri operis continere, adiecit : *Si enim
sciretis quid est : Misericordiam uolo, non sacrificium,
numquam condemnassetis innocentes* [f]. Opus salutis nos-
5 trae non in sacrificio, sed in misericordia est et lege
cessante, in Dei bonitate saluamur. Cuius rei donum si
intellexissent, numquam condemnassent innocentes, id
est apostolos quos insimulaturi erant transgressae legis
inuidia, cum, sacrificiorum uetustate cessante, uniuersis
D per eos misericordiae nouitas subueniret, neque existi-
massent sabbati praescripto Dominum sabbati [g] conti-
neri. Haec in campo dicta gestaque sunt.

6. Et post haec synagogam ingresso [h] hominem aridae
986 A manus offerunt interrogantes an curare sabbatis liceret,
occasionem arguendi eum ex responsione quaerentes [i].
Quos decidentis in foueam ouis conclusit exemplo quam
5 sine crimine sabbato extrahere sint solliciti [j] ; rectiusque
homini, qui oui praestet, medendum esse [k] neque in
ministerio salutis humanae existimandum sabbatum
posse uiolari, quod extrahendae de fouea ouis sollicitudo
non uiolet.

LREP (= α) GSTM (= β)
4, 3 uiolant β *Bad.* ‖ 5 otiante : orante S T M ‖ **6,** 2 curari α ‖
5 soliti β ‖ rectiusque : recepti usque L R P ‖ 6 in *om.* R P *Cou.*

e. Cf. Matth. 12, 5
f. Matth. 12, 7
g. Cf. Matth. 12, 8
h. Cf. Matth. 12, 9
i. Cf. Matth. 12, 10
j. Cf. Matth. 12. 11

4. Pour qu'ils voient que tout ce qui a été dit antérieu-
rement est consommé en lui, il leur rappelle encore qu'il
y a dans la Loi, comme une autre prophétie, que les prêtres
violent dans le Temple le sabbat sans être en faute [e], se
désignant lui-même par le Temple, où, par l'enseignement
des apôtres, alors que le peuple de la Loi est dans l'inaction de l'infidélité, le salut est donné aux païens, parce
que le Christ est lui-même plus grand que le sabbat et
que la foi évangélique, qui n'est pas coupable d'une vio-
lation de la Loi, agit dans le Christ.

5. Et pour montrer que toute la réalité des événements
contient cette image de l'œuvre à venir, il ajouta : *Si
effectivement vous saviez ce que signifie : Je veux la miséricorde, non le sacrifice, jamais vous n'auriez condamné des
innocents* [f]. L'œuvre de notre salut se trouve, non dans le
sacrifice, mais dans la miséricorde et, la Loi cessant, notre
salut est dans la bonté de Dieu. S'ils avaient compris le
don qu'elle nous fait, ils n'auraient jamais condamné des
innocents, c'est-à-dire les apôtres, que par haine ils allaient
accuser d'avoir transgressé la Loi, alors que l'ancien temps
des sacrifices ayant pris fin, la nouveauté de la miséricorde par eux venait en aide à l'ensemble des hommes,
et ils n'auraient pas considéré que le maître du sabbat [g]
était enfermé dans la prescription du sabbat. Voilà ce qui,
dans les champs, s'est dit ou s'est fait.

6. Et, après cela, quand il entrait dans la synagogue [h],
ils lui présentent un homme à la main desséchée et lui
demandent s'il est permis de guérir les jours de sabbat,
en quête d'une réponse qui fût une occasion de l'accuser [i].
Mais il les confondit par l'exemple de la brebis tombée
dans un trou, d'où ils se préoccupaient de la faire sortir
un jour de sabbat sans être en faute [j] ; et si un homme
valait mieux qu'une brebis [k], il faudrait plus justement
porter remède au premier et considérer qu'en servant le
salut de l'homme on pouvait ne pas violer le sabbat, du
moment qu'il n'était pas violé par le souci de tirer une
brebis d'un trou.

k. Cf. Matth. 12, 12

Hilaire de Poitiers, I.   18

7. Subicitur recte talis Domino curatio. Nam post reditum de segete, ex qua iam apostoli fructus sationis acceperant, ad synagogam uenit etiam illinc messis suae operarios paraturus, qui plures postmodum una
5 cum apostolis exstiterunt. Hi igitur curantur in manco.
B Dandae enim salutis substantiam non habebant et manus officium cessabat et ministerium corporis, quo aliquid agitur atque impertitur, aruerat. Dominus igitur manum eum iussit extendere, quae restituta est ei sicut
10 altera[l]. Curatio omnis in uerbo est et manus sicut altera redditur, id est similis ministerio apostolorum in officium dandae salutis efficitur ; docetque Pharisaeos aegre ferre non oportere operationem humanae salutis in apostolis, cum ipsis ad officii eiusdem ministerium
15 manus sit reformanda, si credant.

8. Sed inuidia facti Pharisaeos commouet et aduersus eum ineunt consilium [m], quia contuentes hominem in corpore Deum in operibus non intelligebant. Sciensque eorum consilia secessit [n], ut a consiliis malignantium
C procul afuturus cognosceretur. Pluresque turbae eum secutae sunt, ab infidelibus uidelicet recedenti fidelium comitatus adsistit.

9. His uero quos curat silentium imperauit [o]. Sed numquid curationis taciturnitas iubebatur ? Non utique ; nam salus unicuique reddita erat sibi ipsa testis. Sed iubendo secretum et gloriandi de se iactantiam declinat
5 et nihilominus cognitionem sui praestat in eo ipso, dum

LREP (= α) GSTM (= β)
7. 1 Domini P *Cou.* ‖ 4 suae *om.* R P ‖ 5 manu β *Bad.* ‖ 6 enim dandae β *Bad.* ‖ 11 ministerium L R P ‖ 13 aegre ferre : haec referre L R P haec refellere E ‖ *post* oportere *add.* curationes in sabbato et (*om.* L) α ‖ 14 ad : a Deo L R P ‖ 8, 6 recedendi L R P ‖

---

l. Cf. Matth. 12, 13
m. Cf. Matth. 12, 14

7. Dans cette perspective, la guérison proposée au Seigneur est bien venue. Après son retour du champ d'où les apôtres avaient pris déjà le produit de la récolte, il vint à la synagogue, afin de recruter là aussi pour sa moisson des ouvriers qui par la suite se sont trouvés en assez grand nombre mêlés aux apôtres. Ce sont eux qui sont guéris dans l'homme sans main. Ils n'avaient pas les moyens de donner le salut, la main cessait son office et la fonction du corps qui permet d'agir et de donner s'était desséchée. Le Seigneur lui ordonna donc d'étendre la main, laquelle lui fut rendue dans l'état où était l'autre [1]. Toute la guérison réside dans la parole [3] et la main est recouvrée dans l'état où était l'autre, c'est-à-dire est rendue semblable au ministère des apôtres pour servir à donner le salut. Cela montre que les Pharisiens ne devraient pas mal accueillir l'action pour le salut de l'homme chez les apôtres, puisque, s'ils venaient à croire, leur main à eux aussi serait rétablie, pour accomplir le même office.

8 Mais le miracle excite la haine des Pharisiens qui complotent contre lui [m], parce que, voyant dans son corps l'homme qu'il était, ils ne saisissaient pas Dieu dans ses œuvres. Sachant leurs desseins, il se retira [n], pour qu'on comprît qu'il se tiendrait éloigné des projets des méchants. Des foules nombreuses le suivirent, ce qui veut dire que tandis qu'il s'écarte des incroyants, il a à ses côtés le cortège des croyants.

9. A ceux qu'il guérit il commanda le silence [o]. Mais est-ce de taire leur guérison qu'il leur prescrivait ? Non assurément, car le salut était rendu à chacun en portant témoignage de lui-même. Mais en ordonnant le secret, il écarte une glorification vantarde de lui-même et néanmoins en les invitant précisément à ne rien dire à son

n. Cf. Matth. 12, 15
o. Cf. Matth. 12, 16

3. Application du principe christologique énoncé *supra*, **8, 6** (cf. note *ad loc.*) : « cui (Christo) subest totum posse quod loquitur. »

admonet de se taceri, quia obseruantia silentii ex re quae
sit silenda proficiscitur.

10. Quin etiam per hanc tacendi de se uoluntatem
D dictorum per Esaiam effectus impletur [p], de cuius prophetia illud nunc tantum admonemus, hunc et dilectum
a Deo et in eo paternae beneplacitum uoluntati et Spiri-
5 tum Dei super eum esse et ab eo iudicium gentibus
987 A nuntiari et arundinem quae quassata sit non esse confrac-
tam et linum fumigans non exstinctum, id est caduca
et quassata gentium corpora non fuisse contrita, sed in
salutem potius reseruata neque exiguitatem ignis tan-
10 tum iam in lino fumigantis exstinctam (exiguum Israel
ex reliquiis ueteris gratiae spiritum non ablatum [q]),
quia resumendi totius luminis in tempore paenitentiae
sit facultas. Sed istud intra certi temporis statuta praes-
cribitur, *donec cum eiciat uictoriam ad iudicium* [r], sublata
15 scilicet mortis potestate iudicium claritatis suae reditu
introducat, in nomine eius per fidem gentibus credituris.

11. *Tunc oblatus est ei homo daemonium habens caecus*
B *et mutus* [s], et cetera. Sequitur daemoniaci et caeci et muti
opportuna curatio. Non enim sine ratione, cum turbas
omnes curatas in commune dixisset, nunc extrinsecus
5 daemonium habens caecus et mutus offertur, ut sine
ambiguitate aliqua idem intelligentiae ordo sequeretur.
Spicas uellere, id est homines saeculi praecerpere apostolos Pharisaei arguebant, misericordia super sacrificium praedicabatur [t], manus aridae homo oblatus in

LREP (= α) A (ab XII, 9, 5 usque ad XII, 18, 22) GSTM (= β)
9, 7 proficiscit L R ‖ **10,** 4 in eo *om.* β *Bad.* ‖ 6 quassa L R P ‖
7 lignum L R P ‖ 10 exiguum : ex Sion β *Bad.* ‖ *post* Israel *add.* et
β *Bad.* ‖ 11 *post* ex reliquiis *add.* Israel et ex reliquis A G S ‖ **11,** 2
cetera : reliqua β *edd.*

p. Cf. Matth. 12, 18-21
q. Cf. Rom. 11, 5
r. Matth. 12, 20
s. Matth. 12, 22

sujet, il se fait connaître, parce que la règle du silence émane du sujet que l'on doit taire [4].

10. Plus encore, par cette volonté de faire le silence autour de lui, est accomplie la réalisation des paroles rapportées par Isaïe [p], dont la prophétie nous fait remarquer si hautement ici qu'il est celui que Dieu a choisi, qu'en lui la volonté du Père a trouvé son bon plaisir, que l'Esprit de Dieu est sur lui, que par lui le jugement de Dieu est annoncé aux païens, que le roseau branlant n'est pas brisé et la mèche fumante n'est pas éteinte, ce qui veut dire que les corps fragiles et branlants des païens ne sont pas exténués, mais réservés plutôt pour le salut, et que la flamme fragile qui ne fume plus que sur la mèche n'est pas éteinte — le fragile esprit n'a pas été ôté à Israël parmi les vestiges de sa grâce passée [q] —, parce qu'au temps de la pénitence il y a la possibilité de recouvrer toute la lumière. Mais cela lui est prescrit dans les limites fixées d'un temps déterminé, *jusqu'à ce que le Seigneur remporte la victoire en vue du jugement* [r], autrement dit que, le pouvoir de la mort aboli, il apporte, à son retour glorieux, le jugement aux païens qui croiront en son nom par la foi.

11. *Alors on lui présenta un homme aveugle et muet qui avait un démon* [s], etc. Vient ensuite bien à propos la guérison d'un aveugle muet. Car ce n'est pas sans raison si, après qu'il eut porté par sa parole la guérison à toutes les foules ensemble, il est mis en présence, en plus, d'un homme aveugle, muet et possédé du démon, pour que le même ordre d'intelligibilité se poursuive sans la moindre équivoque. Les Pharisiens accusaient les apôtres d'arracher des épis, c'est-à-dire d'enlever prématurément les hommes du siècle ; la miséricorde était enseignée avant le sacrifice [t] ; un homme à la main desséchée pré-

t. Cf. Matth. 12, 2 et 7

---

4. Autrement dit, le Seigneur s'énonce comme celui qui n'est pas énoncé. Paradoxe hérité de l'ἀπόδειξις de Dieu dans la littérature apologétique : cf. NOVATIAN., *trin.*, 2, 13 : toute parole est muette pour énoncer Dieu, car il est au-dessus de toute parole.

10 synagoga curatur ; atque haec ad conuertendum Israel
non solum nihil proficiunt, uerum etiam Pharisaei
consilium necis ineunt. Oportebat igitur ut post haec in
unius huius forma gentium salus fieret, ut qui erat habitatio daemonis et caecus et mutus Deo capax pararetur
15 et Deum contueretur in Christo et Christi opera Dei
C confessione laudaret. Stupuerunt facti istius opus turbae ᵘ, sed Pharisaeorum ingrauescit inuidia. Nam quia
humanam infirmitatem haec tanta eius opera excederent, pudorem confessionis suae maiore perfidiae
20 scelere declinant, ut, quia haec opera esse existimare
hominis non possent, confiteri Dei nollent omnemque
hanc eius ex Beelzebub principe daemonum esse dice-
rent in daemonas potestatem ᵛ.

12. *Iesus autem sciens cogitationes eorum dixit illis :*
Omne regnum diuisum contra se desolabitur ʷ. Sermo Dei
diues est et ad argumentum positus intelligentiae plurimam de se exemplorum copiam praebet et uel sim-
5 pliciter intellectus uel inspectus interius ad omnem
profectum est necessarius. Sed relictis his quae ad
D communem intelligentiam patent, causis interioribus
immoremur.

13. *Omne regnum diuisum contra se desolabitur.* Res-
ponsurus ad id quod de Beelzebub erat dictum in eos
988 A ipsos quibus respondebat responsionis ipsius condicionem retorsit. Lex enim a Deo est et regni Israel polli-
5 citatio ex lege est et Christi ortus et aduentus ex lege est.
Si regnum legis contra se diuiditur, desolabitur necesse
est. Et potestas omnis diuisione detrahitur et regni
uirtus aduersum se separata consumitur, ac sic regnum

LREP (= α) A (ab XII, 9, 5 usque ad XII, 18, 22) GSTM (= β)
10 curabatur T M *Cou.* ‖ 13 huius : huic L R P *om.* E ‖ 21 omnem
L P A S *Bad.* ‖ 22 principis A G S ‖ 23 daemones R P ‖ **12,** 3-4 plurimam : -rium A G T M   -rimum S ‖ **13,** 6 desolabitur : dissolua-
tur β *edd.*

---

u. Cf. Matth. 12, 23

senté dans la synagogue est guéri ; et pourtant ces faits
non seulement ne réussissent pas à convertir Israël, mais
encore les Pharisiens complotent un meurtre. Il fallait
donc après cela que le salut appartînt aux païens figuré
par ce seul homme, en ce sens que celui qui était habité
par un démon en étant aveugle et muet fût préparé à
accueillir Dieu, qu'il vît Dieu dans le Christ et louât les
œuvres du Christ en confessant Dieu. Les foules furent
stupéfaites de ce qu'il accomplit en agissant ainsi ^u, mais la
haine des Pharisiens s'aggrave : parce que de telles œuvres
chez lui dépassaient la faiblesse humaine, ils évitent la
honte qu'ils auraient à l'avouer par une perfidie plus scé-
lérate (dans l'impossibilité d'attribuer ces œuvres à un
homme), celle de ne pas vouloir les reconnaître comme
étant de Dieu et de prétendre qu'il tenait de Béelzébub,
prince des démons, tout ce pouvoir sur les démons ^v.

12. *Jésus connaissant leurs pensées leur dit : Tout
royaume divisé contre lui-même sera détruit* ^w. Le propos
de Dieu est riche et destiné à démontrer une idée, il offre
par lui-même une abondance considérable d'exemples et
qu'il soit compris simplement ou étudié de l'intérieur, de
toute façon il est nécessairement source de toute sorte
de profit. Mais laissons ce qui est accessible à l'intelligence commune et insistons sur les causes intérieures.

13. *Tout royaume divisé contre lui-même sera détruit.*
Pour répondre à ce qui avait été dit au sujet de Béelzébub,
il retourna, en réponse à ceux-là même auxquels il répon-
dait, leur formule même. La Loi vient de Dieu, la pro-
messe du royaume d'Israël vient de la Loi, la naissance
et l'avènement du Christ viennent de la Loi. Si le royaume
de la Loi est divisé contre lui-même, il sera nécessairement
détruit. Tout pouvoir est diminué par la division et la
puissance d'un royaume qui se dissocie contre lui-même
s'épuise ⁵. Et ainsi Israël a perdu le royaume issu de la

v. Cf. Matth. 12, 24
w. Matth. 12, 25

---

5. Maxime politique énoncée ainsi par Cɪᴄ., *Lae.*, 23 : « Quae tam
firma ciuitas est quae non odiis et discidiis funditus possit euerti ? »

Israel amisit ex lege, cum quando adimpletionem legis in
10 Christo plebs legis impugnet.

14. *Sed et ciuitas et domus diuisa contra se non stabit* [x].
Domus quoque et ciuitatis eadem est ratio quae regni.
Sed ciuitas hic Hierusalem indicatur gentium semper
gloriosa dominatu. Nunc posteaquam in Dominum
5 suum furore plebis exarsit et apostolos eius cum creden-
B tium turbis effugauit, discedentium illinc diuisione non
stabit, atque ita, quod mox consecutum est per hanc
diuisionem, ciuitatis illius denuntiatur excidium.

15. *Si enim Satanas Satanam eicit, aduersus se diuisus
est* [y]. Dicti superioris maleuolentiam, quo eum in Beelzebub haec agere loquebantur, eo ipso quo locuti sunt
genere condemnant non intelligentes confessos se fuisse
5 Beelzebub esse diuisum et, si ad diuisionem suam coactus est, ut daemon daemones proturbaret et aduersus
se diuisio ipsa consisteret, hinc quoque existimandum
esse plus in eo qui diuiserit quam in his qui diuisi sint
inesse uirtutis. Ergo iam diuisus est et aduersum se
10 coactus est regnumque eius diuisione tali est dissolutum.
C Quod si in uirtute Beelzebub Christus daemones eicit,
filii eorum, id est apostoli, in cuius nomine eicient [z] ?
Atque idcirco digne sunt in eos iudices constituti, quibus
id dedisse Christus aduersus daemonas potestatis repe-
15 rietur, quod ipse sit negatus habuisse. Ergo si discipuli
operantur in Christo et ex Spiritu Dei Christus operatur,
adest Dei regnum [a] iam in apostolos mediatoris officio
transfusum. Sed cum per Beelzebub posse Christus argui-
tur, Deus blasphematur in Christo atque ita in Deum

LREP (= α) A (ab XII, 9, 5, usque ad XII, 18, 22) GSTM (= β)
15, 12 eiciunt E A² *edd. plures Cou.* ‖ 14 daemones R P A T M
*Gil.*²

---

x. Matth. 12, 25
y. Matth. 12, 26
z. Cf. Matth. 12, 27
a. Cf. Matth. 12, 28

Loi en combattant, lui le peuple de la Loi, l'accomplissement de la Loi dans le Christ.

14. *Mais également la cité ou la maison divisée contre elle-même ne résistera pas* [x]. Pour la maison et la cité, l'explication est la même que pour le royaume. Mais ici la cité est présentée comme étant Jérusalem, toujours fière de sa suprématie sur les païens [6]. Depuis qu'elle s'est laissée emporter par la fureur du peuple contre son Seigneur et qu'elle a chassé les apôtres avec des foules de croyants, désormais elle ne résistera pas à la scission de ceux qui la quittent ; et ainsi, le résultat obtenu par cette scission est annoncé comme la ruine de cette cité.

15. *Si en effet Satan expulse Satan, il est divisé contre lui* [y]. La malveillance des propos antérieurs, qui présentaient le Seigneur menant cette action par Béelzébub, est condamnée par la tournure même qu'ils ont employée, car ils ne comprennent pas qu'ils ont avoué que Béelzébub est divisé et que s'il est réduit à se diviser au point que le démon chasse les démons et que la division se trouve tournée contre elle-même, il fallait en déduire qu'il y a plus de puissance chez celui qui a divisé que chez ceux qui sont divisés. Ainsi il est désormais divisé et réduit à se combattre, et son royaume est détruit par une telle division. Et si le Christ expulse les démons par la puissance de Béelzébub, leurs fils, c'est-à-dire les apôtres, au nom de qui les chasseront-ils [z] ? Voilà pourquoi ils méritent de se voir donner des juges, auxquels on constatera que le Christ a accordé, pour combattre les démons, l'étendue du pouvoir que lui-même s'est vu refuser. Ainsi, si les disciples agissent dans le Christ et si le Christ agit d'après l'Esprit de Dieu, le Royaume de Dieu est là [a], désormais transféré aux apôtres par l'office du médiateur [7]. Mais lorsque le Christ est accusé d'exercer sa puissance par Béelzébub, Dieu est blasphémé dans le

---

6. Ce qui est dit du Juif dans *Rom.* 2, 17-20 est appliqué ici à Jérusalem.

7. Sur ce « transfert aux apôtres » et son expression juridique, Hilaire suit Tert., *praescr.*, 20, 9 ; 21, 4. Sur le Christ médiateur, cf. *supra*, 10, 27, 6.

20 inexpiabilis conuicii contumelia per Pharisaeos in Beelzebub nomine comparatur.

16. *Quomodo potest intrare quis in domum fortis et uasa
eius diripere* [b] ? et cetera. Contusam a se in temptatione
D prima omnem diaboli indicat potestatem, quia nemo
domum fortis introeat eiusque uasa diripiat, nisi fortem
5 adligauerit, et tunc domum eius diripiet [c] et necesse est
haec agens illo forte sit fortior. Ligatus est ergo tum,
cum Satanas a Domino nuncupatus ipsa nequitiae suae
989 A nuncupatione constrictus est, cui ita uincto spolia
detraxit [d] et domum abstulit, nos scilicet quondam arma
10 eius regnique militiam in ius suum redegit uictoque
atque uincto domum sibi ex nobis uacuam et utilem
comparauit. Longe autem a se esse ut aliquid ab eo mu-
tuatus sit potestatis ostendit, quando qui secum non est,
aduersum se est et qui secum non congreget dispergat [e].
15 Ex quo ingentis periculi res intelligitur male de eo opinari, cum quo non esse idipsum est quod contra esse et
non congregare dispergere sit.

17. *Omne peccatum et blasphemia remittetur hominibus ;
Spiritus autem blasphemia non remittetur* [f]. Pharisaeorum
B sententiam et eorum qui ita cum his sentiunt peruersitatem seuerissima definitione condemnat peccatorum
5 omnium ueniam promittens et blasphemiae Spiritus
indulgentiam abnegans. Nam cum cetera dicta gestaque
liberali uenia relaxentur, caret misericordia, si Deus
negetur in Christo. Et in quo sine uenia peccatur, beneuo-

LREP (= α) A (ab XII, 9, 5 usque ad XII, 18, 22) GSTM (= β)
20 contumeliam A G S ‖ **16,** 2 cetera : reliqua β *edd.* ‖ 13 *post*
ostendit *add.* ut A G S *Bad.* ‖ 14 est : sit *edd.* ‖ congregat R *Era.*
Cou. ‖ dispergit E ‖ 16 esse[1] : esset L R P ‖ **17,** 1 *post* remittetur
add. et reliqua A S ‖ 3 sententiam : -tia A G S -tiae *Bad* ‖ 8 peccator
P T M *edd.* plures *Cou.*

---

b. Matth. 12, 29
c. Cf. Matth. 12, 29

Christ et ainsi, sous le nom de Béelzébub, une injure, dont l'outrage est inexpiable, est formulée contre Dieu par les Pharisiens.

16. *Comment quelqu'un peut-il entrer dans la maison d'un homme fort et piller ses meubles* [b] *?* etc. Il indique l'écrasement de tout le pouvoir du diable au début lors de sa tentation en expliquant que nul n'entre dans la maison d'un homme fort et ne pille ses meubles sans avoir ligoté l'homme fort, et ensuite il pillera sa maison [c], et celui qui fait cela est nécessairement plus fort que l'homme fort. Donc celui-ci a été ligoté le jour où, appelé Satan par le Seigneur, il a été enchaîné par le fait même que sa perversité a été nommée, et comme il était ainsi enchaîné, le Seigneur lui a arraché ses dépouilles [d], enlevé sa maison, c'est-à-dire nous-même, naguère ses troupes, réduit à sa merci la milice de son royaume [8] et, l'ayant vaincu et enchaîné, s'est ménagé en nous une maison vide et en bon état. Il montre d'autre part qu'il est loin d'emprunter au diable quelque chose de son pouvoir, puisque celui qui n'est pas avec lui est contre lui et qui n'amasse pas avec lui disperse [e]. De là ressort l'idée que c'est un danger considérable d'avoir une opinion malsaine de celui qui est tel que ne pas être avec lui signifie par là-même être contre lui et ne pas amasser avec lui signifie disperser.

17. *Tout péché et blasphème sera remis aux hommes, mais le blasphème contre l'Esprit ne sera pas remis* [f]. Il condamne l'opinion des Pharisiens et la perversion de ceux qui pensent comme eux, en usant d'une discrimination très rigoureuse, promettant le pardon de tous les péchés et refusant l'indulgence au blasphème contre l'Esprit. Car si un pardon généreux délie les autres paroles et les autres actions, la miséricorde fait défaut, si Dieu vient à être nié dans le Christ. Et lui contre lequel on pèche

d. Cf. Col. 2, 15
e. Cf. Matth. 12, 30
f. Matth. 12, 31

8. Les mêmes images (la maison, son personnel de gladiateurs = *familia*, ici *arma*) évoquent la *militia diaboli* dans Tert., *mart.*, 1, 4.

lentiam iteratae admonitionis impendit, omnino peccata
10 cuiusque generis remittenda, blasphemiam in Spiritum
sanctum non remittendam. Quid enim tam extra
ueniam est quam Christo negare quod Dei sit et
consistentem in eo paterni Spiritus substantiam adimere,
cum in Spiritu Dei opus omne consummet [g] et ipse sit
15 regnum caelorum et in eo Deus sit mundum reconci-
C lians sibi [h] ? Ergo quidquid contumeliae exstiterit in
Christo, id omne exstabit in Deo, quia et in Christo Deus
et Christus in Deo sit.

18. *Aut facite arborem bonam et fructus eius bonos* ;
990 A *aut facite arborem malam et fructus eius malos* [i]. Sermo
se et in praesens exserit et effert in futurum. Nam in
praesens Iudaeos refellit, qui cum intelligerent Christi
5 opera ultra humanam esse uirtutem, nollent tamen
quod Dei sint confiteri. In futurum uero omnem fidei
peruersitatem coarguit, eorum scilicet qui dignitatem
et communionem paternae substantiae Domino detra-
hentes in diuersa haereseos studia efferbuerunt, neu-
10 trum facientes nec inter gentes sub uenia ignorationis
agitantes nec in ueritatis cognitione uersantes. Arborem
se in corpore positum significat, quia per interiorem uirtutis suae fecunditatem exeat ubertas omnis in fructus.
Igitur aut bona arbor facienda cum bonis fructibus est
15 aut mala constituenda cum malis fructibus, quia ex
fructibus suis de se arbor ipsa testabitur, non quod
B secundum arborum naturam arbor mala possit constitui

LREP (= α) A (ab XII, 9, 5 usque ad XII, 18, 22) GSTM (= β)
   12 Christo : Christum R   in Christo β *edd.* ‖ Deus α ‖ 17 et *om.* β
Bad. ‖ 18, 2 *post* malos *add.* et reliqua β *edd.* ‖ 5 ultra *om.* L R P ‖
nollent : nolint (-llint A G) A G S   nolunt T M ‖ 6 in futurum :
futuram β *Bad.* ‖ 7 dignitatem : diuinitatem β *edd.* ‖ 11 agitantes :
habitantes β *edd.* ‖ 14 arbor bona β *edd.*

---

g. Cf. Jn 10, 25
h. Cf. II Cor. 5, 19
i. Matth. 12, 33

sans rémission, il emploie sa bienveillance à nous répéter cet avertissement que toute espèce de péchés doit être remise dans tous les cas, mais que le blasphème contre l'Esprit-Saint ne doit pas être remis. Car quoi de plus impardonnable que de nier ce qui dans le Christ est de Dieu et de lui ôter l'être de la substance de l'Esprit du Père, alors qu'il accomplit toute œuvre dans l'Esprit de Dieu [g], que lui-même est le Royaume des cieux et qu'en lui Dieu se réconcilie le monde [h] ? Ainsi tout ce qui dans le Christ se trouvera outragé, le sera aussi tout autant en Dieu, parce que Dieu est dans le Christ et le Christ en Dieu [9].

18. *Représentez un arbre bon et ses fruits bons ; ou représentez un arbre mauvais et ses fruits mauvais* [i]. Ce propos s'applique au présent et s'étend à l'avenir. Il récuse en effet présentement les Juifs qui tout en comprenant que les œuvres du Christ dépassaient la puissance humaine, ne voulaient pas reconnaître qu'elles étaient celles de Dieu. Pour l'avenir, il dénonce une perversion complète de la foi chez ceux qui, retirant au Seigneur la noblesse et la communion de substance avec le Père, ont bouillonné d'ardeurs divergentes dans l'hérésie, en s'abstenant aussi bien de vivre parmi les païens sous le couvert du pardon dû à l'ignorance que d'être dans la connaissance de la vérité [10]. Par arbre il se désigne lui-même dans son corps [11], du fait que par la fertilité intérieure de sa puissance toute sa fécondité éclate en fruits. C'est ainsi qu'il faut représenter un arbre bon avec de bons fruits ou concevoir un arbre mauvais avec de mauvais fruits, parce que c'est par ses fruits que l'arbre rendra témoignage de lui-même, non qu'un arbre puisse être mauvais dans son essence

---

9. Reprise presque littérale d'une formule de Tert., *adu. Marc.*, 5, 8, 4 : « In quo Christo consistere haberet tota substantia (Dei) » : cf. W. Bender, « Die Lehre über den hl. Geist bei Tertullian » (*Münchener theol. Studien*, svst. Abt. 18), München 1961, p. 62-66.
10. Les hérétiques sont *sine sede* selon Tert., *praescr.*, 42, 10.
11. Même exégèse dans Victorin. Poftov., *in apoc.*, 21, 10 : cf. d'autres références dans J. Daniélou, *Les symboles chrétiens primitifs*, Paris 1961, p. 40.

quae bona sit aut eadem ipsa cum ramis suis bona esse,
si mala sit, sed ut per hanc significantiam intelligeremus
20 Christum aut tamquam inutilem relinquendum aut
tamquam bonum bonorum fructuum utilitate retinendum, quia aduersum filium hominis dicta sub uenia
sint, blasphemia autem Spiritus careat uenia. Ceterum
medium se agere et Christo aliqua deferre, negare quae
25 maxima sunt, uenerari tamquam Deum, Dei communione spoliare, haec blasphemia Spiritus est, ut, cum per
admirationem operum tantorum Dei nomen detrahere
non audeas, per maleuolentiam mentis et sensus generositatem eius, quam confiteri es coactus in nomine, abne-
C gata paternae substantiae communione, decerpas. Atque
ideo etiam in eo Dominus bonitatis suae munus extendit
dicens aut malam arborem cum malis fructibus aut
bonam cum bonis fructibus esse faciendam, quia in malae
arboris opinione sub secreto indulgentiae Dei reposita
35 sit uenia, quia omne peccatum sit remittendum, in
991 A bona confessione fructus aeternus sit, ne incidentes
mediam inter utrumque sententiam, cum constituere
malum non audeamus, confiteri bonum nolimus, indis-
solubili corruptae de se opinionis iudicio relinquamur.

LREP (= α) A (ab XII, 9, 5, usque ad XII, 18, 22) GSTM (= β)
LREP (= α) GSTM (= β)
19 ut : hunc L R ‖ 23 careret R P G caret A S ‖ 26 spoliari G S ‖
29 nomine : ho- T M ‖ 36 bonae L S *Bad.* ‖ incedentes R ‖

12. Ou il faut nier Dieu ou, si on l'admet, il faut le dire bon,
affirme TERT., *scorp.*, 5, 2, contre les Marcionites.
13. Paradoxe qui rappelle cet oxymoron de TERT., *carn.*, 15, 4 :
« haeretici credendo non credunt. » Ainsi Macion reconnaît le Christ
comme fils et envoyé de Dieu avec ses vertus propres, non comme
Christ du Créateur avec les mêmes vertus que lui (cf. *adu. Marc.*, 3, 3).
14. P. SMULDERS, *La doctrine trinitaire de S. Hilaire de Poitiers*,
p. 39, n. 102, voit une allusion à l'opinion d'Arius rapportée par
ATHANASE, *Oratio contra Arianos*, 1, 5, opinion selon laquelle le
Christ n'est Dieu que nominalement, dans la formule d'Hilaire :
« generositatem eius quam confiteri es coactus in nomine. » Nous
mettrions cette formule en rapport plus directement avec celle dont
Hilaire se sert dans *Collectanea antiariana parisina ser.* B II, 6

d'arbre, s'il est bon, ou qu'encore il puisse être bon lui et ses branches, s'il est mauvais. Mais cette manière de s'exprimer veut nous faire comprendre que le Christ doit être abandonné comme inutile ou doit être gardé comme bon [12] par l'utilité de ses bons fruits, parce que les paroles prononcées contre le Fils de l'homme sont pardonnables, alors que le blasphème contre l'Esprit échappe au pardon. Mais se tenir au milieu, accorder des vertus au Christ, lui refuser ce qu'il y a de plus important, la vénération comme Dieu, le priver de la communion avec Dieu [13], c'est cela le blasphème contre l'Esprit, en ce sens que si l'on n'ose pas, par admiration pour des œuvres si hautes, lui retirer le nom de Dieu, on lui retranche, par une malveillance de l'esprit et de la pensée venant de ce qu'on nie sa communion avec la substance du Père, la noblesse qu'on a été obligé de lui reconnaître en titre [14]. Et de plus, en disant qu'il faut représenter ou un arbre mauvais avec de mauvais fruits ou un arbre bon avec de bons fruits, le Seigneur déploie le don de sa bonté, puisque sur l'opinion d'un arbre mauvais s'exerce le pardon de l'indulgence divine réservée dans le secret [15] — tout péché devant être pardonné — et que la confession de foi orthodoxe porte un fruit éternel, en nous empêchant de tomber dans une position intermédiaire entre l'attitude qui consiste à ne pas oser concevoir le mal et celle qui consiste à ne pas vouloir confesser le bien [16] et d'être abandonnés au jugement inextricable d'une pensée qui s'est corrompue d'elle-même.

(26), *CSEL* 65, p. 149, pour commenter l'hérésie d'un résumé de profession de foi prêtée aux « deux Arius » : « blasphemi in Christum infinitatis eum paternae generositate exspoliantes... dantes Dei filio... nomen ex altero ».

15. Amalgame de réminiscences pauliniennes : la miséricorde est la richesse de Dieu (*Éphés.* 2, 4) ; elle est mise en réserve dans le secret, car en Dieu « sont cachés tous les trésors de la sagesse et de la connaissance » (*Col.* 2, 3).

16. Cette attitude est définie à l'aide d'une terminologie empruntée au probabilisme cicéronien, les hérésies (cf. TERT., *praescr.*, 7, 3) recevant leurs armes de la philosophie : cf. CIC., *nat. deor.*, 1, 117 : « cui (Protagorae) *neutrum* licuerit nec esse deos nec non esse » ; *diu.*, 2, 10 : « quid *bonum* sit, quid *malum*, quid *neutrum* » ; *ac.* 1, 36 : « neutra... *in mediis* relinquebat (Zeno). »

19. Omnem autem ita sentiendi corruptelam **ex** naturae uitio proficisci docuit dicens de malo thesauro non nisi quae mala sunt posse proferri [j] et omnis otiosi, id est inepti et inutilis dicti [k] rationem Deo esse redden-
5 dam, quia de confessionis nostrae uerbis aut condemnandi simus aut iustificandi talem futuri iudicii beneuolentiam recepturi, qualem de caelestis gloriae Domino sententiam tenuerimus [l].

20. Signum deinde rogatur ut praestet [m], quod **se**
B ex Ionae signo daturum esse respondit [n], ut sicut triduo et totidem noctibus Ionas in ceti uentre detentus sit, ita se intra interiora terrae pari temporis spatio demora-
5 turum [o]. Sed maiorem futuram gentium fidem monstrat. Niniuitae enim, Iona praedicante, paenitentiam egerunt et a Deo ueniam paenitendi confessione meruerunt [p]. Sed et Austri regina nunc in exemplum Ecclesiae praesumpta, sapientiam admirata Salomonis, ex ultimis terrae parti-
10 bus uenit audire quam erat admirata sapientiam [q]. Cumulat igitur inuidiam comparatio et Iudaeos sine excusatione facit fides gentium, ut, cum illi prophetis, **id** est Ionae Salomonique crediderint, Christo isti non credant Iona Salomoneque potiori. Et idcirco in resurrec-
15 tione eos iudicabunt, quia in his repertus timor **Dei**
C fuerit, quibus lex non erat praedicata, hoc magis indigni uenia qui ex lege sunt infideles, quo plus fidei in eos qui legem ignorauerint sit repertum.

LREP (= α) GSTM (= β)
19, 6 iudicandi β *Bad.* ‖ **20,** 2 respondet R ‖ ut : et R *Cou.* ‖ 3 Iona L P G S ‖ 13 *ante* Christo *add.* in R P ‖ 14 Ionae Salomonique L G S ‖ 17 eis *edd.* ‖ 18 ignorauerunt *edd.*

j. Cf. Matth. 12, 35
k. Cf. Matth. 12, 36
l. Cf. Matth. 12, 37
m. Cf. Matth. 12, 38
n. Cf. Matth. 12, 39
o. Cf. Matth. 12, 40
p. Cf. Matth. 12, 41

19. Toute cette corruption de la pensée, le Seigneur l'a montrée provenant d'une nature viciée [17], en disant que d'un mauvais trésor on ne pouvait tirer que des choses mauvaises [j] et qu'il faut rendre compte à Dieu de toute parole oiseuse [k], c'est-à-dire insensée et inutile, parce que nous devons être condamnés ou justifiés d'après les termes de notre confession de foi, car nous sommes destinés à trouver, lors d'un jugement futur, une bienveillance qui corresponde à l'opinion que nous aurons adoptée au sujet du Seigneur de la gloire céleste [l].

20. On lui demande ensuite de donner un signe [m], et il répondit que celui qu'il donnerait à partir du signe de Jonas [n], serait que, comme Jonas avait été retenu trois jours et trois nuits dans le ventre du monstre marin, il demeurerait dans le sein de la terre le même laps de temps [o]. Mais il montre que la foi des païens sera plus grande. Car les hommes de Ninive, sous l'effet de la prédication de Jonas, firent pénitence et, par l'aveu de leur pénitence, méritèrent le pardon de Dieu [p]. Mais également la reine du Midi, prise ici comme exemple anticipé de l'Église [18], admirant la sagesse de Salomon, est venue des extrémités de la terre entendre la sagesse qu'elle avait admirée [q]. La comparaison grossit ainsi la méchanceté, et la foi des païens rend les Juifs inexcusables de ne pas croire au Christ plus grand que Jonas et Salomon, alors que les païens ont cru aux prophètes, c'est-à-dire à Jonas et à Salomon. Aussi ceux-ci les jugeront-ils à la Résurrection, parce qu'on aura trouvé la crainte de Dieu chez ceux auxquels la Loi n'avait pas été prêchée, et ceux qui venus de la Loi n'ont pas la foi mériteront d'autant moins le pardon qu'on aura trouvé plus de foi chez ceux qui ignoraient la Loi.

q. Cf. Matth. 12, 42

17. A rapprocher du lien qui chez TERTULLIEN s'est établi entre le *stilus corruptor* des hérétiques (*praescr.*, 17, 2 ; 40, 1) et le rôle d'*interpolator naturae* (*cult. fem.*, 1, 8, 2) joué par leur protagoniste, le diable.

18. Même exégèse dans TERT., *adu. Marc.*, 4, 11, 8.

21. *Cum autem immundus spiritus exierit ab homine,*
ambulat per loca arida quaerens requiem et non inueniet [r],
et cetera. Continens lectio est et ex ipso initi sermonis
exordio ex sensu superiore proficisci indicatur ; ex uerbi
5 enim coniunctione coepit. Sed totius propositae comparationis ratio tractanda est. Exiens ab homine immundus spiritus arida et inaquosa loca circuit, in quibus
nullus fons uitae effluebat. Et cum requiem non inueniet,
tum intra se loquetur congruum sibi esse ad domum
10 suam unde exiuit reuerti, quam inueniet uacantem, sco-
D pis mundatam et ornatam [s], adsumetque secum septem
spiritus se nequiores introeuntesque habitabunt et nouis-
992 A sima hominis illius primis peiora erunt [t]. Et quidem
Dominus absoluit dicens : *Sic erit generationi huic*
15 *pessimae* [u].

22. Non igitur ambigere possumus totum hoc ad per-
sonam populi huius esse referendum, sed contuendum est
quatenus proposita singula singulis temporibus rebusque
reddantur. Superius namque in Niniuitarum et reginae
5 Austri nomine iustificata fides gentium est, sed longe
antea post multa in Deum et grauia peccata Iudaeis
data lex est. Et peccata quidem eorum libris Moysi
continentur, uerum post tot diuinae uirtutis documenta :
id est decem plagis percussam Aegyptum et columnam
10 nubis ac luminis nocte dieque famulantem et in Erythreo
B mari iter praebitum et fontes ruptis saxis effundentes
et ministratum esurientibus manna et ad postremum in
quadraginta annorum tempore uita atque habitu ange-

LREP (= α) GSTM (= β)
21, 3 cetera : reliqua α *edd.* ‖ 9 loquitur β ‖ 12 *post* habitabunt
add. ibi P *Cou.* ‖ 13 erunt : fiunt G S *Bad. Era.* fient T M ‖ **22,** 4
namque : nempe β *edd.* ‖ 7 libris : -bro S *Bad.* -brum G ‖ 11
fontes (-tem E)... effundentes (-tem E) : fontes... effluentes β *edd.* ‖
12 ministratum : -tatam L R G S *edd.* -tram P ‖ manna : man-
nam L P G S *edd.* magnam R ‖ ad *om.* L R P

r. Matth. 12, 43

21. *Or quand l'esprit immonde est sorti d'un homme, il marche par des lieux arides, en quête de repos et il n'en trouvera pas* [r], etc. La lecture du texte est continue et le début même du récit qui s'engage indique qu'elle part de l'idée précédente : il y a en effet, au commencement, un mot de liaison [19]. Mais il faut exposer la raison de toute la comparaison proposée. L'esprit immonde sortant d'un homme parcourt des lieux arides et desséchés, où ne coulait aucune source de vie. Et ne trouvant pas de repos, il dira en lui-même qu'il lui convient de revenir à la maison d'où il est sorti : il la trouvera vide, nettoyée à coups de balai et décorée [s], et il prendra avec lui sept esprits plus mauvais que lui qui y entreront pour l'habiter, et ce dernier état de l'homme sera pire que le premier [t]. Et le Seigneur a conclu en disant : *Ainsi en sera-t-il de cette génération si mauvaise* [u].

22. Nous ne pouvons donc douter que tout cela doive se rapporter au rôle joué par le peuple de ce temps, mais il faut étudier dans quelle mesure chaque détail renvoie à chaque circonstance et à chaque objet. Précédemment, en effet, sous le nom des Ninivites et de la reine du Midi, la foi des païens a été justifiée, mais bien avant, après beaucoup de graves péchés commis contre Dieu, la Loi a été donnée aux Juifs. D'ailleurs, les livres de Moïse contiennent leurs péchés mais qui ont suivi tant de marques de la puissance divine : l'Égypte frappée par dix plaies, la colonne de nuée et de lumière les accompagnant jour et nuit, le chemin ouvert dans la mer d'Érythrée, les sources jaillissant de la fente des rochers, la manne qui satisfait à leur appétit, enfin le peuple vivant pendant quarante ans de la vie et du régime des anges ; c'est après tout cela donc, qu'ils ont adoré et célébré bêtes et pierres

---

s. Cf. Matth. 12, 44
t. Cf. Matth. 12, 45
u. Matth. 12, 45

---

19. *Autem* est une *coniunctio* : cf. Prisc., *gramm.*, éd. Keil, t. 3, p. 287.

lorum populum uiuentem ; adoratum postea pecudibus
15 et saxis hisque cum choris canticisque saltatum et metalla
deos nuncupata. Ergo insidentem plebis istius pectori-
bus spiritum immundum lex quae postea data est interuentu suo eiecit et ueluti quadam custodia circumiectae
potestatis exclusit. Qui illinc exiens circum gentes
20 desertas atque aridas oberrauit domum ueterem derelinquens, ut in his usque in diem iudicii non inquietata
habitatione requiesceret.

C   23. Sed rursum Dei gratia impertita gentibus, postquam in aquae lauacrum fons uiuus effluxit, habitandi
cum his locus nullus est, et cum iam in his requiem non
habet, intra se reputans optimum credit regredi in eam
5 ex qua profectus est domum. Haec emundata per legem
et prophetarum ornata praeconiis et Christi aduentu
praeparata uacua inuenitur, a qua et custodia legis
abscesserit — quia omnis lex usque ad Ioannem est [v] —
et ad habitandum non receptus sit Christus, atque ita
10 et habitatore uacua est et deserta custodibus, cum
tamen uenienti habitatori praeuntium sollicitudine et
mundata sit et ornata. Septem igitur spiritus nequiores
adsumuntur, quia tot erant gratiarum munera destinata
cum Christo, quae in eo multiformis illa Dei sapientia
D septiformi gloria collocauit, ut tanta iniquitatis fieret
possessio, quanta futura fuerat gratiarum. Atque ita
933 A nouissima hominis illius peiora erunt prioribus, quia ex
eo immundus spiritus metu legis excesserat, nunc autem
in eos cum ultione repudiatae ab eis gratiae reuertetur.

LREP (= α) GSTM (= β)
LREP (= α) A (ab XII, 22, 17 usque ad XIII, 4, 3) GSTM (= β)
14 adorantem α ‖ *ante* postea *add.* supplicatumque *edd.* ‖14-15
pecudibus et saxis : p. ex s. L R   pecudes cum saxis P   pecudes
et saxa E ‖ 20 aberrauit α ‖ 23, 2 lauacro β *edd.* ‖ 4 habet : -beret
L R P *Cou.*   -bebit β *Bad.* ‖ 5 est *om.* A G S ‖ 6 aduentu : -tui β
Bad.   -tum L ‖ 11 ueniente habitatore P *Cou.* ‖ 14 cum : in R ‖
19 eo : eis T M   Iudaeis *edd.*

par des danses, chœurs et cantiques et appelé Dieu des
métaux[20]. L'esprit immonde, ainsi installé dans les cœurs de
ce peuple, en fut chassé par l'intervention de la Loi qui a
été donnée ensuite et qui l'a rejeté, exerçant en quelque
sorte la protection d'une puissance enveloppante. Mais en
sortant de là, il est allé à l'écart faire le tour de peuples
déserts et secs, en abandonnant son ancienne demeure pour
se reposer chez eux jusqu'au jour du jugement dans un
séjour que rien ne trouble.

23. Mais, derechef, la grâce de Dieu étant accordée
aux païens, depuis que la source vive s'est répandue en
eau baptismale, il n'a plus de lieu où habiter avec eux et,
ne trouvant plus de repos parmi eux, il réfléchit en lui-
même et pense qu'il n'a rien de mieux à faire que de retourner à la demeure d'où il est parti. Celle-ci, purifiée par la
Loi, rehaussée des prédictions des prophètes, toute prête
pour la venue du Christ, est trouvée vide du fait que la
protection de la Loi s'est retirée d'elle — car toute la
Loi va jusqu'à Jean[v] — et que le Christ n'a pas été admis
à l'habiter. Et ainsi elle est vide d'habitants et privée de
gardiens, alors pourtant qu'elle a été purifiée et décorée
pour l'habitant à venir par la sollicitude de ceux qui
précédèrent. Sept esprits plus mauvais sont donc pris,
parce que tel était le nombre des dons de grâce prédes-
tinés à être avec le Christ, en qui la sagesse de Dieu les
déposa, les multipliant en sept titres de gloire [21], de sorte
que la possession de l'iniquité devînt aussi importante
que la possession destinée à être celle des grâces. Et l'état
final de cet homme sera ainsi pire que le précédent, parce
que, par crainte de la Loi, l'esprit immonde était sorti
de lui et que maintenant il reviendra chez ceux qu'il punit
d'avoir repoussé sa grâce.

v. Cf. Matth. 11, 13

---

20. Hilaire s'inspire de pages de polémique antijuive comme
Tert., *adu. Iud.*, 3, 13.
21. Ce sont les sept esprits de la prophétie d'Isaïe 11, 2, « signes
spirituels qui ne convenaient à nul autre homme mieux qu'au
Christ » (Tert., *adu. Iud.*, 9, 27).

24. Et quia totum istud in paternae maiestatis uirtute
loqueretur nuntianti sibi quod foris a matre atque a
fratribus exspectaretur ^w, manum in discipulos exten-
dens eos sibi fratres esse matremque respondit et qui-
5 cumque uoluntati paternae obsecutus esset, eum esse
et fratrem et sororem et matrem ^x, formam se ipsum
uniuersis agendi sentiendique constituens, propinqui-
tatum omnium ius atque nomen iam non de condicione
nascendi, sed de Ecclesiae communione retinendum.
B Ceterum non fastidiose de matre sua sensisse existi-
mandus est, cui in passione positus maximae sollicitudinis tribuerit adfectum. Est autem etiam in eo typica
ratio seruata, ut mater eius et fratres foris starent, cum
utique ingrediendi ad eum haberent ut ceteri potesta-
15 tem. Sed quia in sua uenit et sui eum non cognouerunt ^y,
in matre eius ac fratribus Synagoga et Israelitae prae-
figurantur ingressu eius atque aditu abstinentes.

13

C **1.** *In illa die exiit Iesus et sedebat secus mare et congre-
gatae sunt ad eum turbae, ita ut in nauiculam ascen-
deret* ^a. Sedisse Dominum in naui et turbas foris stetisse
ex subiectis rebus est ratio. In parabolis enim erat locu-

LREP (= α) A (ab XII, 22, 17 usque ad XIII, 4, 3) GSTM (= β)
24, 4 et *om.* A G S *Bad.* ‖ 6 et matrem *om.* A S ‖ 11 cui : cum
cui A G S   cum ipsi *Bad.* ‖ 15 cognouerunt : receperunt β *edd.* ‖
17 ingressus L R ‖ aditus L R ‖ abstinens A S
XIII in L R P M : in E A G S   CANON (CAPVT T *Cou.*) XIII
in T² *edd.* ‖ 2 ascendisset L E P

---

w. Cf. Matth. 12, 46-47
x. Cf. Matth. 12, 49
y. Cf. Jn 1, 11

24. Et parce qu'il tenait tous ces propos par la vertu de la majesté du Père, comme on lui annonçait que dehors il était attendu par sa mère et ses frères [w], il étendit la main vers les disciples et répondit qu'ils étaient pour lui ses frères et sa mère [x], donnant à tous en sa personne le modèle d'une action et d'une pensée où le droit et le titre de toute parenté devait être observé, non plus d'après l'état de chose naturel, mais d'après la communion de l'Église [22]. Cependant il ne faudrait pas lui prêter quelque morgue à l'égard de sa mère, pour laquelle, étant exposé à la passion, il a manifesté la plus grande sollicitude [23]. Une raison typologique a été aussi respectée dans le fait que sa mère et ses frères se tenaient dehors, alors qu'ils avaient comme les autres la possibilité de l'aborder en tout état de cause, mais parce qu'il est venu chez lui et que les siens ne l'ont pas reconnu [y], dans sa mère et ses frères sont préfigurés la Synagogue et les Israélites qui s'abstiennent d'entrer et de l'aborder [24].

Chapitre 13

1. *En ce jour-là, Jésus sortit et s'asseyait au bord de la mer, quand des foules nombreuses s'assemblèrent auprès de lui, si bien qu'il monta dans une barque* [a]. Si le Seigneur s'est assis dans le navire et si des foules sont restées en dehors, cela s'explique par les faits qui suivent. Il devait,

a. Matth. 13, 1-2

22. Cette antithèse rappelle celle que Cic., *leg.*, 2, 5 établit entre un lien fondé sur la nature et un autre (lien de la cité) fondé sur la *communio legis* ou *iuris* (*leg.*, 1, 23). Or, selon Tert., *praescr.*, 20, 8-9, la *communicatio ecclesiastica* est un droit fondé sur la transmission de la *regula fidei* instituée par le Christ (*praescr.*, 14, 1).

23. *Fastidium* et *sollicitudo* appartiennent à la terminologie de l'amour selon la « nature » : cf. *fastidia Amaryllidis* (Verg., *ecl.*, 2, 14-15) ; *amor sollicitus et anxius* (Cic., *Att.*, 2, 24, 1).

24. Même exégèse que dans Tert., *carn.*, 7, 13.

5 turus ᵇ et facti istius genere significat eos qui extra
Ecclesiam positi sunt nullam diuini sermonis capere
posse intelligentiam. Nauis enim Ecclesiae typum prae-
fert, intra quam uerbum uitae positum et praedicatum
hi qui extra sunt et arenae modo steriles atque inutiles
10 adiacent intelligere non possunt. De parabolis autem
iam a Domino absolutis loqui otiosum est ᶜ.

D   **2.** *Qui enim habet dabitur ei et abundabit ; qui autem*
non habet et quod habet auferetur ab eo ᵈ. Regni mysteria
fides percipit. Haec in quibus fuerit proficiet et incre-
mentis profectus sui abundabit ; in quibus uero non fuerit,
994 A etiam quod habent auferetur ab eis. Damnum scilicet
legis ex fidei inopia declarat ; quam fidem Iudaei non
habentes legem quoque quam habuerant perdiderunt.
Et ideo perfectum fides euangelica habet donum, quia
suscepta nouis fructibus ditat, repudiata uero etiam
10 ueteris substantiae opes detrahit.

    3. *Vestri autem beati oculi qui uident et aures quae*
audiunt ᵉ. Apostolici temporis beatitudinem docet, quorum oculis atque auribus contigit Dei salutare uisere et
audire, prophetis atque iustis cupientibus uidere et
5 audire ᶠ in plenitudinem temporum destinatorum et
exspectationis istius gaudium apostolis reseruatum.

B   **4.** *Simile est regnum caelorum grano sinapis* ᵍ. Grano
se sinapis Dominus comparauit, acri maxime et omnium

LREP (= α) A (ab XII, 22, 17 usque ad XIII, 4, 3) GSTM (= β)
2, 5 his β ‖ 9 *post* ditat *add.* et A G S ‖ **3,** 5 plenitudine A S ‖
destinatum T M ‖ 6 reseruatis A G S ‖ **4,** 1 *post* sinapis *add.* et
reliqua β *edd.* ‖ 2 se sinapis : sinapis seipsum T M *Cou.* sinapis
A S *om.* G ‖ agri L R A G S

---

b. Cf. Matth. 13, 3
c. Cf. Matth. 13, 3-9 ; 13, 18-30 ; 13, 36-43
d. Matth. 13, 12
e. Matth. 13, 16
f. Cf. Matth. 13, 17
g. Matth. 13, 31

en effet, parler en paraboles [b], et la manière dont les choses se passent signifie que ceux qui sont situés en dehors de l'Église [1] ne peuvent obtenir aucune intelligence de la parole divine. Le navire présente le type de l'Église, à l'intérieur de laquelle se trouve et s'enseigne le Verbe de vie [2] incompréhensible pour ceux qui, placés au dehors, s'étendent à côté, inutiles et stériles comme du sable. Mais des paraboles qui ont été déjà tirées au clair [c] par le Seigneur il est superflu de parler.

2. *A celui qui a, on donnera et il aura en abondance ; à celui qui n'a pas, on ôtera même ce qu'il a* [d]. La foi saisit les mystères du Royaume. Chez ceux qui l'auront elle se développera et à force de se développer [3], elle sera en abondance. A ceux qui ne l'auront pas, on ôtera même ce qu'ils ont. C'est une façon d'indiquer le dommage causé à la Loi par le manque de foi, car les Juifs n'ayant pas la foi, auront perdu aussi la Loi qu'ils avaient eue. Et si la foi évangélique possède le don à l'état parfait, c'est parce qu'elle enrichit ceux qui l'ont reçue de nouveaux fruits et retire à ceux qui l'ont repoussée les biens même de leur ancienne fortune.

3. *Heureux vos yeux parce qu'ils voient et vos oreilles parce qu'elles entendent* [e]. Il montre le bonheur du temps des apôtres, dont les yeux et les oreilles ont eu la chance de voir et d'entendre le salut de Dieu, quand les prophètes et les justes aspiraient à voir et à entendre la joie réservée aux apôtres pour l'accomplissement de cette attente et des temps fixés [f].

4. *Le Royaume des cieux est semblable à un grain de sénevé* [g]. Le Seigneur s'est comparé au grain de sénevé, très vivace [4] et la plus petite de toutes les semences,

---

1. Notion qui procède de l'ecclésiologie de CYPRIEN : cf. *unit. eccl.*, 6.
2. Le Christ est dans l'Église, parce qu'elle est la *domus Dei* (cf. CYPR., *unit. eccl.*, 8). Il est « enseigné » dans l'Église, dans la mesure où celle-ci est *cathedra* (TERT., *praescr.*, 36.1 ; CYPR., *unit. eccl.*, 4 *T P*).
3. Le progrès de la foi est un thème parénétique de TERTULLIEN (cf. *resurr.*, 40, 7) et de CYPRIEN (*Fort.* 8) d'après *Col.* 1, 10.
4. Détail emprunté à des ouvrages techniques : cf. VARRO, *Cati*, *Frg.* 16 « Acria, ut est sinape, cepa, alium ».

seminum minimo, cuius uirtus ac potestas tribulationibus
et pressuris accenditur. Granum hoc igitur postquam in
5 agro satum fuerit, id est ubi a populo comprehensus et
traditus morti, tamquam in agro satione quadam fuit
corporis consepultus, ultra mensuram omnium olerum
excrescit et uniuersam prophetarum gloriam excedit [h].
Oleris enim uice tamquam aegroto Israel data est prae-
10 dicatio prophetarum. Sed iam ex ramis arboris ex solo
in sublime prolatae caeli uolucres inhabitant : apostolos
scilicet ex Christi uirtute protensos et mundum inum-
brantes in ramis intelligimus, in quos gentes in spem
C uitae aduolabunt et aurarum turbine, id est diaboli
15 spiritu flatuque uexatae tamquam in ramis arboris
acquiescent.

5. *Simile est regnum caelorum fermento quod acceptum
mulier abscondit in farinae mensuris tribus, donec fermentatum est totum* [i]. Fermentum de farina est, quod
uirtutem acceptam aceruo generis sui reddit. Huic se
5 Dominus comparauit, quod acceptum mulier, Synagoga
scilicet per iudicium mortis abscondit arguens legem et
prophetas euangeliis dissolui. Hoc autem farinae mensuris
tribus, id est legis, prophetarum, euangeliorum aequalitate
coopertum omnia unum facit, ut quod lex constituit,
10 prophetae nuntiauerunt, id ipsum euangeliorum profec-

LREP (= α) GSTM (= β)
3 semini T M ‖ 5 fuerat β *Bad.* ‖ 9 Israeli *edd.* ‖ 10 iam *om.* L R P ‖
12 ex : et L R P GS *Cou.* ‖ 13 intelligimus : -emus L R *Bad. Cou.*
-amus E ‖ 5, 7 dissolutos β *Bad.*

h. Cf. Matth. 13, 32
i. Matth. 13, 33

5. *Virtus* et *potestas* expriment-ils le *succus* ou *uis* (cf. l'image
dans Cic., *de orat.*, 3, 96 ; Qvint., *inst.*, *prooem.* 24) des herbes
broyées ? En tout état de cause, la phrase, par l'intermédiaire sans
doute de *Lc* 22, 31 et selon une thématique développée par Cypr.,
epist., 11, 5 ; 58, 1, s'applique surtout à la *uirtus* du martyr au
milieu des *pressurae* et des *tribulationes*.

douée d'une force et d'une puissance qu'attisent les tribu-
lations et les pressions [5]. Donc comme ce grain a été semé
dans un champ, c'est-à-dire quand, ayant été arrêté par
le peuple et livré à la mort, il a été enseveli comme dans
un champ où son corps est en quelque sorte semé, il
dépasse en croissance la taille de tous les légumes et
s'élève au-dessus de toute la gloire des prophètes. Comme
une plante, la prédication des prophètes a été administrée
à Israël tel à un malade. Mais maintenant les branches
de l'arbre se dressant du sol vers le ciel donnent une habitation aux oiseaux du ciel [h]. Ces branches, nous les comprenons comme signifiant les apôtres qui se déploient à
partir de la puissance du Christ et étendent leur ombre
sur le monde [6] : vers eux les païens voleront dans l'espérance de la vie et se reposeront, comme sur les branches
d'un arbre, de la fatigue des vents tourbillonnants qui
sont le souffle et l'haleine du diable.

5. *Le Royaume des cieux est semblable au levain qu'une
femme a pris et enfoui dans trois mesures de farine, jusqu'à
ce que tout soit fermenté* [1]. Le levain est tiré de la farine [7],
tandis qu'il rend à sa masse d'origine la force qu'il en a
reçue. Le Seigneur s'est comparé au levain qu'une femme,
entendons la Synagogue, a pris, a caché par un arrêt de
mort [8], accusant les Évangiles de détruire la Loi et les
prophètes. Ce levain recouvert de trois mesures de farine,
c'est-à-dire de la Loi, des prophètes, des Évangiles à éga-
lité fait de leur ensemble une seule chose, en sorte que ce
que la Loi a fixé, ce que les prophètes ont annoncé soit
précisément accompli par le progrès des Évangiles [9].

---

6. La même image se trouve dans Cypr., *unit. eccl.*, 5, appliquée à la diffusion de l'Église dans le monde entier.

7. Détail emprunté à des ouvrages techniques : cf. Plin., *nat.*,
18, 11 (26).

8. La relation entre le levain dans la pâte et le Seigneur immolé
est déduite de *I Cor.* 5, 6-8.

9. L'unité entre la Loi et les Prophètes d'une part, l'Évangile
d'autre part, ainsi que le « prcgrès » marqué par le second sont
parmi les idées maîtresses de Tertullien combattant les *Anti-
thèses* de Marcion : cf. *adu. Marc.*, 4, 1, 1-3 ; 4, 11, 11.

tibus expleatur. Fiuntque omnia per Dei Spiritum eius-
D dem et uirtutis et sensus nihilque aliud ab alio mensuris
aequalibus fermentatum dissidens reperietur.

6. Quamquam ad fidei sacramentum, id est ad Patris
995 A et Filii et Spiritus sancti unitatem, sed et ad trium
gentium uocationem ex Sem, Cham et Iaphet tres mensu-
ras farinae esse referendas sensisse multos meminerim.
5 Sed nescio an hoc ita opinari ratio permittat, cum,
tametsi omnium gentium uocatio sit aeque, tamen in his
Christus non absconsus sit, sed ostensus et in tanta infidelium multitudine non fermentatum sit totum, in
Patre autem et Filio et Spiritu sancto sine admixti extrin-
10 secus fermenti necessitate in Christo omnia unum sint.

7. *Iterum simile est regnum caelorum thesauro abscon-*
dito [j], et reliqua. Per similitudinem thesauri in agro spei
nostrae opes intra se positas ostendit, quia Deus in homine
B sit repertus [k], in cuius pretium omnes saeculi uendendae
5 sunt facultates, ut uestitu, cibo potuque indigentium
aeternas caelestis thesauri diuitias comparemus [l]. Sed
contuendum est inuentum thesaurum et absconsum
fuisse, cum utique qui inuenit et secreto et tempore quo
abscondit auferre potuisset et auferens emendi neces-
10 sitate caruisset. Sed ut rei, ita et dicti fuit ratio explicanda. Ideo enim absconsus est thesaurus, quia et agrum
emi oportebat. Thesaurus enim in agro, ut diximus,
Christus intelligitur in carne, quem inuenisse est gratui-

LREP (= α) GSTM (= β)
13 dissidens : dissentiens β *edd.* ‖ **6, 1** quam quod R P ‖ 4 me-
mini β *Bad.* ‖ 9 sine : in ea β *Bad.* ‖ **7, 10** fuerit R β *edd.* ‖ **13**
gratum β *Bad.*

---

j. Matth. 13, 44
k. Cf. Phil. 2, 7
l. Cf. Matth. 25, 35-36

---

10. Renvoie à Tert., *orat.*, 25, 2 ; *bapt.* 6, 2 (Trinité) et *nat.*, 1,
8, 11 (les trois races).

Tout prend par l'Esprit de Dieu même force et même disposition d'esprit et l'on ne trouvera pas de division entre
l'un ou l'autre des éléments qui ont fermenté selon des
mesures égales.

6. Je pourrais, cependant, rappeler que, de l'avis de
plus d'un [10], c'est au mystère de la foi, c'est-à-dire à l'unité
du Père, du Fils et du Saint-Esprit, et également à la
vocation des trois peuples issus de Sem, Cham et Japhet
que, doivent être rapportées les trois mesures de farine ;
mais je me demande si ces points de vue sont autorisés
par la logique, étant donné que, même si la vocation de
tous les peuples se fait équitablement, le Christ en eux
n'est pas caché, mais montré et que dans une telle multitude d'incroyants, tout n'a pas fermenté et étant donné,
d'autre part, que dans le Père, le Fils et l'Esprit-Saint,
tout est un sans qu'il y ait nécessité de mêler dans le
Christ un ferment de l'extérieur [11].

7. *Le royaume des cieux est encore semblable à un trésor
caché* [j], et la suite. Par la comparaison avec un trésor dans
un champ, il montre les richesses de notre espérance pla-
cées en lui, parce que Dieu a été trouvé dans un homme [k],
pour le prix duquel tous les moyens du siècle doivent être
vendus, en sorte que nous acquérions les richesses éter-
nelles du trésor céleste par le moyen d'un vêtement, d'un
mets ou d'une boisson donnés à ceux qui en ont besoin [l].
Mais il faut observer que le trésor a été découvert et
caché, alors que de toute façon celui qui l'a trouvé aurait
pu l'emporter dans le secret, au moment où il l'a caché, et
l'emportant échapper à la nécessité de l'acheter. Cependant
la raison du fait et celle de son expression devaient être
explicables. Le trésor a été caché, parce qu'il fallait également que le champ fût acheté. Le trésor dans le champ,
comme nous l'avons dit, s'entend du Christ incarné qu'on

---

11. Idée reprise à la christologie de Tertullien (*adu. Prax.*, 27,
8) : l'unité des personnes divines n'est pas le fruit d'une *mixtura*
qui ferait qu'un *tertium quid* unifie les deux substances (homme-
Dieu) : cf. R. Cantalamessa, *La cristologia di Tertulliano* (*Para-
dosis* 18), Fribourg 1962, p. 144-149.

tum. Euangeliorum enim praedicatio in absoluto est, sed
15 utendi et possidendi huius thesauri cum agro potestas
non potest esse sine pretio, quia caelestes diuitiae non
nisi damno saeculi possidentur.

C   8. Et de margarita par ratio est [m]. Sed ad negotia-
torem iamdiu in lege uersantem proficiens hic sermo est,
qui longo ac diutino labore ad margaritae scientiam
peruenerit et ea quae sub onere legis adeptus sit
5 derelinquat. Diu enim est negotiatus et margaritam
aliquando qualem optabat inuenit [n], cui unius huius
desiderati lapidis pretium reliqui laboris iactura est
comparandum.

996 A   9. *Iterum simile est regnum caelorum reti misso in mari* [o],
et cetera. Merito praedicationem suam reti comparauit,
quae in saeculum ueniens sine saeculi damno habitantes
intra saeculum congregauit modo 'retis, quod mare pene-
5 trans ita agitur de profundo, ut per omne elementi illius
corpus euadens clausos intra ambitum suum extrahat
nosque ex saeculo in lumen ueri solis educat in hono-
rum electione et malorum abiectione futuri iudicii
examen ostendens [p].

LREP (= α) GSTM (= β)
17 nisi : sine S β′ *Bad.* ‖ 8, 6 *post* cui *add.* et β *edd.* ‖ 9, 1 reti :
-tio L R G   -t /// e S ‖ mare E T M *edd.* ‖ 2 cetera : reliqua β *edd.* ‖
reti : -tio L R G -ti /// S ‖ 6 habitum T M *Bad. Era.* ‖ 7 lumine S β′

m. Cf. Matth. 13, 45
n. Cf. Matth. 13, 46
o. Matth. 13, 47
p. Cf. Matth. 13, 48-49

trouve pour rien [12]. L'enseignement des Évangiles est évident en effet, mais il ne saurait y avoir un moyen d'utiliser et de posséder ce trésor sans payer, parce que l'on ne possède les richesses célestes qu'en sacrifiant le monde.

8. La même explication vaut aussi pour la perle [m]. Mais ici le propos marque un progrès, s'agissant d'un marchand qui, depuis longtemps établi dans la Loi, est parvenu par un labeur long et durable à la connaissance de la perle et abandonne ce qu'il a acquis sous le poids de la Loi. Il a fait du commerce pendant longtemps et a trouvé un jour la perle qu'il souhaitait [n]. Mais cette pierre, unique objet de ses désirs, doit être acquise au prix du sacrifice de toute sa peine antérieure.

9. *Le Royaume des cieux est encore semblable au filet qu'on a lancé dans la mer* [o], *etc.* Il a eu raison de comparer son enseignement à un filet qui, venant dans ce monde a rassemblé sans nuire au monde ceux qui habitent à l'intérieur du monde : il montre que, comme dans le cas d'un filet qui pénétrant dans la mer est ramené depuis les profondeurs, de façon qu'en passant dans l'ensemble de cet élément, il en arrache ceux qu'il tient enfermés au dedans de son enveloppe et nous, nous amène du monde à la lumière du vrai soleil [13], c'est dans le choix de ceux qui sont bons et l'abandon de ceux qui sont mauvais que consiste le tri du jugement futur [p].

---

12. Réminiscence de *Col.* 2, 3 : « Dieu dans lequel se trouvent cachés tous les trésors de la sagesse et de la connaissance. » L'oxymoron « trésor... pour rien » est parallèle à celui de *Rom.* 3, 24 : « justifiés pour rien par sa grâce ».

13. Cette expression est appliquée chez Cypr., *domin. orat.*, 35, au Christ revenant dans la gloire.

TABLE DES MATIÈRES

Les index figureront dans le second tome.

ACHEVÉ D'IMPRIMER
LE 19 JANVIER 1979
SUR LES PRESSES
DE PROTAT FRÈRES
A MACON

N° IMPRIMEUR : 6376. N° ÉDITEUR : 6985. DÉPÔT LÉGAL. 1er TRIMESTRE 1979.